피부 장벽

SKIN BARRIER

피부 장벽 SKIN BARRIER

초판 1쇄 2025년 3월 20일

저　　자 안성구·박하나·안건영·정　준·황상민·김태현
이남호·강윤철·손인범·안형진·이세원·천승현
이진욱·이해광·홍승필·김재홍·홍한나·윤나영
박상연·이누리·금동인·김보경·최승재·이상훈
발 행 인 윤주원
발 행 처 정우의학서적
편　　집 진혜리
디 자 인 이양숙·안현아
주　　소 (06910) 서울시 동작구 흑석로 13가길 33
전　　화 (02) 822-1361
팩　　스 (02) 822-1378
이 메 일 ketmowo@hanmail.net
등　　록 제 319-2005-4
I S B N 979-11-90050-20-3 93510
정　　가 57,000원

피부 장벽

SKIN BARRIER

머릿글

한국 피부장벽학회가 1995년에 창립되었으므로 30년의 세월이 지나갔다. 1990년대 후반까지 피부과 전문의는 피부 장벽 개념을 이해하지 못하였다. 이후에 세포공학·생화학적 접근이 가미됨에 따라 급속한 발전을 맞이하였다. 학회는 저명한 피부 장벽 대가를 초빙하였고, 국내 피부과 교실은 외국 학술지에 연구 결과물을 게재하였다. 화장품 회사 뿐만 아니라 의료 기기 회사의 제품 개발에 기여한 장벽 학회의 역할에 박수를 보낸다! 놀라운 발전!

본 책자는 국내·외 학술지 및 피부과학 교과서에 기술된 최신의 내용 뿐만 아니라 다양한 표·그림을 수정·보완하여 이해도를 높혔다. 진료와 연구에 밑거름이 되길 바란다. 자료 정리에 참여한 송은주 및 참여 저자 23명 뿐만 아니라 편집·디자인에 수고한 진혜리 선생께 고마움을 드린다.

2025년 새해 아침
의료사료관 연구실에서
대표 저자 안 성 구

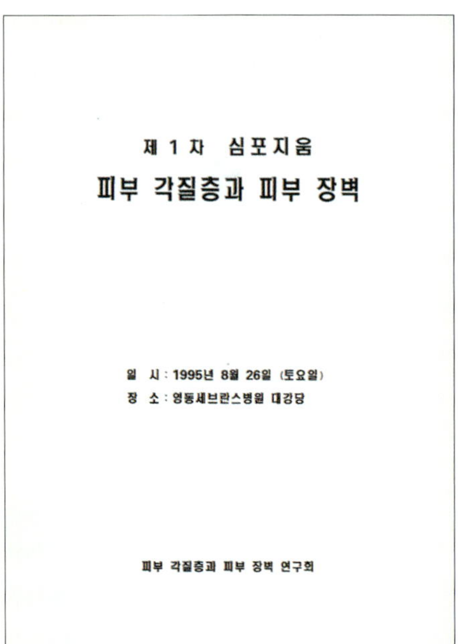

표지 설명

피부 장벽을 의미하는 "Brick & Mortal" 모델을 제시한 Elias 교수의 개념을 형상화하였다.

UCSF 보훈병원(금문교 부근)은 피부 장벽의 산실이다.

참고

본 책자에 수록된 내용(표·그림 포함)은 다양한 자료(단행본·교과서·저널 등)를 참조하였으며, 추가·보충하였다.

피부 장벽 산실(UCSF)

한국 피부 장벽 학회 로고(안성구 도안)

참여 저자(가나다 순)

강윤철(강윤철 피부과)
김보경(피부과 전문의)
김태현(DS 클리닉)
박하나(청담하나 피부과)
안건영(고운세상 코스메틱)
안형진(수유우태하 피부과)
이남호(목동고운세상 피부과)
이상훈(연세원주의대 피부과)
이진욱(일산병원 피부과)
정 준(연세 피부과)
최승재(피부과 전문의)
홍한나(연세우리 피부과)
금동인(갤러리아 피부과)
김재홍(연세조은 피부과)
박상연(더메이 피부과)
손인범(myskin 피부과)
안성구(연세원주의대 명예교수)
윤나영(연세고은 피부과)
이누리(연세늘봄 피부과)
이세원(연세리앤 피부과)
이해광(P&K 피부임상연구센터)
천승현(연세예 피부과)
홍승필(연세원주의대 피부과)
황상민(피부사랑 피부과)

Elias 교수 및 Lab. 스태프·연수자 모임(2005년)
(앞줄: 안성구, ML Williams, M Denda, KR Feingold, PM Elias, 이승헌, ? , MQ Man
뒷줄: 최응호, WM Holleran, Y Takagi, 김도원)

참고 자료

단행본/교과서

피부과학(대한피부과학회, 2020)

한국 피부장벽학회지(2010~2024)

이승헌 교수의 그림으로 설명한 피부장벽(군자출판사, 2018)

피부미용 성분학(정우의학, 2016)

Atopic dermatitis(Elsevier, 2022)

Contact dermatitis(Springer-Verlag, 2020)

Cosmeceuticals(Karger, 2021)

Cosmetic dermatology(Wiley-Blackwell, 2017)

Ethnic dermatology(Wiley-Blackwell, 2013)

Fitzpatric's dermatology(McGraw-Hill, 2019)

Handbook of cosmetic science and technology(CRC press, 2014)

Molecular mechanism of skin aging(CRC, 2016)

pH of the skin(Krager, 2018)

Procedures in cosmetic dermatology(Elsevier, 2022)

Rook's textbook of dermatology(Wiley-Blackwell, 2023)

Skin barrier function(Krager, 2016)

Textbook of cosmetic dermatology(Taylor & Francis, 2005)

저널

한국피부장벽학회지	Adv Lipid Res	Arch Dermatol	Arch Dermatol Res
Autophagy	Biochem Biophys Acta	Biol Chem	Br J Dermatol
Cell Tissue Res	Chem Phys Lipids	Eur J Cell Research	Eur J Immunol
Exp Dermatol	Human Moll Genetic	Inv J Cosmet Sci	Int J Dermatol
J Am Acad Dermatol	J Biol Chem	J Biol phys	J Cell Sci
J Clin Invest	J Dermatol Science	J Exp Med	J Immunol
J Invest Dermatol	J Skin Barrier Res	J Struct Biol	Nat Cell Biol
Nat Immunol	Nat Genet	N Engl J Med	Mol Cell Proteomics
Science	Skin Pharmacol Physiol	Skin Physiol	Yonsei Med J

목차

머릿글 …4
표지 설명·참여 저자 소개·참고 자료 …5

1. 피부 기초학 …11

2. 피부 장벽 …19
    1) 물리적 장벽 …21
    2) 항균/화학 장벽 …24
    3) 광보호 장벽 …29
    4) 마이크로바이옴 장벽 …30
    5) 면역 장벽 …34

3. 단백질 …39
    1) 각질세포 단백질 …39
    2) 단백질 분해 효소 vs 단백질 분해 효소 억제제 …43

4. 지질 …53
    1) 기원 …53
    2) 합성/대사 …54
    3) 구조 …58
    4) 종류 …58
    5) 각질세포간 지질 …60
    6) 피지 …71

5. 층판소체/케라토히알린 과립 …83
    1) 층판소체 …83
    2) 케라톤히알린 과립 …88

6. 표피 연결 구조물 …91
    1) 교소체 …91
    2) 각질교소체 …94
    3) 밀착 연접 …96

7. 피부 수원지 …103
    1) 자연 보습 인자 …103
    2) 필라그린/프로필라그린 …106
    3) 히알루론산 …109
    4) 아쿠아포린 …114

8. 연관된 수용체/효소/기타 …119

1) PAR-2 …119
2) 핵 호르몬 수용체 …124
3) Transglutaminase …126
4) 표피 성장 인자 …127
5) 항균 펩티드 …130

9. 피부 장벽과 연관된 인자 …135

1) 온도 …135
2) 습도 …137
3) 수화/침수 …140
4) 전해질 …142
5) pH …146
6) 인종 …156
7) 자외선 …157
8) 비타민 D …164
9) 건조 피부 …167
10) 아토피 피부염 …171
11) 여드름 …176
12) 주사 …177
13) 당뇨병 …182
14) 건선 …184
15) 접촉 피부염 …185
16) 스트레스 …185
17) 노화 피부 …187
18) 스테로이드 …195
19) 호르몬 …198

10. 급성 피부 장벽 손상에 의한 변화 …205

1) 회복 과정 …205
2) 조절 인자 …206
3) 피부 장벽을 손상시키는 방법 …208

11. 경피 흡수/경표피 투과 경로…215

1) 경피 흡수 …215
2) 경표피 투과 경로 …217

12. 피부 장벽 기능 평가 …219

1) 경표피 수분 손실 …219
2) 각질층 수분 함량 …225
3) 피부 표면 형태 …229
4) 인설 …229
5) 신장(장력)성 …231
6) 피부 표면 산성도 …231
7) 근적외선 분광법 …232
8) 자기공명 단층 촬영법 …232

Index …235

1. 피부 기초학

피부는 인체의 최외측을 감싸고 있으며, 끊임없이 재생하는 조직이다. 다양한 외부 환경(물리·화학적 자극, 온도·습도 등)과 적응하면서 미생물 침범으로부터 인체를 보호한다. 이외에도 체온 조절, 면역 반응, 분비·대사 작용 등의 중요한 기능을 담당한다.

피부는 표피, 진피, 피하 지방층으로 구분한다. 표피를 구성하는 세포(각질형성세포, 멜라닌세포, 랑게르한스 세포 등)는 구조와 특성에 따라 기능에 차이가 있다. 피지선, 에크린선, 아포크린선은 진피에 존재하면서 표피를 통해 대사 물질을 배출한다. 쿠션 역할을 담당하는 피하 지방층은 다이어트의 표적이다. 다양한 구조물이 원활한 소통을 하면서 고유의 기능을 유지한다.

표 1-1. 피부 기능

기능	구조물
보호/장벽 기능	자외선으로부터 피부 보호(멜라닌세포, 각질층), 미생물 증식 억제(표피 지질, 각질층), 수분 조절(각질층), 물리·화학적 자극으로부터 보호(피하지방층, 신경, 각질세포, 지질, 탄력 섬유, 케라틴), 말단부 보호 및 지지(조갑), 외모 및 보호(모발), 경피 흡수/배출(표피)
면역 반응	사이토카인 분비, 염증 반응(림프구, 랑게르한스 세포, 각질형성세포 등)
체온 조절	발한 증가 및 억제(한선, 혈관, 자율 신경)
감각(지각)	Krause 소체(냉각), 자율 말초 신경(통각, 촉각), Vater-Pacini 소체(압각), Ruffini 소체(온각), Meissner 소체(촉각), Merkel disk(촉각, 자극 속도 탐지)
분비/배설	땀, 노폐물(한선), 지질(각질층, 피지선)
대사	비타민 D 합성(표피), 영양소 저장 및 신진 대사(피하 지방층)
흡수	경피 흡수(약제, 화장품 등)
기타	호흡 작용(폐 호흡의 1% 차지), 표정(외모), 상처 재생 등

피부는 외배엽과 중배엽에서 기원한다. 발생 4~6주에 2층의 태아 표피가 나타난다. 발생 11주에 3~5층의 중간층이 기저층과 태아 표피 사이에 형성된다. 발생 4개월 말(16주)에 기저층, 유극층, 과립층, 각질층이 완성되므로 인간의 탈을 쓰게 되는 매우 중요한 시기이다.

지질 공급처(층판소체)는 15주의 태아에서 처음 나타나며, 각질층 지질은 16주에 관찰된다. 23주에 불완전한 형태의 층이 나타나며, 28~30주 이후에 기능적으로 완전한 형태를 유지한다. 그러나 성인에 비해 아직도 미약한 상태이다. 출생 후의 피부 장벽은 성인과 유사한 구성 성분과 기능을 나타낸다. 28주 이전에 태어난 미숙아는 저체온증, 수분·전해질 불균형, 감염, 열에 의한 칼로리 소모가 현저하므로 집중적인 치료가 필요한 이유이다.

피부는 인체의 가장 외측에 존재하는 기관이며, 몸무게의 약 7%를 차지한다. 단일 기관으로 간주하면 가장 큰 조직에 해당한다.

피부 면적 계산법을 소개한다.

입체 도형의 겉 넓이는 석고 붕대법, 종이 테이프법, 알지네이트법으로 측정한다. 1㎠의 스티커를 자신의 몸에 붙인 후에 모눈 종이에 옮겨서 넓이를 측정한 독일인이 있었다. 그의 체표 면적은 1만 8360㎠이었다!

통상적으로 쉽게 측정할수 있는 방법을 소개한다.

첫째, 키(㎝) x 키(㎝) x 3/5 = 겉넓이

둘째, 키(㎝) x 넓적다리 둘레(㎝) x 2= 겉넓이

키 170㎝의 사람은 170 x 170 x 3/5 = 17,340㎠이다. 성인 피부의 면적은 1.6~1.8㎡이다.

1평이 3.3㎡이므로 1/2평의 넓이에 해당한다.

지구상의 인구를 70억으로 계산하면 112억~126억㎡이다. 우리나라 면적의 7.9~8.9배에 해당한다. 엄청난 넓이의 중요한 기관이다!

성별·연령·부위에 따라 다양하지만, 표피·진피·피하지방층을 포함한 평균 두께는 약 1.2㎜이다. 최외측 표피는 가장 얇으며, 평균 0.1㎜의 두께이다. 눈꺼풀이 0.04㎜로 가장 얇으며, 손·발바닥은 1.6㎜로서 가장 두껍다.

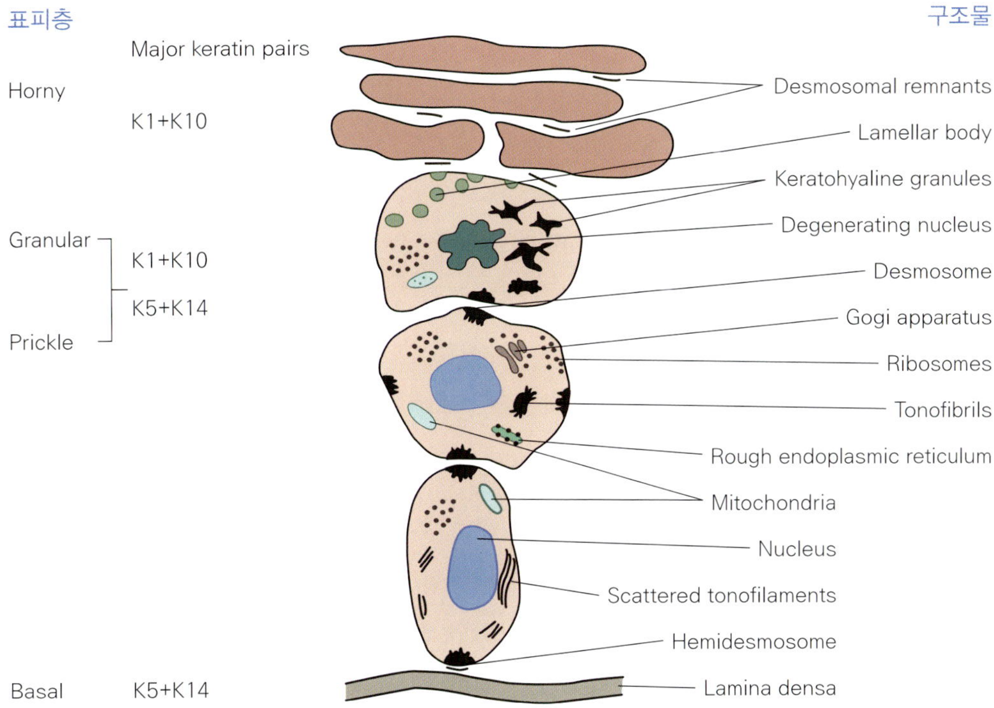

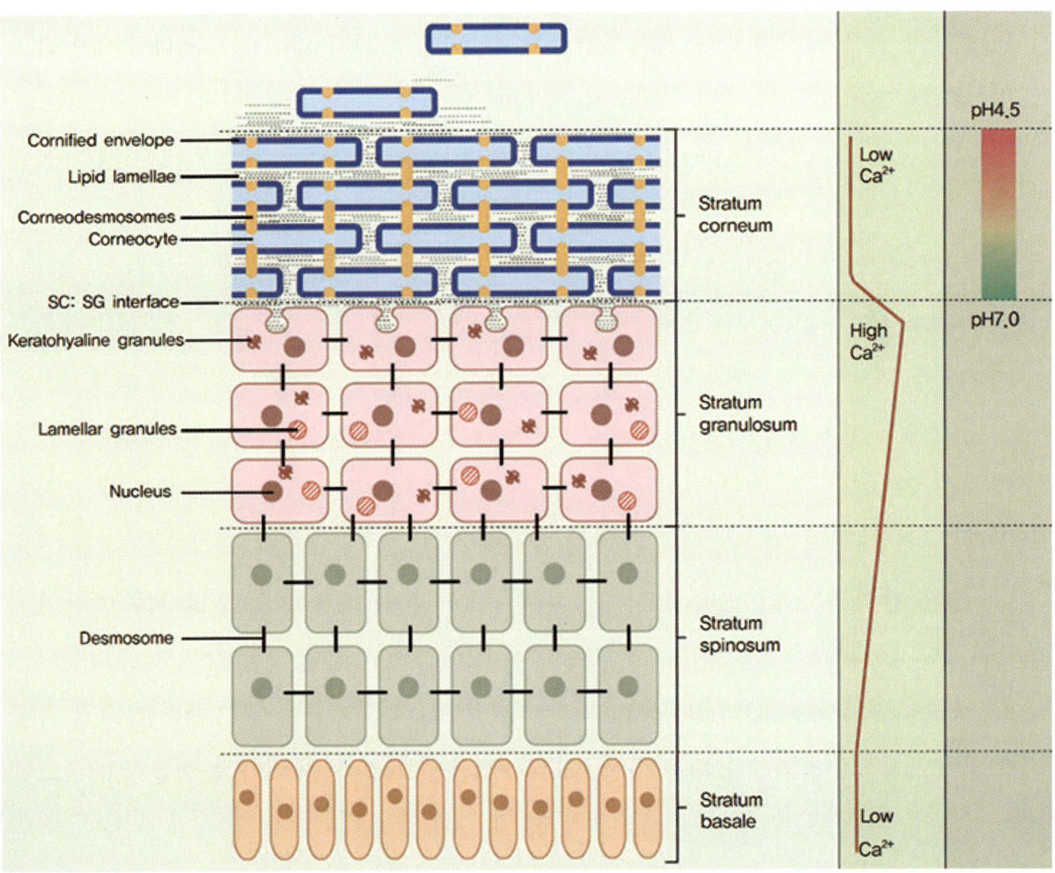

그림 1-1. 표피를 구성하는 세포의 종류, 구조적 특성, 칼슘, pH

표피는 여러층으로 이루어진 고층 아파트이다. 핵의 존재 유무, 세포질에 존재하는 소기관, 세포 형태 등에 따라 4가지로 구분된다. 각질형성세포는 표피 세포의 95%를 차지한다.

표피의 가장 하부에 위치하고 줄기 세포가 증식하는 기저층이 있다. 원주~입방 형태이다. 진피와 접하고 있으며, 진피 모세혈관으로부터 산소와 영양소를 공급받는다. 멜라닌세포와 함께 표피 줄기 세포가 존재하며, 피부 재생에 관여하는 핵심적인 층이며, Keratin 5, 14를 합성한다. 분열 후에 상층부로 이동하면서 분화가 시작되며, 다양한 조절 인자의 작용에 영향을 받는다. 기저층은 외배엽의 기저막으로부터 분열한다. 비대칭적으로 분열된 세포는 중간 세포 또는 유극층을 형성한다. 기지 세포는 기저막에서 분리되어 분화 기작이 유도되고, 기저층에 남아있는 줄기 세포는 분화가 억제되므로 피부 항상성이 유지된다.

표피층에서 가장 두꺼운 유극층은 5~10층의 다각형 세포로 구성되어 있다. 가장 넓은 부위를 차지한다. 세포 분화가 시작되는 부위이며, 세포 유착에 관여하는 교소체(desmosome)가 풍부하게 존재한다. 유극층은 과립층에 도달하면 모양이 편평하게 변하며, 세포 크기는 증가한다. 층판소체(lamellar body; LB)가 유극층 상부에서 관찰된다. Keratin 5, 14가 점차 사라지고, Keratin 1, 10 케라틴이 나타난다. Keratin 10은 피부 장벽 형성에 필요한 desmosome 구조의 주요 성분이다. 표피 분화와 함께 발현이 증가하므로 분화 지표자이다.

과립층은 각질유리질과립(keratohyaline granule)과 지질 성분으로 채워진 층판소체(lamellar body, LB)가 존재한다. 1~3층으로 구성된 방추 형태의 세포이다. 각질세포로 변형되는 과정에서 핵과 미토콘드리아 등과 같은 세포 내 소기관이 소실되면서 무핵세포와 유핵세포가 공존하며 수분이 감소된다. 골지체(Golgi apparatus)에서 형성된 층판소체는 이중막으로 둘러싸인 분비성 세포 소기관이다. 유극층 상부에서 처음으로 나타나지만, 과립층에서 가장 많이 존재한다. 층판소체는 각질세포간 지질 전구체를 각질세포간 지질의 형태로 분해하는 다양한 효소가 존재한다. 각질세포간 지질(intercellular lipids)을 공급하는 역할을 담당한다. 층판소체를 통해 분비된 각질세포간 지질의 전구체와 효소는 "세포외 변환(extracellular processiong)" 과정을 거쳐 다중 층상 구조(lamellar structure)의 각질세포간 지질 구조로 바뀌면서 각질층의 수분 손실을 억제한다.

가장 외측에 존재하는 각질층의 두께는 약 10~20㎛(참고: 표피 두께=50~100㎛)이다. 핵이 없으므로 예전에는 기능을 무시하였다. 수분 손실 방지, 외부 유해 물질의 침입을 막아주는 장벽 기능을 담당한다. 각질층은 각질형성세포가 최종 분화되면서 핵이 없는 각질세포(corneocytes)는 각질세포 외막(cornified envelope)으로 둘러 싸여 있고, 각질교소체(corneodesmosome)에 의해 각질세포가 연결되어 있다. 각질세포는 5~6각형의 납작한 형태이며, 25㎛ 크기·1,000㎛^{2} 면적·0.5~1.0㎛ 두께이다. 각질층에 존재하는 다양한 단백질분해효소(protease)에 의해 탈락(desquamation)된다. 단백질이 풍부한 각질세포와 각질세포간 지질로 구성된 각질층은 20~25개의 층으로 되어 있다[팔 내측(10~15층), 손·발바닥(100층)]. 주성분은 케라틴 단백질, 지질, 자연 보습 인자 등이며, 10~20%의 수분이 함유되어 있다. 각질층은 핵이 없는 죽은 세포와 캐라틴 단백질로 구성되어 있으나 피부 장벽 기능에서 가장 중요한 역할을 담당한다.

참고: 투명층은 손·발바닥에 매우 두꺼운 각질층이 존재하는 부위에 위치한다.

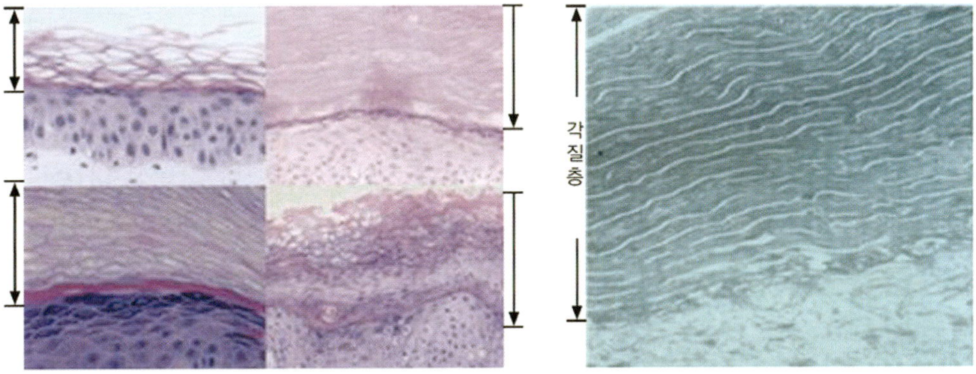

그림 1-2. 각질층(↔)의 다양한 형태[광학현미경 소견(좌측), 전자현미경 소견(우측)]

탈락 주기 vs 각화

표피를 구성하는 각질형성세포 분화 과정은 기저세포의 분열 과정, 유극세포의 합성 과정, 과립세포의 자가분해 과정, 각질세포의 재구축 과정 등의 4단계이다. 분화의 최종 단계는 각질층이 형성되는 각화(keratinization)이다. 각화는 각질형성세포가 각질세포로 분화하면 핵이 소실되고, 세포질에 케라틴 단백질로 채워지는 분화 과정을 의미한다. 분화 과정에서 각질형성세포가 기저층에서 각질층까지 도달하는 기간은 약 2주이다. 각질층의 가장 아래층에서 최종 탈락은 2주가량 소요된다. 그러므로 피부의 탈락 기간은 약 4주이다. 정상적인 허물벗기(탈락 주기, turnover)는 28일이 필요하다. 달의 차고 이지러지는 기간(음력)과 동일하며, 여성의 멘스 주기와 일치한다. 하루에 1층의 각질세포층이 탈락된다. 각질형성세포는 기저층에서 분열된 후에 상층부로 이동하면서 분화가 일어나는 일방향성을 나타낸다.

CELLULAR TURNOVER RATE BY AGE			
BABIES/KIDS	14 DAYS	30's	28~35 DAYS
TEENS	14~28 DAYS	40's	30~42 DAYS
20's	24~30 DAYS	50's	45~84 DAYS

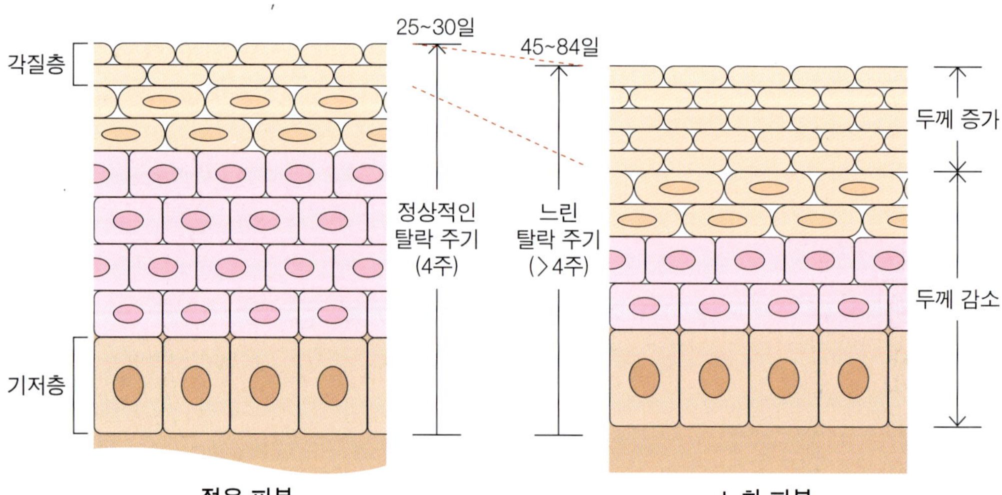

그림 1-3. 탈락 주기

2. 피부 장벽

본인(안성구), 이승헌, 김도원 교수가 창설한(1995년) '한국 피부장벽 학회' 과정을 소개한다. 초기의 학회 이름은 '피부 각질층과 장벽 연구회'였다. 장벽은 부정적인 개념이며, 2차 대전 이후에 태어난 냉전 시대의 부산물이다. 베를린의 콘크리트 장벽, 이스라엘·팔레스타인 및 미국·멕시코의 철조망 장벽, 러시아를 빗대어 표현한 철의 장막, 중국을 의미하는 죽(竹)의 장막 등등등…

장벽(障壁, Barrier)의 사전적인 의미는 "가리어 막은 벽, 둘 사이의 관계를 순조롭지 못하게 가로막는 장애물, 장애가 되는 것이나 극복하기 어려운 것"이다. 긍정적인 느낌의 '보호막'은 대표적인 피부 각질층의 기능이지만…

다양한 물질을 피부로 침투시켜서 원하는 효과를 얻는 제품(이온 영동을 이용하여 비타민 C, 진통 소염제를 투과시키는 패치, 멀미 방지용 패치 등…)의 정반대 개념이 상존하고 있다.

저자는 '피부 울타리'라는 단어를 제시한다. 울타리=양 방향을 의미한다! 벽돌, 회반죽으로 시작된 물리적 장벽 외에 다양한 장벽 개념이 제시되고 있다!

• 참고: 장벽 분류

• Physical barrier

Keratinocyte(corneocyte)

Lipid

Corneodesmosome

Desmosome

Tight junction

• Chemical barrier / antimicrobial barrier

Antimicrobial peptide

Lipid

Natural moisturizing factor, trans-urocanic acid

pH

- Immunologic barrier
  - T cell
  - Langerhans cell
  - NK cell
  - Mast cell
  - Eosinophil
  - Macrophage
- Photoprotective barrier
  - Keratinocyte
  - Melanocyte
  - cis-Urocanic acid(NMF)
  - Melanosome, melanin
  - Epidermis
  - Sebum(α-tocopherol)
- Microbiome barrier
  - *Staphylococcus epidermidis*
  - *Firmicutes*
  - *Bacteroidetes*
  - *Proteobacteria*
  - *Actinobacteria*

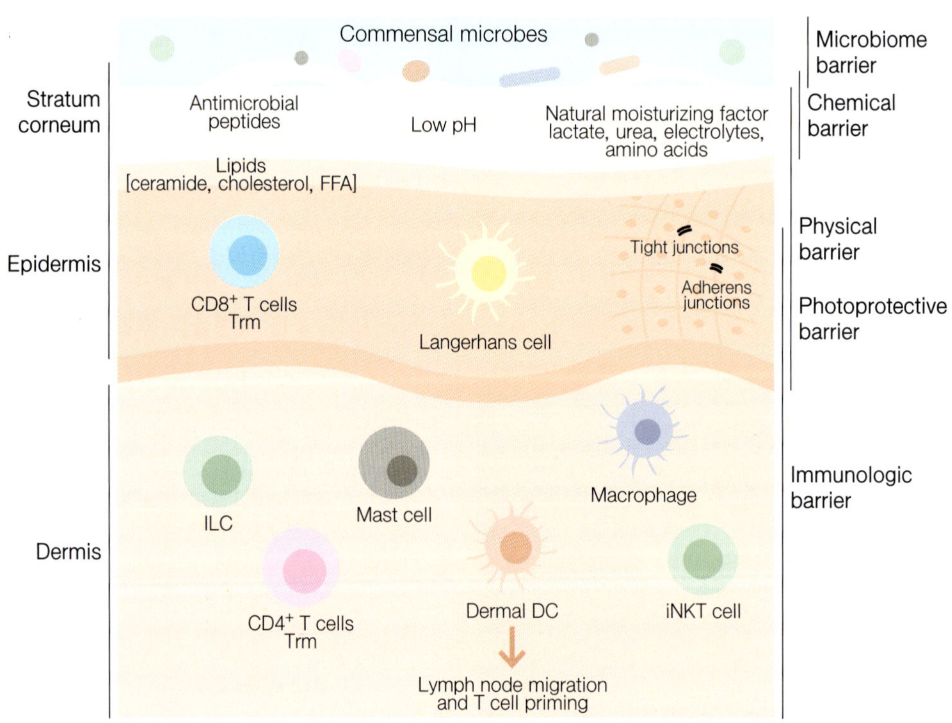

그림 2-1. 피부 장벽

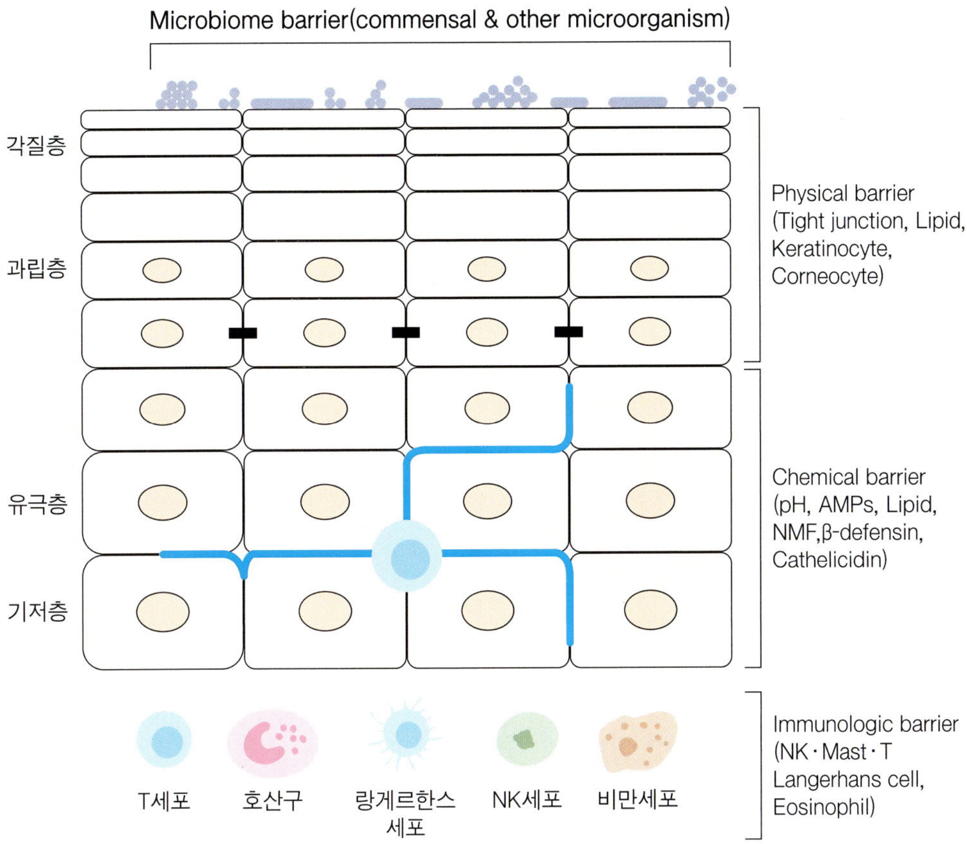

그림 2-2. 피부 장벽

1) 물리적 장벽(physical barrier)

피부 기능 중에서 각질층은 장벽 기능을 담당하는 매우 중요한 껍데기(?)이다. 1960년 말까지 각질층은 쓸모없는 기관으로 간주하였다. 표피는 4가지 층으로 분류하지만, 각질층은 핵이 없는 세포로 구성되어 있다. 예전에는 피부과 의사도 무시하고 업신여겼다. 각질층은 생화학적 대사 기능이 없으며, 피부를 감싸는 비닐막으로 간주하였다.

1969년, Schreiner와 Wolff는 의미있는 실험을 진행하였다. 진피에 추적 단백질을 주입한 후에 전자 현미경으로 이동 경로를 관찰하였다. 진피와 표피의 기저막을 통과하여 과립층까지 도달하였으나, 각질층은 뚫지 못하였다. 그러므로 그들은 각질층이 장벽 역할을 담당한다고 주장하였다.

머리에 떨어진 사과를 보면서 만유 인력의 법칙을 발견한 Newton!

Elias는 지동설을 주장한 코페르니쿠스와 견줄만한 교수이다. 주위에서 흔히 볼 수 있는 '담벼락(담장)'을 보면서 그는 'Brick and Mortar model'의 개념[두 구획 모델(two compartment model)]을 주장하였다. 집을 지을 때 사용하는 벽돌(각질형성세포, brick), 회반죽(각질세포간 지질, mortar)을 제시하였다.

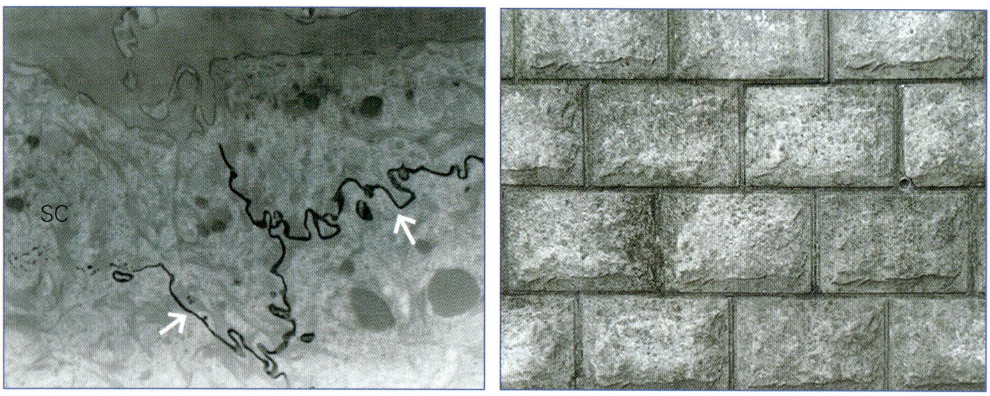

그림 2-3. 진피에 추적 물질(→)을 주입하면 기저층, 유극층, 과립층은 통과하지만 각질층(SC)은 투과하지 못함.

피부 장벽 역할을 담당하는 각질층은 단백질이 풍부한 각질세포 및 이들을 연결하는 각질교소체·층상 구조를 이루는 각질세포간 지질로 구성되어 있다.

첫째, 각질세포는 핵과 소기관이 없다. 형태는 납작해지면서 여러 층의 퇴적층 형태로 존재한다. 피부 조직을 이용한 파라핀 블럭을 만드는 과정에서 자일렌에 의해 지질이 유출된다. H&E 염색 슬라이드에서 바구니 형태의 공간(basket-weave 형태)이 나타난다. 케라틴이 80~90%를 차지하며, 외부는 각질세포막과 교차 결합하고 있다. 각질세포 외막은 10nm의 불용성 단백질 막이며, 다양한 성분(involucrin, loricrin, cystatin A 등)이 존재한다. 이들은 각질세포간 지질막과 함께 중요한 장벽 기능을 담당한다.

둘째, 각질세포간 지질은 상부 과립층에 위치한 층판소체에서 각질층으로 지질이 분비되며, 각질세포 사이로 퍼져 나가면서 형성된다. 층판소체에서 분비된 지질 원판은 서로 융합하여 넓은 판을 형성한다. 층판소체에 glucosylceramides, phospholipids, free sterol 등의 지질과 lipid hydrolase, glycosidase, protease 등의 효소, antimicrobial peptides 등의 단백질이 포함되어 있다. 분비된 지질은 다양한 효소의 작용에 의해 세라마이드, 콜레스테롤, 자유 지방산으로 변환되어 장벽 기능을 수행한다(3, 4장 참조).

셋째, 밀착 연접(tight junction, 치밀 이음)은 과립층에 존재하는 세포간 연결 구조이며, 피부 장벽 기능 외에 다양한 역할이 규명되었다(6장 참조).

참고: 최외측에서 공기-액체 장벽(각질층) vs 과립층에서 세포 사이의 공간을 경유하는 액체-액체 장벽(치밀 이음)

넷째, 각질층에 존재하는 각질교소체는 교소체에서 유래하지만, desmosomal cadherin 구성 성분에 차이가 있다(corneodesmosin 존재 / 6장 참조).

• 참고

각질형성세포 vs 각질세포

표피는 각질형성세포(keratinocyte)의 위치와 형태에 따라 기저층, 유극층, 과립층, 각질층으로 구분한다. 각질형성세포에 비하여 각질세포는 핵이 없으며, 15~100층의 각질층이 존재한다.

'Brick & Mortar'에서 벽돌에 해당하는 성분은 케라틴이다. 케라틴은 세포의 구조를 유지하며, 중간 미세섬유의 일종이다. 피부, 모발, 조갑의 중요한 단백질이다. 음극을 띄는 산성의 I형 케라틴 및 중성~염기성의 II형 케라틴이 얽혀 있다. 케라틴은 알파-나선 막대 영역(α-helical rod domain)이 꼬이면서 쌍을 이룬다. 이후에 밧줄과 같은 중간 미세섬유(10nm, intermediate filament)로 변하면서 탄력성과 구조적인 안정성(세포 골격 유지)을 제공한다. 기저층은 5, 14번·각질층은 1, 10번 케라틴이 발현된다.

각질층은 케라틴 대섬유(macrofibril)로 채워진 각질세포(corneocyte) 및 각질세포 외막(단백·지질)으로 구성된다.

2) 항균/화학 장벽(antimicrobial/chemical barrier)

항균 장벽은 각질층의 내인성 인자, 정상 세균총, 피부 표면에 침착된 항균 물질이 관여한다.

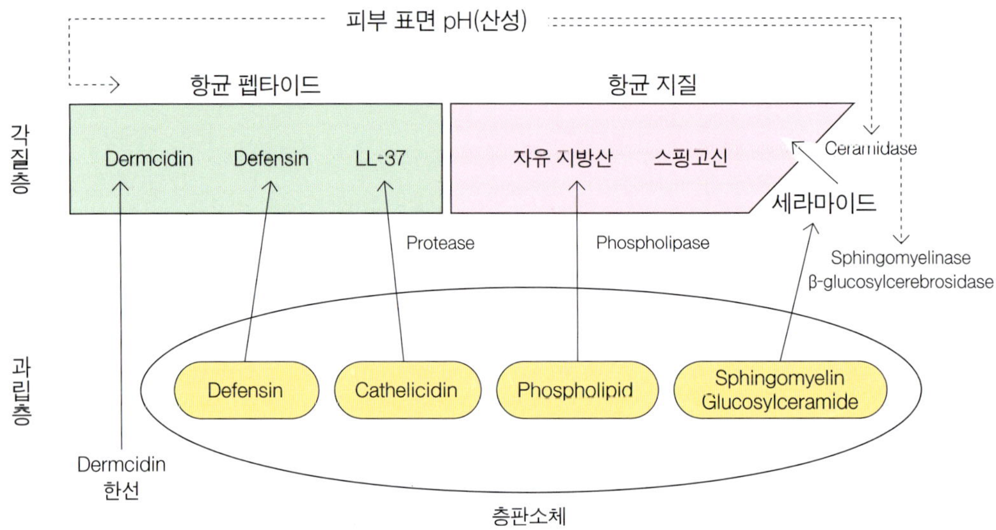

그림 2-4. 항균 장벽

각질층의 내인성 인자(Intrinsic to stratum corneum)
Intact stratum corneum layer Replete lamellar layers Stratum corneum lipids(free fatty acid, sphingosine) Acidic pH, low water content Low, constitutive levels of antimicrobial peptides within extracellular matrix
정상 피부 균총(Cutaneous normal flora)
Niche occupancy; nutrients competition Secretory inhibitory metabolites; acetic and propionic acids Produce specific antimicrobial compound: penicillin, azelaic acid
피부 표면에 침착된 항균 물질(Surface-deposited antimicrobials)
Sweat: LL-37, dermcidin Sebum: free fatty acid, psoriasin, lysozyme

표 2-1. 항균/화학 장벽 구성 인자

항균 장벽은 층판소체 또는 피지에서 생성된 항균 펩티드, 항균 지질 및 각질층 pH에 의해 유지된다. 정상 세균총 유지, 병원균·바이러스 등의 침범을 억제하여 피부 장벽 항상성을 유지시킨다.

첫째, 항균 펩티드는 광범위한 항균력, 항균 활성력을 지닌 선천 면역계에 의해 생성되므로 내성균 발생 위험도가 낮다. LL-37, dermcidin, defensin이 규명되었다. Dermcidin은 땀샘에서 분비되며, defensin 및 LL-37은 층판소체에서 유래된다. β-defensin은 면역 관련 세포 유인, 사이토카인 유도, chemokine 생성 뿐만 아니라 tight junction 기능을 조절한다. LL-37은 cathelicidin 단백이 각질층으로 분비되면 protease에 의해 생성되는 항균 펩타이드이다.

둘째, 항균 지질은 스핑고신, 자유 지방산이 관여한다. 층판소체에서 분비된 인지질(phospholipid)이 phospholipase에 의해 생성 또는 피지 분비에 의한 일부의 triglyceride에 의해 생성된다. 스핑고신은 세포외 변환에 의해 세라마이드가 ceramidase 에 의해 생성된다.

셋째, 각질층의 pH가 관여한다. 피부 노화, 아토피 피부염에서 pH가 상승되면 포도상 구균 감염이 호발된다. 자세한 내용은 9장을 참조하라.

넷째, 필라그린 대사 산물(hygroscopic compounds, amino acids 등)에 의한 자연 보습 인자가 관여한다.

상부 각질층은 'acid mantle'이라고 하며, pH 4.5~5.5의 약산성을 유지하고 있다. 상부 과립층에서 각질층의 바깥쪽으로 갈수록 가파른 pH의 하강 기울기를 나타낸다. 산성 환경은 상재균총이 분비하는 대사물, 피지의 자유 지방산, 땀의 젖산과 같은 산성 물질이 관여한다. 또한 표피의 인지질(phospholipid)이 secretory phospholipase A2에 의해 생성된 각질층의 자유 지방산, 각질층에 인접한 과립세포 표면에 존재하는 Na^+-H^+ exchanger-1(NHE-1), filaggrin이 단백분해 과정에서 생기는 trans-UCA가 관여한다.

산성 pH는 투과 장벽 기능의 항상성 유지에 중요하며, 병원성 미생물의 성장을 억제하기 때문에 항균 장벽 기능에 중요한 역할을 한다. 각질층의 pH에 영향을 끼치는 내인성 인자는 피부의 수분량·땀·피지, 해부학적 부위, 유전적 소인, 나이, 인종이 있다. 외인성 인자는 세정제, 밀폐 드레싱, 화장품 등이 있다.

자유 지방산, 스핑고신은 항균력이 존재하는 각질층의 지질이다. 자유 지방산은

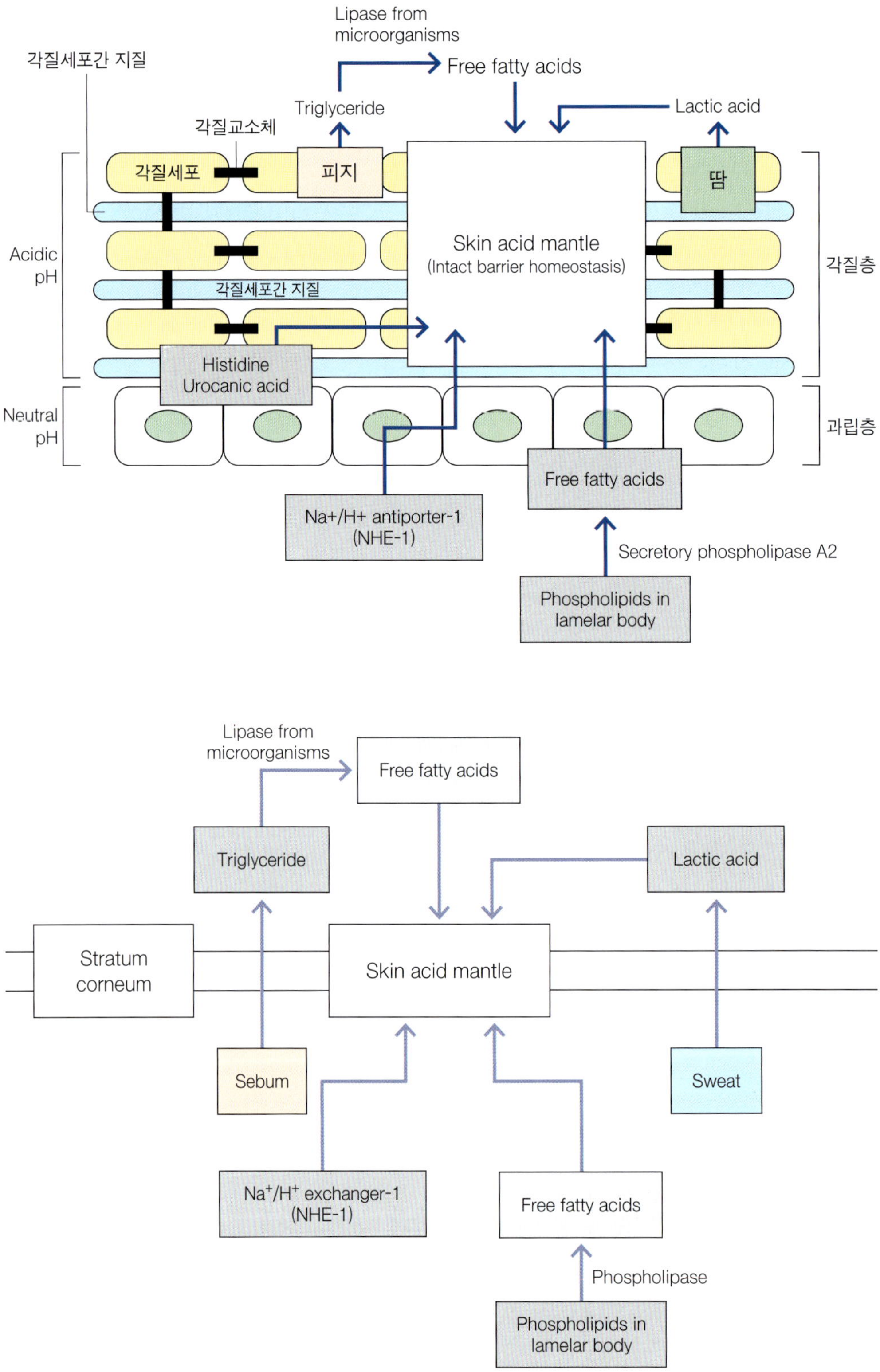

그림 2-5. Acid mantle

표피 인지질이 secretory phospholipase A2에 의해 가수분해되어 형성되며, LB에서 기원한다. 스핑고신은 각질층의 세라마이드가 ceramidase에 의해 가수분해 되어 자유 지방산이 생성되며, 각질층의 산성도 유지에 관여하다. 자유 지방산 및 스핑고신은 *S. aureus, S. pyogenes*를 포함한 그람 양성 세균, *Candida albicans, Dermatophytes* 및 *Pseudomonas spp.*와 같은 그람 음성 세균에 대하여 미약한 항균력이 있으므로 비교적 광범위한 항균 범위를 갖고 있다. 자유 지방산은 항바이러스 효과가 제시되었으나, 기전은 미상이다.

피부 장벽과 연관된 항균 펩티드(antimicrobial peptide)는 cathelicidin(LL-37), human beta-defensin(hBD), RNase 7, psoriasin, dermcidin 등이 있다. 각질형성세포뿐만 아니라 땀샘, 피지선 분비물에도 항균 펩티드가 존재한다. 항균 펩티드는 미생물의 세포막에 'pore'를 형성하여 미생물을 파괴한다. 자세한 내용은 8장을 참조하라!

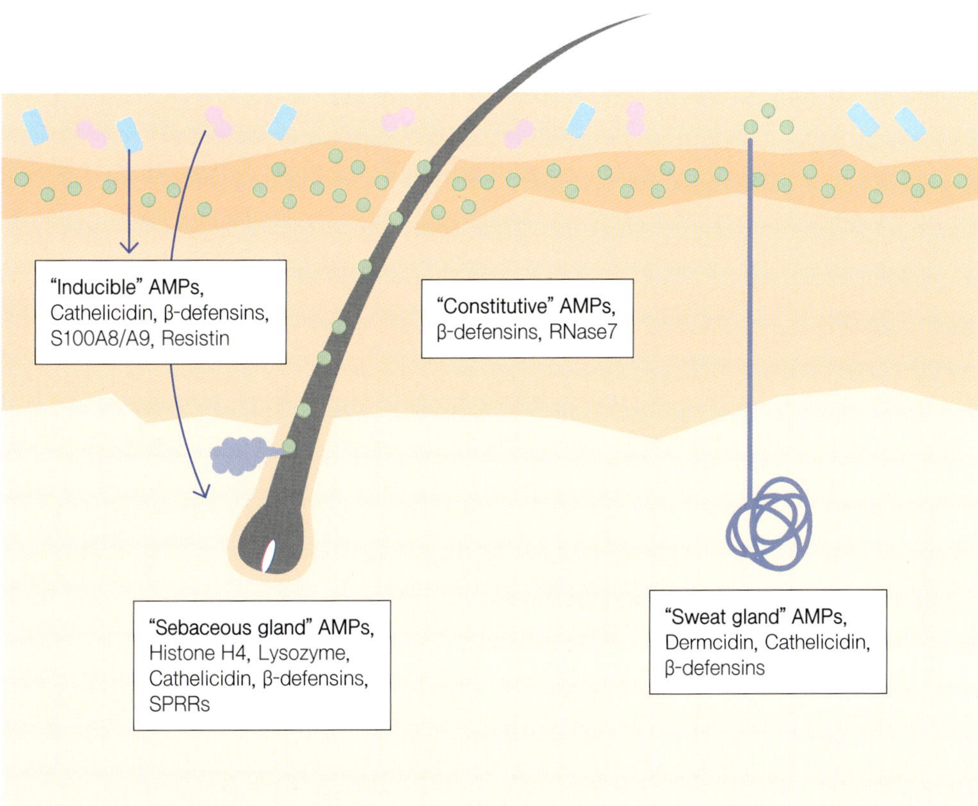

그림 2-6. 항균 펩티드

Gram positive bacteria	*Staphylococcus aureus* *Streptococcus pyogenes*
Gram negative bacteria	*Pseudomonas aeruginosa*
Virus	Human herpes virus 1, 2 Varicella-zoster virus Human papilloma virus Molluscum virus
Fungus	Dermatophytes Candida species

표 2-2. 피부 감염을 유발하는 병원체

상부 각질층은 수분이 급격하게 감소하므로 병원성 미생물의 집락을 억제한다. 피부 상재균은 건조한 환경에서도 생존한다. 그러나 각질층이 수화되면 병원성 균(*staphylococcus aureus, streptococcus pyogenes* 등)이 성장한다. 각질교소체 변성에 의해 형성된 열공(lacunae)는 세균 침투 통로가 되므로 피부 감염이 유발된다. 자연보습 인자, trans-urocanic acid 생성 감소는 pH 상승을 유도하므로 장벽 기능이 저하된다.

피부 상재균(정상균 무리, normal resident flora)은 병원성 미생물이 성장할 수 있는 공간을 차지하고 영양 공급을 억제하며, 미생물에 해로운 대사물이나 항균 물질(예, acetic acid, propionic acids, penicillin, azelaic acid)을 주변으로 분비하여 유해 미생물의 성장을 방해한다. $10^2 \sim 10^7$/㎠개의 *corynebacteria*와 *micrococcaceae*(예, *Streptococcus epidermidis*)가 피부 표면과 바깥쪽 각질층에 존재하며, 출생 직후부터 피부에 안착되어 빠르게 펴져 상재균 무리를 형성한다. 상재균은 각질층의 정상적인 탈락에 의해 집락 수가 조절되며, 약산성 환경에서도 생존한다. 자체적으로 산성 물질을 분비하여 각질층의 산성 환경에 적응된 미생물이다. 또한 광범위한 항균력이 존재하는 항균 펩티드(antimicrobial peptide, AMP)에도 저항성을 갖고 있다.

3)광보호 장벽(photoprotective barrier)

광보호 장벽은 멜라닌세포, 각질형성세포, 각질층, 멜라닌(지연 색소 침착), 자연 보습 인자(trans-urocanic acid) 등이 관여한다.

자외선(A·B) 노출 2~3일 이후에 나타나는 지연형 색소 침착은 멜라닌세포의 멜라닌 소체가 멜라닌세포의 돌기로 이동하며, 각질형성세포로 전달된 멜라닌이 관여한다. 자외선에 의해 세포 손상(DNA)이 발생하면 각질형성세포의 p53이 활성화된다. 이후에 pro-opiomelanocortin 유전자 전사가 유도되면 멜라닌세포 자극 호르몬(α-MSH)은 melanocortin-1 수용체(MCI-R)와 결합한다. MCI-R·adenylate cyclase 상호 작용에 의해 cAMP 생성, protein kinase A 및 CREB·MITF 전사 인자는 골지소체에서 형성된 멜라닌 소체의 tyrosine이 tyrosinase에 의해 DOPA로 전환되면 멜라닌 합성이 시작된다. 2종류의 멜라닌(eumelanin, pheomelanin)이 존재한다.

피지에서 분비되는 α-tocopherol, 피지선의 및 platelet-activating factor acetylhydrolase Ⅱ는 UVB를 차단한다(4장 참조).

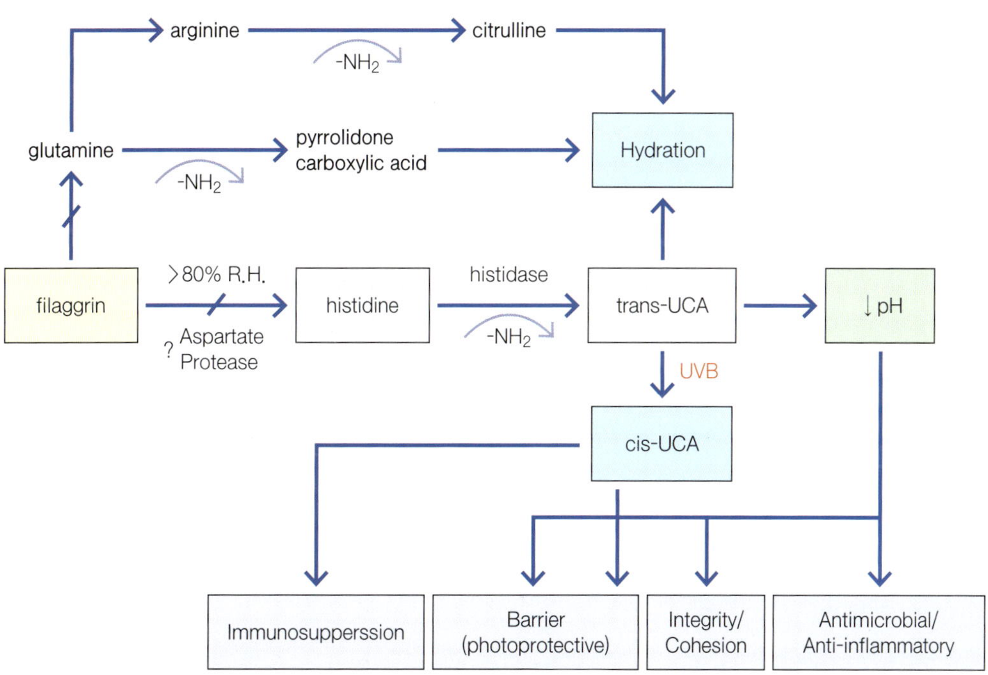

그림 2-7. 광보호 장벽

자외선에 단기간 노출되면 멜라닌세포 숫자 증가, 멜라닌 양 증가, 표피 두께 증가 및 각질층이 두꺼워지므로 추가적인 피부 손상을 억제한다. 그러나 장기간 자외선 노출에 의한 광노화 피부는 건조증, 주름, 양·악성 종양이 유발된다.

4) 마이크로바이옴 장벽(microbiome barrier)

미생물을 의미하는 microbe 및 생태계를 뜻하는 biome의 합성어이다.

인체 마이크로바이옴(human microbiome)은 인간과 공생하는 미생물(상재균)이며, 'forgotton organ' 또는 '제2의 유전체'로 명명된다. 초창기 연구는 인체에 유익한 장내 미생물을 추적하였다. 이후에 미생물 집단의 분포 변화와 연관되므로 화장품, 농업, 식음료 외에 질병 치료제 개발로 이어졌다. 염증성 장질환, 과민성 대장 증후군, 천식, 파킨슨 병, 고형 암, 자폐 뿐만 아니라 피부 질환(건선, 아토피 피부염 등) 치료제의 임상 실험이 진행되고 있다.

1990년, human genome project(HGP)에 의해 유전자와 질병 연관성이 제시되면서 연구가 활발하게 진행되었다.

2007년, 미국 NIH에서 human microbiome project(HMP) 1, 2단계가 시작되었다. 1단계(HMP 1)은 300여명의 성인 남녀를 대상으로 구강, 비강, 비뇨기, 소화기, 피부 등에서 미생물 구조·유전체 서열을 조사하였다. 2단계(HMP 2)는 1단계 자료를 대상으로 multi-omics 자료를 분석하여 질환(당뇨병, 염증성 장질환)·임신·조산 등과 마이크로바이옴의 연관성을 조사하였다.

16S 리보솜 RNA 유전자 염기 서열 분석 결과에 의하면 인체에 공생하는 세포수 30조에 비해 마이크로바이옴 개체는 42조이었다(참고: 유전자 갯수 23,000개에 비하여 마이크로바이옴은 33,000,000개로 143배 이상 존재).

건강한 피부는 19문(phylum)의 박테리아 균이 존재하며, *Firmicutes*, *Bacteroidetes*, *Proteobacteria*, *Actinobacteria*가 가장 많이 분포한다. 피지 분비가 많은 두피, 목 등은 *Propionibacteria*, *Staphylococci* 속(genus)이 분포하지만, 습도가 높은 겨드랑이·발가락 사이는 *Corynebacteria*, *Staphylococci*가 존재한다. 그러나 건조한 다리·팔에는 혼재된 박테리아 분포를 나타내었다.

피부 마이크로바이옴 형성은 출산과 함께 시작되며, 초기 마이크로바이옴 분포는 피부 위치에 따라 다양성은 미미하지만, 출산 방법(자연분만, 제왕절개)에 의한 영향을 받는다. 피부 마이크로바이옴의 다양성은 나이가 들면서 노출되는 환경에 따라 증가하지만, 노화가 진행되면 감소된다.

내적 요인 뿐만 아니라 외적 요인과 거주 환경에 따른 10대 이하를 대상으로 시행한 연구에 의하면 1-4세까지는 거주 환경의 영향이 존재하였다. 성인을 대상으로 시행한 연구에 의하면 도시·시골 거주자의 경제력 차이는 없었으나, 시골 거주자가 더 높은 다양성이 있었다. 도시 거주자에게 *Trabulsiella* 속의 분포가 현저하였다. 자연 환경 인자(공기 오염)에 의한 마이크로바이옴 개체 감소, 해양수 노출 이후에 변화된 마이크로바이옴에 의한 염증 유발 가능성이 제시되었으므로 환경 인자에 의한 마이크로바이옴 변화는 피부 건강과 연관성이 있었다.

피부 마이크로바이옴은 피부 면역 기능 외에 피부 장벽 유지에 필수적인 요소이다.

*Staphylococcus epidermidis*가 생성하는 Phenol-soluble modulins은 *Staphylococcus aureus*와 같은 병원균을 선택적으로 억제한다. 또한 각질형성세포의 Toll-like receptors(TLSs)에 작용하면 antimicrobial peptides(AMPs) 생산을 촉진하여 면역 작용을 조절하고, 하위 세포 신호 전달 제어 기전에 의해 피부 염증 반응 억제에 관여한다. 마이크로바이옴 불균형(microbiome dysbiosis)은 피부 질환에 직접적인 요인이 될수 있다. 보고자에 따라 다소 차이가 있으므로 마이크로바이옴의 작용 기전에 관한 추가 연구가 필수적이다.

• 아토피 피부염

아토피 환자의 90%에서 *Staphylococcus aureus* 분포가 증가하였다. 정상 피부 분포(5%이하)와 현저한 차이가 있다. 치료에 의해 아토피가 개선된 피부는 이전에 비해 *Staphylococcus aureus*는 감소하며, 마이크로바이옴의 다양성은 증가된다. 피부 pH, 경표피 수분 손실(TEWL), 수분은 건강한 피부와 유사한 수준으로 개선된다.

건강한 피부는 *Staphylococcus, Corynebacterium, Cutibacterium* 등의 다양한 미생물이 분포한다.

아토피 피부염 피부에서 미생물의 다양성이 감소되면 *S. aureus*가 증가한다. 다

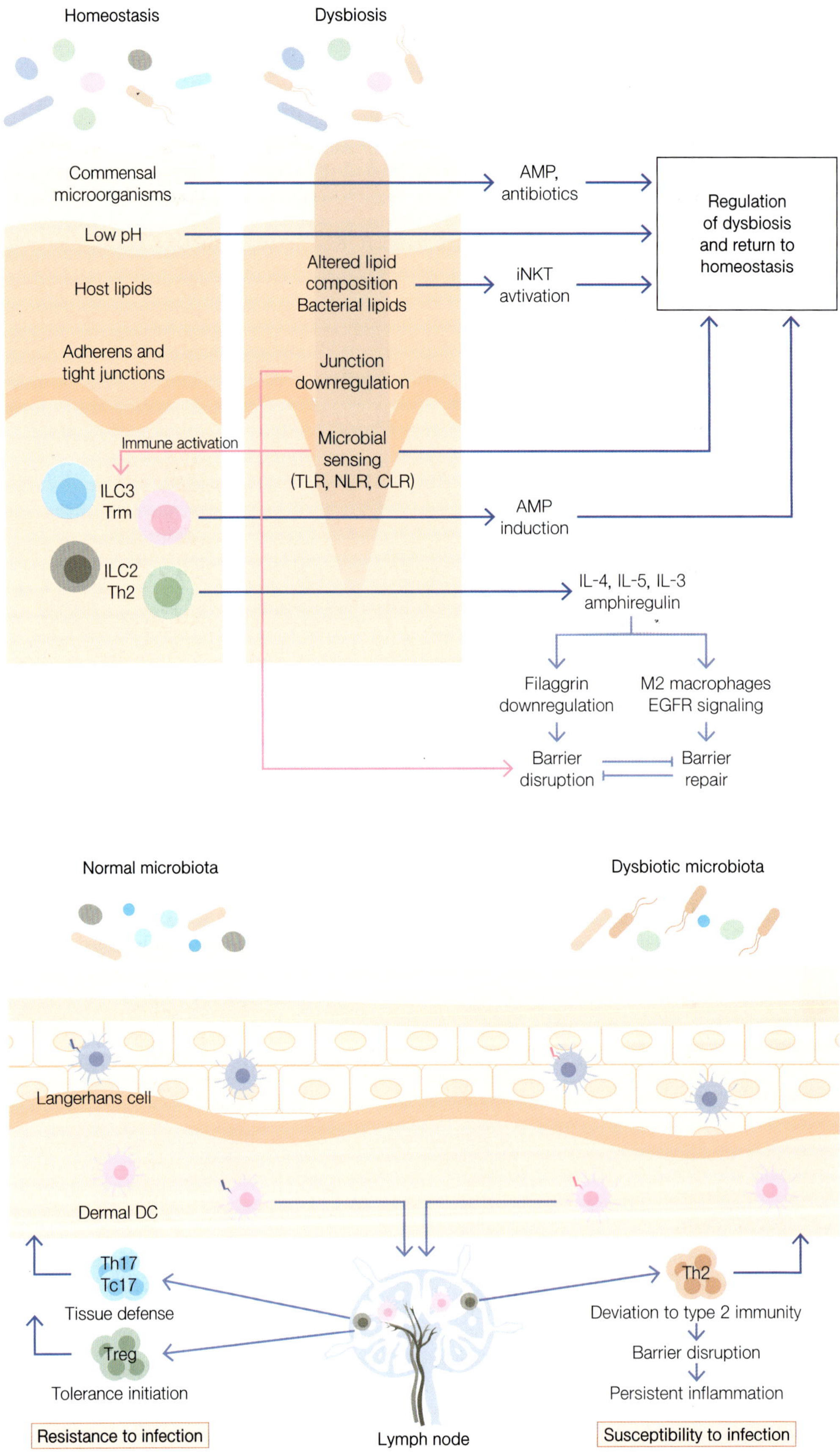

그림 2-8. 마이크로바이옴 장벽

양한 가설이 제기되고 있다. *S. aureus*로부터 분비되는 α-Toxin 및 protease 등은 각질형성세포를 손상시키고 kallikrein(KLK) 6, KLK13, KLK14 등의 protease 생성을 유도한다. *S. aureus*의 lipoprotein은 각질형성세포의 TLR2/TLR6를 활성화하므로 TSLP가 증가한다. Phenol-soluble modulins는 IL-36과 IL-1b를 증가시키고, Th17 염증 반응을 촉진한다. *S. aureus*에 의한 장벽 손상과 염증 증가는 *S. aureus*의 성장 환경을 제공하여 병변을 악화한다.

• 노화 피부

노화에 의해 피부 마이크로비움은 변한다. 출생시에는 *Streptococci*와 *Staphylococci spp.*가 40%정도이지만, 10대가 되면서 점차 감소한다. 성인이 되면 *Staphylococcus aureus, Streptococcus mitis, Streptococcus pneumoniae*는 감소하고, *Straphylococcus epidermidis*가 증가한다. 연령에 따른 *Streptococcus* 속의 피부 개선 영향을 조사하였다. 20대와 40~50대 피부 마이크로마이옴을 분석한 결과에 의하면 피부 탄력도와 *Streptococcus* 속의 분포는 연관성이 있었다. *Streptococcus infantis*와 *pneumoniae*의 분포는 젊은 피부에서 현저하였다.

• 여드름

여드름 병변에서 마이크로바이옴의 다양성 감소 및 *Propionibacterium(Cutibacterium) acnes* 발현(불균형)은 여드름 유발에 중요한 역할을 한다. Metagenomic 분석에 의하면 여드름 피부와 정상 피부의 *Propionibacterium acnes* 분포도는 차이가 없었다. 그러나 16S 리보솜 RNA 유전자 염기서열 분석에 의하면 두 병변의 *Propionibacterium acnes* strain 분포 차이 및 phylotype의 불균형에 의한 연관성이 제시되었다. *C. acnes*는 염증성 사이토카인, 케모카인 발현 증가 및 propionic acid 분비에 의한 PPARα를 활성화한다.

• 비듬/지루성 피부염

Malassezia 종(species)은 피지 분비가 많은 두피에 우점하고 있으며, *Malassezia spp.*의 분포를 억제하면 지루 피부염이 개선된다. 병변에서 진균(*Malassezia*) 외에 박테리아 *Staphylococcus spp.*의 높은 분포 및 *Cutibacterium*은 낮게 존재하였다.

• 건선

국내에서 건선 치료제 KBLP-001이 개발 중이며, 전 임상 단계에서 건선 뿐만 아니라 아토피 피부염에 효과가 있다고 보고되었다.

5) 면역 장벽(immunologic barrier)

피부는 외부 환경과 인체를 구분하는 경계이지만 외·내부를 소통하는 기관이다. 피부는 전신적인 면역 기관과 분리되어 단독으로 면역 반응을 수행하지 못하며, 주변의 국소 림프절과 상호 작용해야 하므로 피부 면역계(skin immune system) 또는 피부 관련 림프 조직(skin-associated lymphoid tissue)이다.

피부 면역계는 선천 면역계(innate immune system) 및 적응 면역계(adaptive immune system)로 구분한다. 외부의 유해 인자로부터 인체를 보호하기 위해 피부의 다양한 세포, 체액 인자와 상호 작용한다.

선천 면역계는 비특이하지만 빠르게 작용하며, 기억 능력이 없다. 기전은 다음과 같다.

첫째, 피부 장벽을 통과한 세균·항원을 방어하기 위해 opsonization(옵소닌화) 또는 세포 용해(cell lysis) 과정을 거쳐 유해 인자를 제거하는 보체 대체 경로(complement altenative pathway)를 이용한다.

둘째, 항균 펩티드를 생성·분비하여 선천 면역을 나타낸다. β-defensin, cathelicidin, dermcidin, psoriasin 등이 있다.

셋째, 패턴 인식 수용체(pattern recognition receptor)는 침입한 미생물의 분자 구조를 인식하며, 포식 세포의 표면에 존재한다. 포유 동물에서 10가지 이상의 Toll-like receptor가 존재한다. 대부분의 림프계 조직에 분포하며, 백혈구에서 현저하게 발현한다.

넷째, 포식세포는 보체 수용체를 이용하여 포식 작용을 일으킨다. 대식세포, 단핵/다핵 세포 계열의 랑게르한스 세포, 다형태 호중구, 자연 살세포 등이 있다. 외부 침범균이 나타나면 chemokine, leukotriene, 보체 인자 등의 화학 유도 인자가 분비되므로 백혈구를 손상 부위로 유도하며 포식 활동을 일으킨다.

적응 면역계는 10-14일 이후에 면역 반응을 일으키며, 항원 인식 세포를 통하여 항원을 인지한다. B세포, T세포에 의해 면역 반응을 유도하며, 정보(항원)을 기억한다. 재노출되면 더욱 빠르고 강력한 이차 반응을 나타낸다. 다양한 세포[표피(각질형성세포, $CD1^+$ $HLA-DR^+$ 랑게르한스세포), 진피 가지세포, 표피·진피 림프구 등] 및 체액 인자가 관여한다. 항원 전달 가지 세포가 항원을 인식, 포식 과정에서 표적 세포에 제시하면 T·B 세포에 의해 세포 면역, 체액 면역 반응이 유발된다. 항원 전달 세포는 $CD4^+$, $CD8^+$ naive T 세포 분화를 유도하며, T 세포는 피부 면역 반응에 매우 중요하다(10% 표피, 90% 진피에 존재).

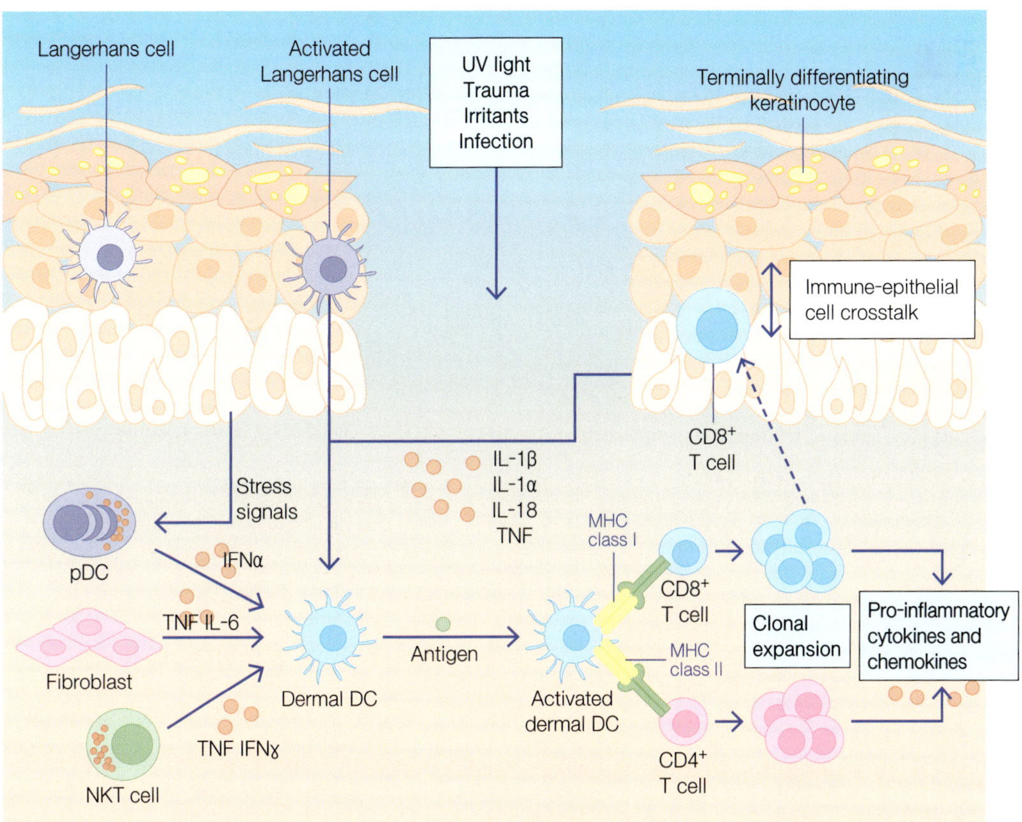

그림 2-9. 면역 장벽

참고: 항산화 장벽(antioxidative barrier)

산화 스트레스는 내인성(미토콘드리아에서 ROS 생성) 또는 외인성(자외선, 담배, 온도 변화, 공기 오염 등)으로 구분한다. 산소를 이용하여 에너지를 생성하는 유기체에서 발생하는 불가피한 부산물이다. 활성 산소종(reactive oxygen species, ROS)은 전자 수용체 기능이 있으나 인체에 악영향을 끼친다. [참고: 산소가 필수적인 효소(lipoxygenase(LOX), cyclooxygenase(COX))는 불포화 지방산에서 지질 대사체(oxylipin)을 생성한다]

상염체 열성 선천성 어린선(autosomal recessive congenital ichthyosis, 15-LOX-2 및 eLOX-3 기능 이상) 및 12R-eLOX 결핍 동물 모델에서 심한 피부 장벽 기능 소실이 관찰되었다,

상부 기저층에서 발현되는 epidermis-specific LOXs(eLOXs)가 omega-hydroxyceramide-cornified envelope 단백질 결합에 관여한다. 그러므로 conrnified lipid envelope 형성에 매우 중요하다. 또한 eLOXs 활성은 thymic-stromal lymphoprotein(TSLP)를 비롯한 염증성 사이토카인에 의해 조절된다. 그러므로 표피 투과 장벽, 면역 장벽과 함께 항산화 장벽 기능이 제시되었다.

Phylogenetic relation에 따라 6종류의 oxylipin generating LOXs가 규명되었다.

(5-LOX, 12-LOX, 15-LOX-1, 15-LOX-2, eLOX-3, 12R-eLOX)

표 2-3. LOX_S

구분	Oxylipin genertaing LOXs				Epidermis-specific LOXs	
Human genes	5-LOX	12-LOX	15-LOX-1	15-LOX-2	12R-eLOX	eLOX-3
Major substrates: corresponding products	-Arachidonic acid: 5-hydroperoxy-eicosatetraenoic acid(5-HpETE); Leukotriene A4; Lipoxin A4,B4	-Arachidonic acid: 12(S)-hydroperoxyeicos -atetraenoic acid (12-HpETE)	-lnoleic acid: 13-hydroperoxy octadecadienoic acid (13-HpODE)	-Arachidonic acid: 15-hydroperoxyeico satetraenoic acid (15-HpETE)	-Arachidonic acid: 12(R)-HpETE (low catalytic activity) -linoleate in esterified omega-hydroxyacyl-sphingosine (EOS): 9R-hydroperoxy analogue	

참고: 장벽 역사

최초의 장벽은 4000여년전 시리아에 세워진 160km 길이의 '트레 롱 뮈르'다. 돌·모래로 쌓은 장벽은 흔적만 남아 있다. 이집트의 파라오 아메넴헤트1세 및 바빌로니아의 네부카드네자르 2세는 장벽 건설 전문가였다. 중국 진시황에 의해 건설된 만리장성은 길이 2만km이며, 인류 최대의 토목 공사였다. 외적 침입을 막는 방파제였다. ▶21세기의 장벽은 불법 이민·난민·테러 방지용으로 바뀌었다. 장벽은 10여년 만에 20개에서 70개로 급증했다. 프랑스·오스트리아·헝가리·그리스·터키 등은 난민을 막으려고 4m 높이의 철조망 장벽을 치고 있다. 사우디는 테러 단체 IS 유입을 막으려고 2400km에 달하는 중동판 만리장성을 건설하였고, 레이더와 땅굴 감지 센서까지 설치했다. 이스라엘은 가자 지구와 요르단강 서안을 둘러싼 810km 장벽, 미국은 멕시코 국경에 1126km 장벽을 쌓았다. ▶자국민의 탈출을 막는 용도로 제작된 경우도 있다. 로마가 영국 북부에 건설한 하드리아누스 장벽은 주민 탈출을 막고 세금을 징수하는 용도로 변질됐다. 만리장성도 주민 이탈과 반란 방지 목적이 있었다. 프랑스는 알제리 국경에 전기 철조망과 감시탑, 지뢰 등으로 '모리스 선'을 구축했다(1950년대). 주민의 국경 탈출을 막았다. ▶소련은 2차 세계대전 후 동유럽 국가에 '철의 장막'을 쳤다. 철조망·지뢰를 매설하여 주민 이동과 외부 교류를 차단했다. 동독 주민의 서독 탈출을 막으려고 베를린 장벽을 설치했다(1961년). 장벽 붕괴 전(1991년)까지 많은 동독 주민이 목숨을 잃었다. 미얀마·아프카니스탄도 주민 탈출을 막기 위해 국경을 봉쇄하고 있다. ▶외적 침입이 아니라 자국민의 탈출을 막는 용도의 장벽을 건설하고 있는 북한은 1400km에 이르는 북·중 국경에 철조망을 치고 있다. 중국의 이중 철조망과 감시 시스템까지 더하면 철통 장벽이다. 248km 휴전선에도 콘크리트 장벽과 지뢰 밭을 설치 중이다. 주민과 군인 탈북을 막는 감옥용 장벽이다. 그러나 "만리장성은 과부의 눈물에 씻겨 무너진다"고 했다. 로마인은 "장벽 뒤에 숨는 자는 반드시 망한다"고 했다. 조선일보 2024.10.12 (만물상: 일부 내용 추가·수정)

3. 단백질

1) 각질세포 단백질

① 케라틴(keratin)

각질형성세포의 최종 분화에 의해 생성된 각질세포는 핵이 없다. 위치에 따라 크기·모양에 다소 차이가 있으나, 직경 30~50㎛·두께는 1㎛이다. 피부 조직을 파라핀 포매 및 포르말린 고정, H&E 염색 시행 후에 현미경으로 관찰하면 바구니 모양의 빈 공간이 존재하는 각질세포가 나타난다. Xylene에 의해 각질세포간 지질이 소실되기 때문이다. 각질세포 내부는 케라틴 단백질로 구성되어 있으며, 외부는 cornified envelope로 둘러싸여 있다. 각질세포는 단백 성분으로 구성된 각질세포 주머니(cornified cell envelope, CE)로 불리는 견고한 주머니 내부에 존재하는 케라틴 섬유가닥(keratin filament)이 피부 표면과 평행한 방향으로 존재하는 20~25층의 구조물이다. 각질세포 주머니는 두 부분으로 구분한다. 케라틴은 세포벽에 존재하는 각질교소체와 연결되므로 각질세포를 단단하게 만든다. 1형(산성) 케라틴, 2형(중성-염기성) 케라틴은 이종이량체(heterodimer, 50nm)가 짝을 이루는 기본 단위로 구성된다. 사량체(tetramer)는 이종다량체 2개가 결합된 상태이며, 다수의 사량체가 결합하면 원형섬유(protofilament)를 형성한다. 이후에 원형섬유 묶음(bundle) 과정을 거치면 케라틴 구조가 완성되며, 세포벽에 존재하는 각질교소체와 연결된다. 각질층 하부는 각질교소체가 전체에 분포하지만, 상부 각질층은 측면에만 존재한다.

② 각질세포 외피[각질세포 주머니/각질세포 외막, Cornified (cell) envelope]

각질세포는 불용성의 단단한 단백질로 구성된 막으로 둘러싸여 있다. 단백질, 지질로 구성된 2층 구조이며, 두께는 15 nm이다. 각질세포 외피는 각질세포간 지질과 함께 피부 장벽 기능을 담당한다. 2부분(단백외막/지질외막)으로 구분된다.

첫째, 각질세포 단백 외막[Corneocyte(cornified) protein envelope]은 불용성 단백질이 존재한다. 형질막(plasma membrane) 아래에 sulfhydryl oxidase와 transglutaminase 구조 단백질의 공유 교차 결합으로 이루어진 10nm 두께로 구성된다.

형성 과정은 과립층에 Ca^{2+} 의존 방식(Ca^{2+} dependent manner)으로 활성화되는 transglutaminase 1에 의해 envoplakin, periplakin, involucrin이 형질막의 내부 표면에 모여 교차 결합한다. Involucrin-envoplakin-periplakin을 기본으로 하는 scaffold 골격 구조는 형질막 전층의 내부 표면을 따라 단분자 층을 형성한다. Transglutaminase 1 이상에 의해 선천성 어린선이 유발된다. Involucrin은 cornifin과 loricrin에 앞서 합성이 이루어지므로 가장 초기의 분화 표지자이며, 정상 표피의 과립층 및 유극층 상부에서 발현된다. Loricrin은 involucrin 보다 나중에 각질세포외막 형성에 관여하는 단백질이며, 각질층과 과립층에서 발현된다. Loricrin은 세포질에서 이동하여 각질세포주머니를 형성하는 지지대와 공유 교차 결합한다. 불용성 각질세포 주머니의 내수성을 유지시킨다. Transglutaminase-3에 의해 SPR와 결합하며, 각질세포막의 80% 차지한다. Loricrin에 문제가 생기면 선천성 어린선이 나타난다. Filaggrin은 각질세포 외막 형성의 마지막 단계에 관여하는 단백질이며, 정상적인 표피에서 과립층의 가장 상부층과 각질층에 국한하여 발현된다. Filaggrin은 케라틴 필라멘트 사이에 존재하며, 접착제 역할을 담당한다. 소량의 repetin, trichohyaline, cystatin A과 같은 small proline rich protein이 각질세포주머니 내부 표면에 교차 결합한다.

둘째, 외측에 2중의 지질층이 있으며, 5nm의 acylceramide로 대체된 부분이 존재한다(각질세포 지질외피, 각질세포 지질주머니, 각질세포 지질외막/corneocyte lipid envelope). 형성 과정은 다음과 같다. 지지대 구조물이 형질막 내부 표면을 덮기 전에 층판소체가 형질막에 융합된다. 층판소체의 내경계막(limiting membrane)은 ω-hydroxylated ultra long chain fatty acid로 구성된 acylceramide가 풍부하다. 내경계막이 형질막과 융합되면서 형질막의 이중 지질막에 acylceramide가 증가된다. Acylceramide는 막에 고정된 transglutaminase 1에 의해 형성된 지지대 구조물의 외부층과 공유 결합한다. Acylceramide는 형질막의 이중 지질막을 대체하여 각질세포 지질주머니(corneocyte lipid envelope, CLE)을 형성한다.

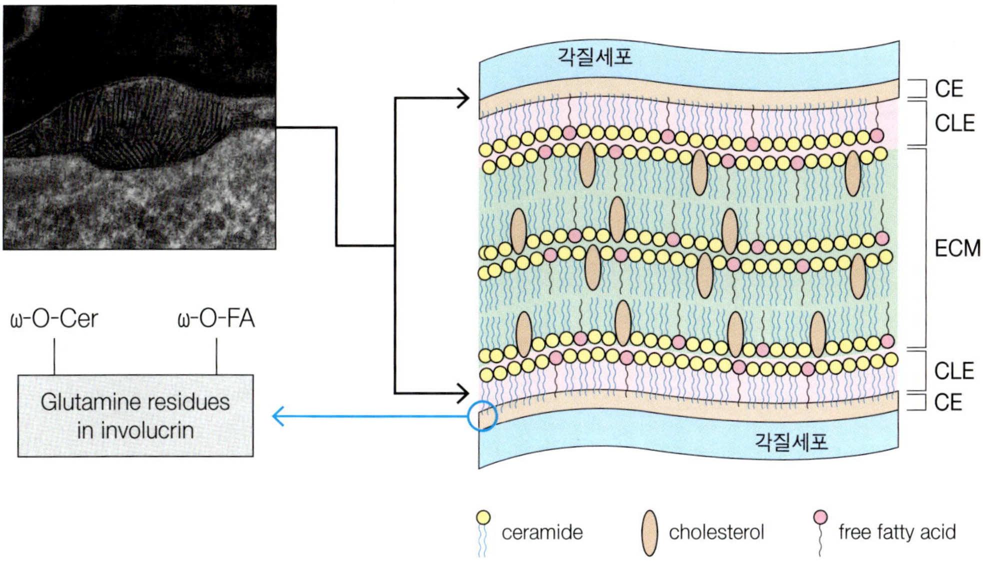

그림 3-1. CE, CLE, ECM

구성 성분

- Cornified envelope(CE): involucrin, loricrin, filaggrin, transglutaminase-1
- Corneocyte lipid envelope(CLE): ω-OH free fatty acid, omega-hydroxyceramide
- Extracellular matrix(ECM): lamellar bilayer, protease inhibitor, antimicrobial peptide, serine protease, cysteine protease, aspartic protease

• 참고: SCLM(stratum corneum lipid mixture)

Brick & Mortar 모델에서 회반죽에 해당하는 각질층 지질 혼합물(stratum corneum lipid mixture, stratum corneum intercellular lipid lamellae)은 세라마이드 50%, 콜레스테롤 25%, 자유 지방산 15% 외에 기타 지질 10%(인지질, 콜레스테롤 설페이트 등)이 소량 존재한다. SCLM은 각질세포 외막(CE), 각질세포 지질외막(CLE), 세포외 기질(extracellular matrix)로 구성된다. SCLM은 층상 막 구조를 형성하므로 변형되면 피부 장벽 기능이 손상된다.

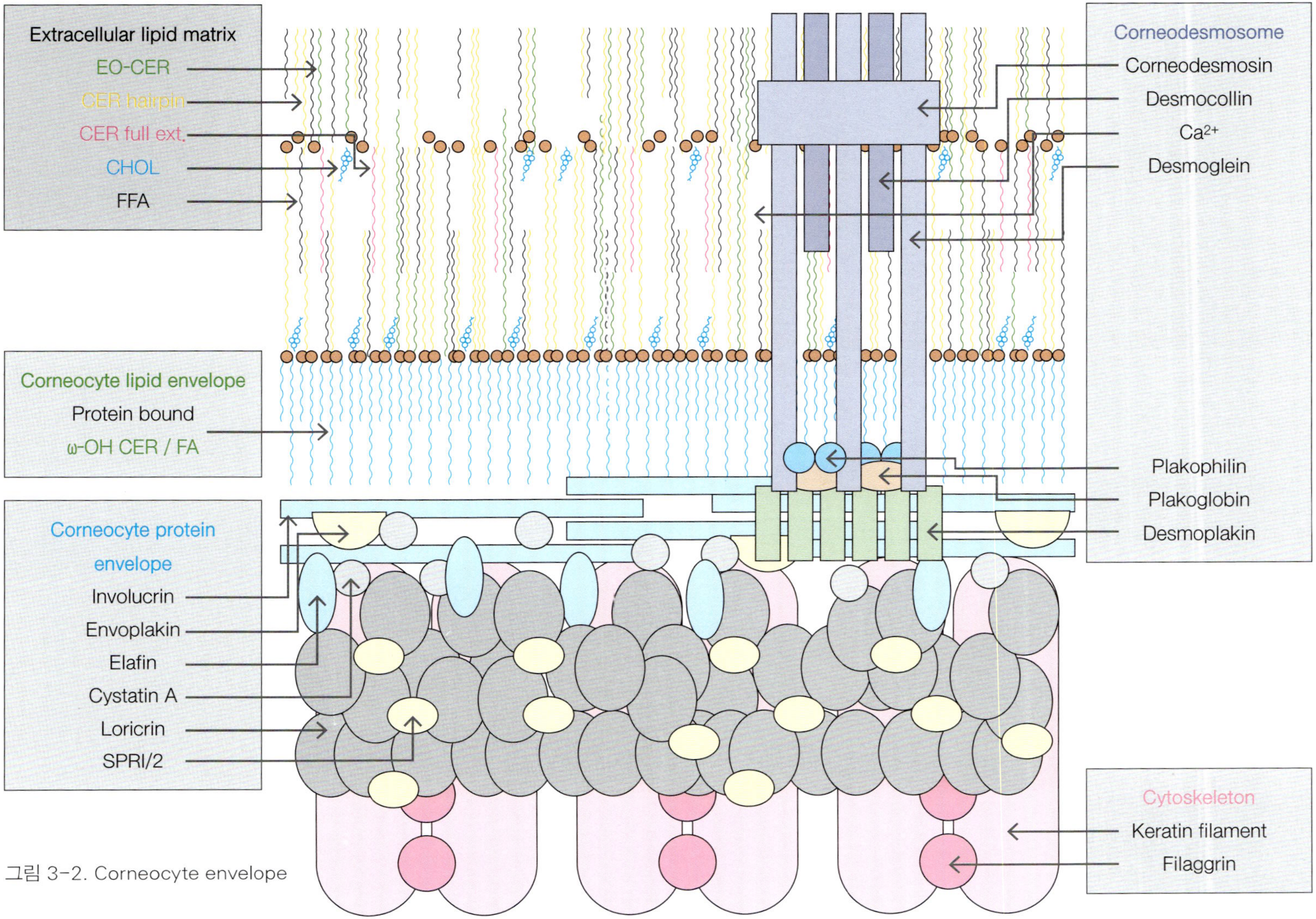

그림 3-2. Corneocyte envelope

2) 단백(질) 분해효소 vs 단백(질) 분해효소 억제제(항단백질 분해효소)

단백분해효소(protease)는 펩티드 결합의 가수분해 작용에 관여하는 효소이다. 활성 부위와 보조 인자의 구조적 특성에 따라 serine protease, aspartic protease, threonine protease, cysteine protease, glutamic acid protease(metalloprotease)로 구분된다. 단백질 분해 기능 외에 신호 전달 인지 기능이 있다. 단백분해효소는 리간드 또는 세포 표면의 수용체를 분해하여 신호 전달 과정을 시작하거나 종결시킨다. 표피에서 정상적인 각질층 구조를 유지하기 위해 교소체 분해를 담당하는 단백분해효소의 활성을 조절한다. 각질층에는 다양한 단백분해효소가 발현되며, 3 종류의 내인성 단백분해효소(serine protease, cysteine protease, aspartic protease)가 존재한다.

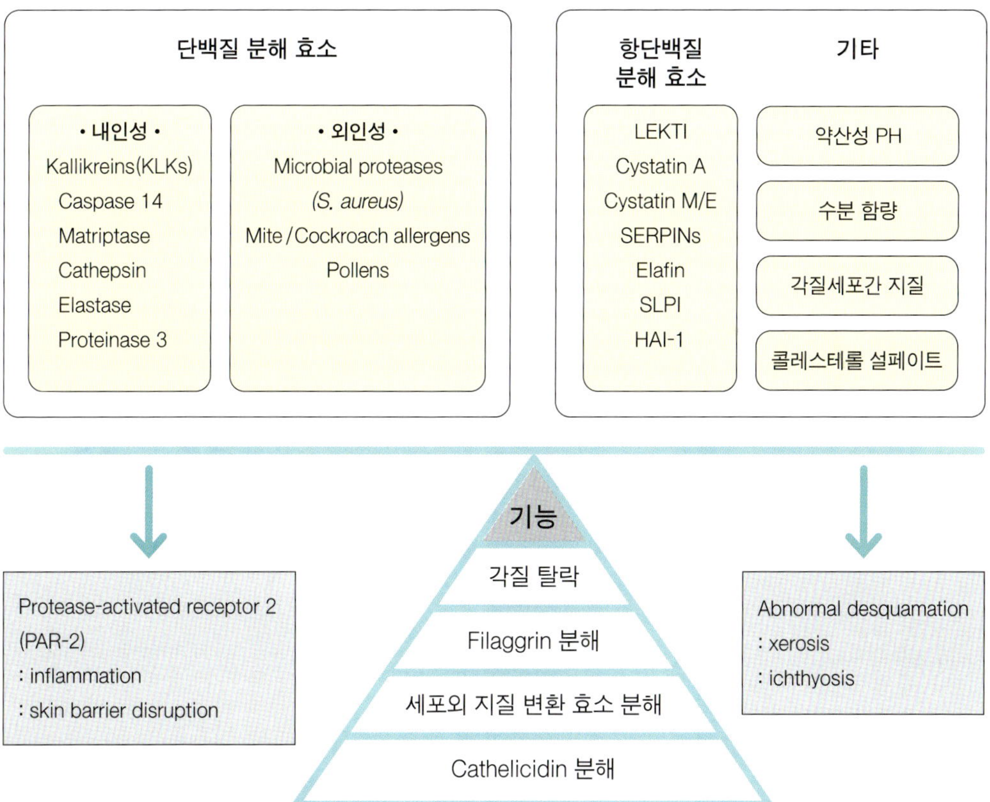

그림 3-3. 단백질 분해 효소 vs 항단백질 분해 효소

각질층에 존재하는 단백질 분해효소, 항단백질 분해효소는 상호 작용에 의해 다양한 기능을 담당한다.

4가지의 중요한 역할이 있다. 각질 탈락, 필라그린 분해에 의한 자연 보습 인자 생성, 세포외 지질 변환 효소 분해, cathelicidin 분해 산물(LL-37) 생성에 관여한다. 단백질 분해 효소는 내인성, 외인성 효소가 존재한다. 내인성 단백질분해 효소는 caspase

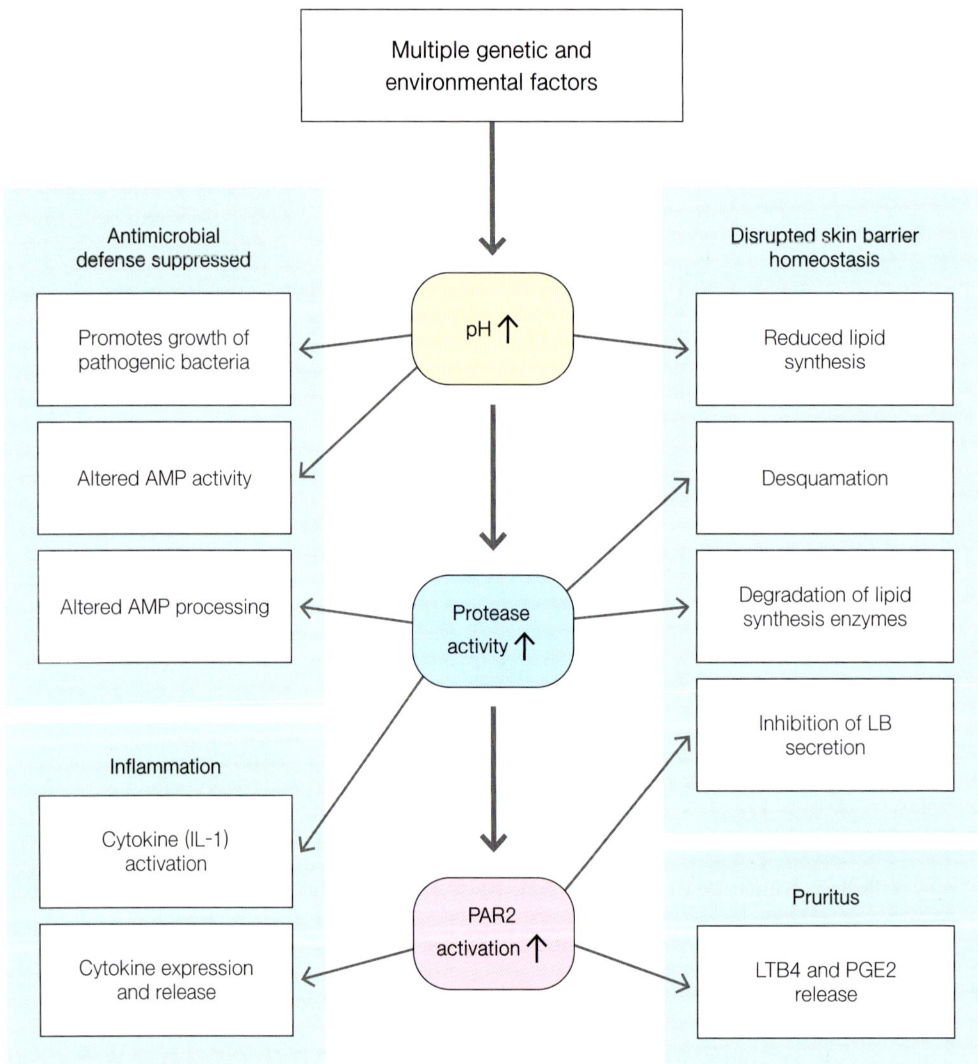

그림 3-4. pH/protease/PAR2

14, kallikrein, cathepsin, proteinase 3, elastase, matriptase 등이 있다. 외인성 단백질 분해효소는 미생물(*S. aureus*), 바퀴벌레, 꽃가루, 집먼지 진드기 등에서 유래한다. Protease 활성이 증가하면 protease activated receptore-2에 의해 피부 장벽 손상, 염증 반응 등이 유발된다.

항단백질 분해효소(anti-protease)는 LEKTI, serpin, SLPI, cystatin, elafin, HAI-1 및 각질층 pH, 각질세포간 지질, 수분, 콜레스테롤 등이 있다. 항단백질 분해 효소의 합성이 증가하면 건조증, 어린선 등이 유발된다. 각질 탈락이 억제되기 때문이다.

표 3-1. 항단백질 분해 효소

구분	종류	억제제
serin protease	kallikrein 5 (stratum corneum tryptic enzyme, SCTE)	secretary leukocyte protease inhibitor(SLPI)
	kallikrein 7 (stratum corneum chymotryptic enzyme, SCCE)	matriptase/MT-SPI elafin(skin-derived antileukoprotease) LEKTI(lympho-epithelial Kazal-type 5 related-inhibitor)
cysteine protease	cathepsin C, L, V stratum corneum thiol protease (SCTP)	cysteine protease inhibitor α cystatin M/E
aspartic protease	cathepsin D aspartic protease	

Serine protease에 속하는 kallikrein(KLK) 5, kallikrein(KLK) 7이 피부 탈락에 관여하는 대표적인 단백분해효소이다. 단백분해효소의 작용은 억제제에 의해 조절된다. KLK7 억제제는 matriptase/MT-SPI, elafin(skin-derived antileukoprotease), SPINK5 유전자에 의해 발현되는 lympho-epithelial Kazal-type 5 related-inhibitor(LEKTI) 등이 있다. 아토피 피부염 환자의 피부에서 LEKTI 발현을 조절하는 유전자 [SPINK5(serine protease inhibitor Kazal type 5)] 돌연변이에 의한 LEKTI 발현 저해, SCCE 유전자 돌연변이에 따른 SCCE 활성 증가, cystatin A 발현 저해 등이 교소체 단

백질의 비정상적인 분해 촉진을 유발한다. 또한 외부로부터 알레르겐 침입을 제어하지 못함으로 아토피 피부염을 악화시킨다. Cysteine protease 억제제는 cysteine protease inhibitor α가 작용한다. 억제 물질은 단백분해효소와 동일하게 층판소체에서 분비된다.

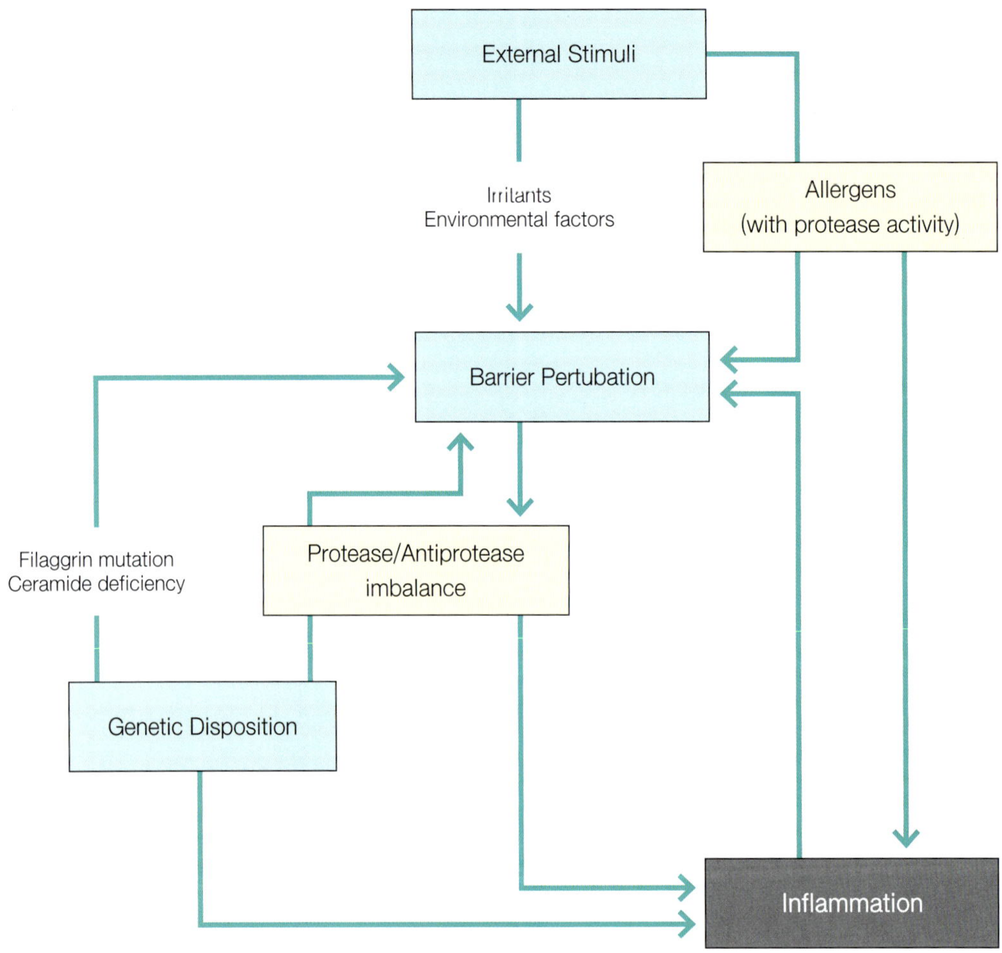

그림 3-5. Protease의 다양한 역할

Protease	
Exogenous	Endogenous
Bacterial protease -S. Aureus Aeroallergen -House dust mite -Cockroach -Pollens	Kallikrein Cathepsin Calpain Caspase Tryptase Trypsin

Subtle balance regulates skin homeostasis

Antiprotease	
Protease-inhibitors	Others
Cystatin SCCA2 SKALP SLPI α1-antitrypsin LEKTI Elafin	pH -Acid mantle Water -Low water activity

그림 3-6. Protease vs Antiprotease

• 참고: Kallikrein (단백분해 효소)

- 개요

Kallikreins(KLKs)은 serine계 단백질 분해 효소에 해당한다. KLK 5, -6, -7, -8, -10, -11, -13 및 -14가 표피에 발현된다. KLK5, KLK7은 각질층의 활성 KLK이다. 단백질분해효소 억제제[Lympho-epithelial Kazal-type-related inhibitor (LEKTI), Elafin, Secretory leukocyte protease inhibitor (SLPI)]와 함께 층판소체(Lamellar body: LB)를 통해 불활성화 상태의 전구체 형태로 과립층-각질층 사이에 분비된다. KLKs 전구체(Pro-KLKs)는 층판소체로 분비된 후에 단계적으로 활성화 된다. KLK5 전구체(pro-KLK5)는 KLK14 및 KLK5에 의해 분해되어 활성 KLK5로 변한다. 활성 KLK5는 KLK7과 KLK14의 전구체를 활성화시킨다.

- 각질세포 탈락

KLKs은 각질교소체(corneodesmosome: CD)의 구성 단백질[desmoglein 1(DSG1), desmocollin 1 (DSC1), corneodesmosin (CDSN)]을 분해하여 각질 탈락(desquamation)에 관여한다. KLK5는 DSG1, DSC1, CDSN을 분해한다. KLK7은 DSC1,

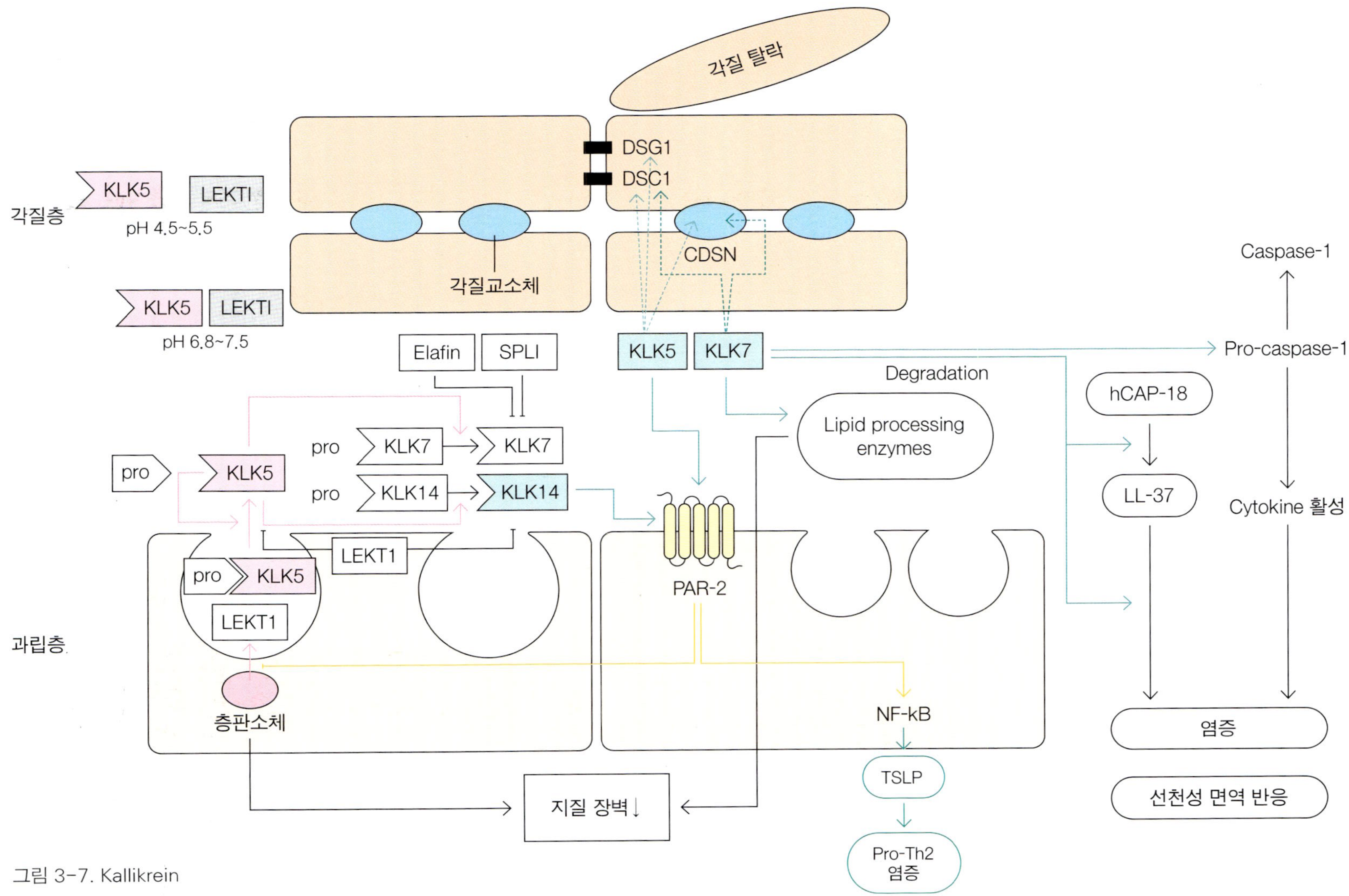

그림 3-7. Kallikrein

CDSN을 분해한다. 각질 탈락 과정은 단백질분해효소 억제제, 각질층 pH 기울기(pH gradient)에 의해 조절된다. 단백질분해효소 억제제 LEKTI 및 elafin은 KLK7 활성을 억제하며, SLPI는 KLK5 활성을 억제한다. 표피 pH 기울기 및 KLK 활성을 직접 조절하거나, KLK·LEKTI의 상호 작용을 양방향으로 조절한다. KLK5, KLK7은 중성 pH에서 활성화된다. 각질층 하부 또는 과립층, 각질층 경계 부위에서 LEKTI은 pH 6.8~7.5에서 KLK5와 결합하여 각질세포의 조기 탈락을 억제한다. 그러나 pH 4.5~5.5에서 상부 각질세포의 탈락을 일으킨다.

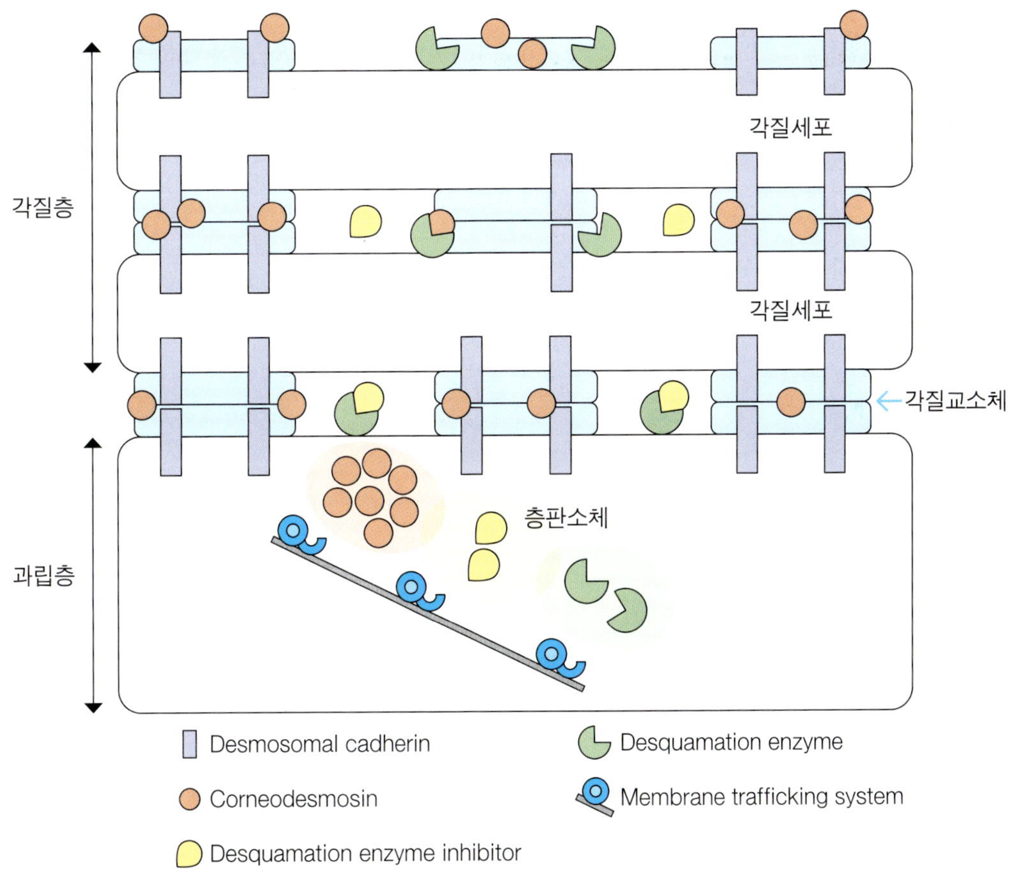

그림 3-8. 각질 탈락 기전

- 피부 장벽

칼리크레인(KLK)은 각질세포간 지질 형성에 관여하는 효소(β-glucocerebrosidase, acidic sphingomyelinase) 분해 및 PAR-2를 활성화하므로써 층판소체 분비 억제, 지질막 층판 구조 형성 장애를 초래하므로 피부 장벽을 손상시킨다. KLK 억제제를 피부에 도포하면 손상된 피부 장벽의 회복이 촉진되고, KLK에 의해 활성화되는 protease activated receptor-2(PAR-2)를 도포하면 층판소체 분비가 억제되므로 피부 장벽 회복이 늦어진다. KLKs는 interleukin-1α, 1β 전구체를 활성화시키며, PAR-2에 작용하여 NF-kB가 활성화됨으로 thymic stromal lymphopoietn(TSLP) 생성, 염증(pro-Th2) 반응 유도 및 피부 장벽이 손상된다. 각질교소체 외에 세포의 기질, 기저층의 기저막을 분해시킨다.

- 항균 펩티드 분해

KLK5, KLK7이 LL-37 전구체(pro-cathelicidin/hCAP18) 또는 LL-37을 분해하면 항균펩타이드(cathelicidin)의 염증 반응을 유발한다. 숙주 반응에 의해 침입된 병원균이 소실되면 KLK5 및 KLK7은 LL-37을 염증 유발 효과가 없는 작은 펩티드로 분해하여 각질층을 정상적인 면역 상태로 회복시킨다.

- 피부 질환

아토피 피부염에서 trypsin-like KLK, chymotrypsin-like KLK(KLK5, -6, -7, -8, -13, -14)이 각질층, 과립층 및 하부 표피까지 과발현되어 있다. 특히 chymotrypsin-like KLK 증가가 현저하다. Serine protease 활성은 IL-1α·IL-1β와 같은 일차 사이토카인 및 cytokine cascade를 일으켜 염증 반응을 유발한다. Serine protease 활성은 PAR-2에 작용하여 층판소체 분비를 감소시킨다. PAR-2 활성은 아토피 피부염 환자에서 유발되는 소양증과 연관된다. Netherton 증후군은 SPINK5 유전자의 기능 소실과 돌연변이를 나타낸다. SPINK5 유전자는 단백분해효소 억제제(LEKTI)를 발현시키며, LEKTI 유전자 기능 상실에 의해 serine protease 활성도가 증가된다. Serine protease에 의존적인 lipid-processing enzyme 및 각질교소체 단백을 분해하므로 피부 장벽 손상을 유발한다.

건선은 병변 부위의 각질층에 KLK 수치가 상승되어있다(KLK 5, 6, 7, 8, 10, 11,

13, 14). 또한 PAR-2가 공존하므로 상부 기저층까지 나타난다. 그러므로 T세포 활성, 표피 증식 및 PARs에 의해 염증이 유발된다.

주사는 TLR2 이상에 의해 KLK5가 활성화되므로 LL-37이 증가한다.

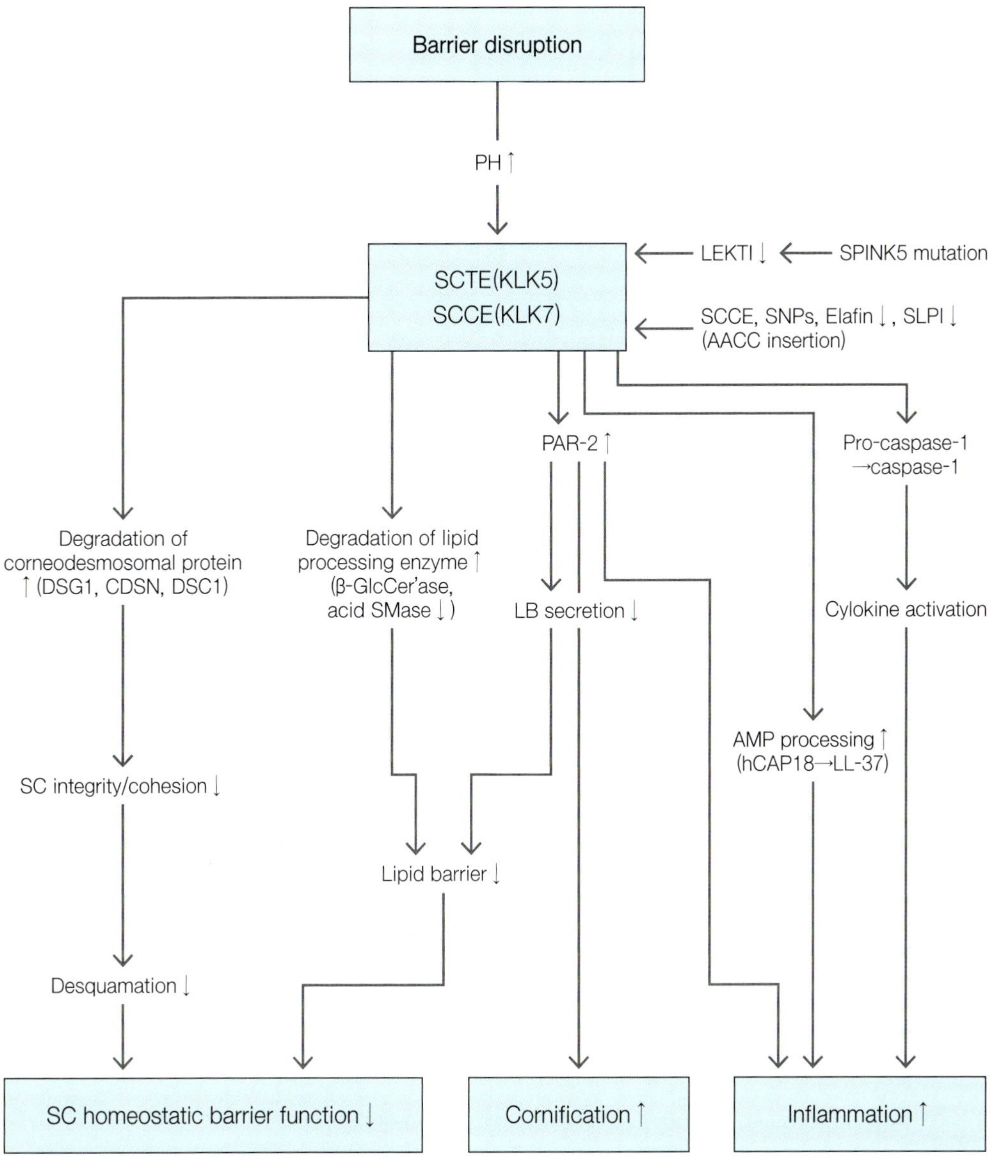

그림 3-9. KLK5와 KLK7이 표피 투과 장벽에 미치는 영향

4. 지질

1) 기원

각질세포간 지질은 어디에서 유래할까? 정답은 층판소체이다. 1969년에 달을 처음 밟은 사람은 아폴로 우주선(미국)의 암스트롱이다. 그가 남긴 달 표면의 발자국은 '층판소체'와 매우 유사하다. 층판소체는 1960년 Odland가 처음 기술하였다. 0.2~0.5㎛ 크기(이중막)이며, 원형~계란 형태이다. 유극층 상부와 과립층에서 생성되며, 과립층에 가장 많이 분포한다. 내부에 지질 전구체(스핑고미엘린, 당화세라마이드, 콜레스테롤)이 존재하며, 다양한 효소에 의해 비극성(중성) 지질로 변환되므로 장벽 기능을 나타낸다. 과립층·각질층 연접 부위에서 과립층의 세포막과 융합되면 내용물이 세포 사이로 유출된다. 이후에 각질세포 사이에서 길게 연결되어 특징적인 이중 지질막의 층판 구조를 형성한다. 막 형태는 여러 층으로 구성된 라멜라 구조물로 존재한다.

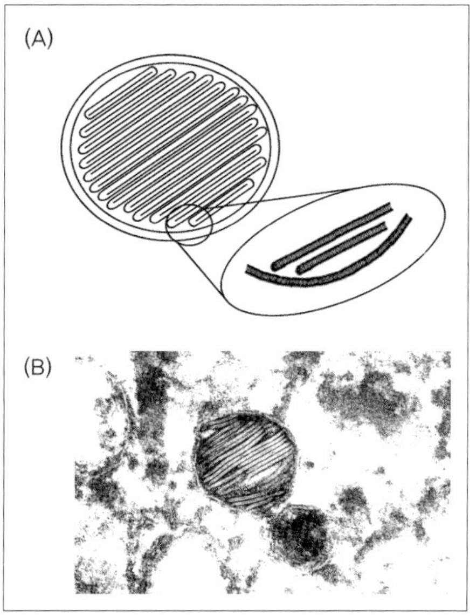

그림 4-1. 층판소체의 모식도(a) 및 전자현미경 소견(b)

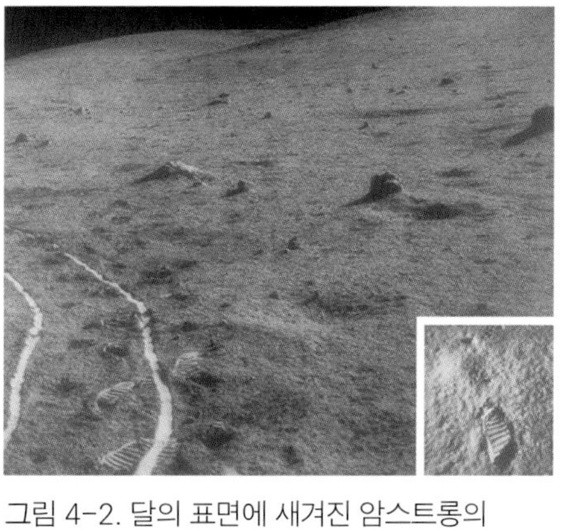

그림 4-2. 달의 표면에 새겨진 암스트롱의 발자국은 층판소체와 흡사하다.

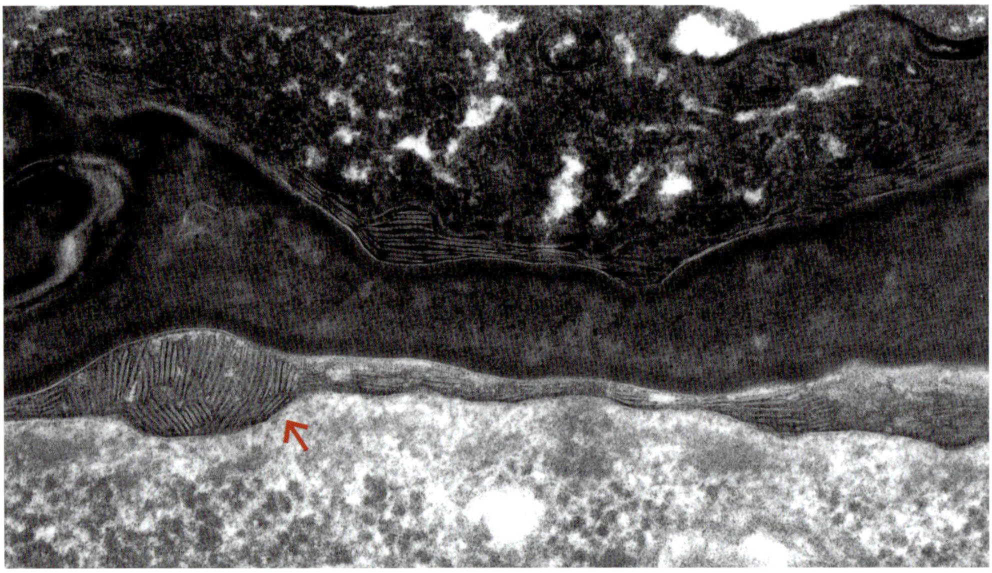

그림 4-3. 각질세포간 지질(←)

2) 합성/대사

각질형성세포에서 합성된 지질은 유극층 상부에 존재하는 층판소체에 채워지며, 과립층을 거쳐 각질층으로 이동한다. 각질세포간 지질이 층판소체에 담겨지기 이전에 효소 반응을 거쳐 지질 전구체(phospholipid, spingomyelin, glucosylceramide 등)로 변한다. 콜레스테롤은 cholesterol sulfate로 변하여 층판소체로 이동한다. 지질 전구체는 층판소체에서 분비되는 효소에 의해 세포외 변환 과정을 거친다. Phospholipid는 phospholipase에 의해 자유 지방산 및 glucosylceramide · sphingomyelin은 β-glucocerebrosidase, acidic sphingomyelinase에 의해 세라마이드로 변한다.

각질형성세포 분화(각화)에 따라 지질 성분에 변화가 나타난다. 극성 지질은 각질층의 분화 과정에서 중성 지질로 변한다. 비극성 인지질은 급속하게 감소하지만, 각질세포간 지질 구성 성분(스핑고지질, 콜레스테롤, 자유 지방산)은 증가한다. 지질 조성은 과립층에서 각질층으로 최종 분화되는 과정에서 많은 변화가 나타낸다. 콜레스테롤 양은 크게 변하지 않으나 인지질 · 당화세라마이드가 거의 소실된다. 세라마이드로 구성된 스핑고지질, 자유 지방산이 증가한다.

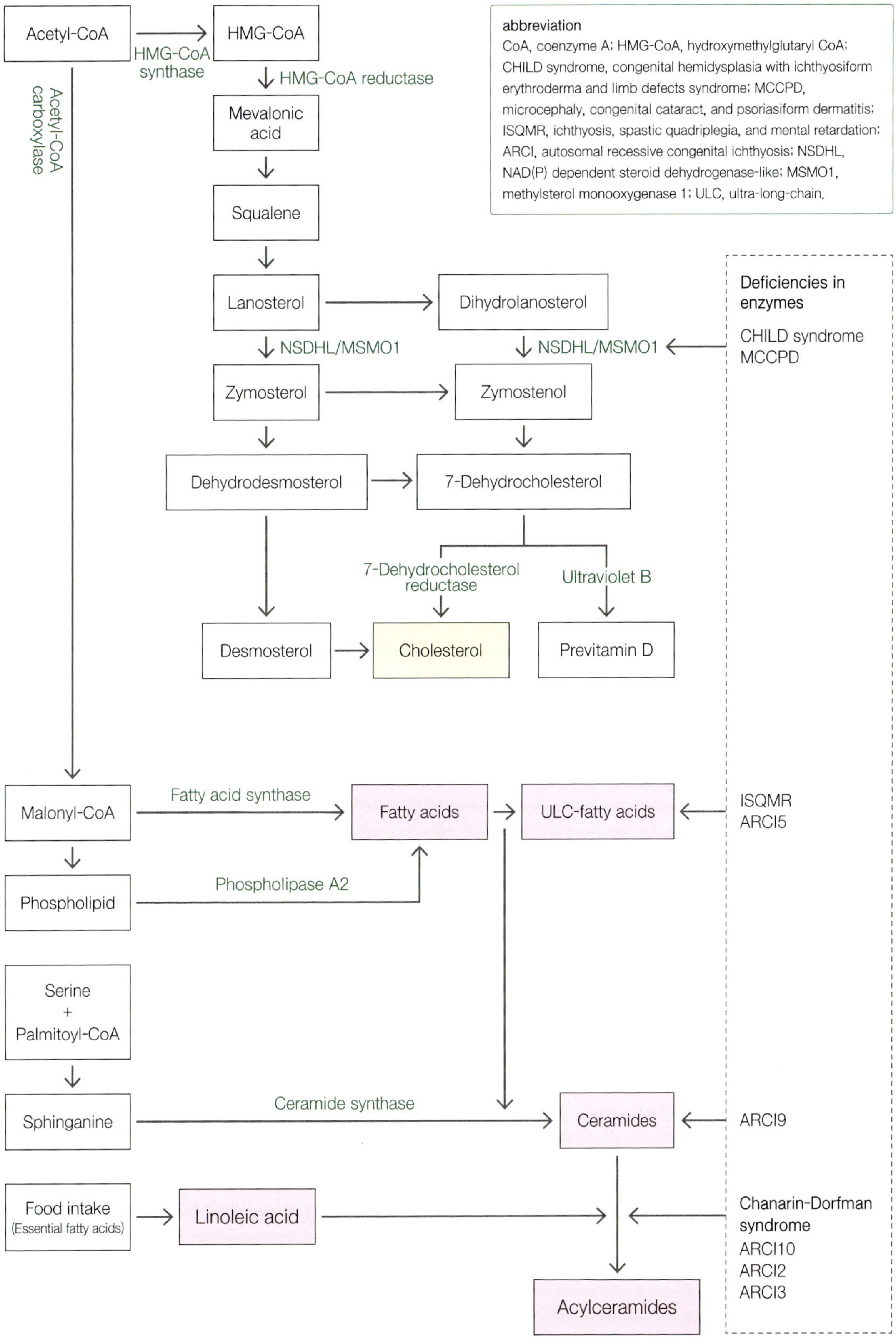

그림 4-4. Ceramide, Cholesterol, Free fatty acid 합성 경로

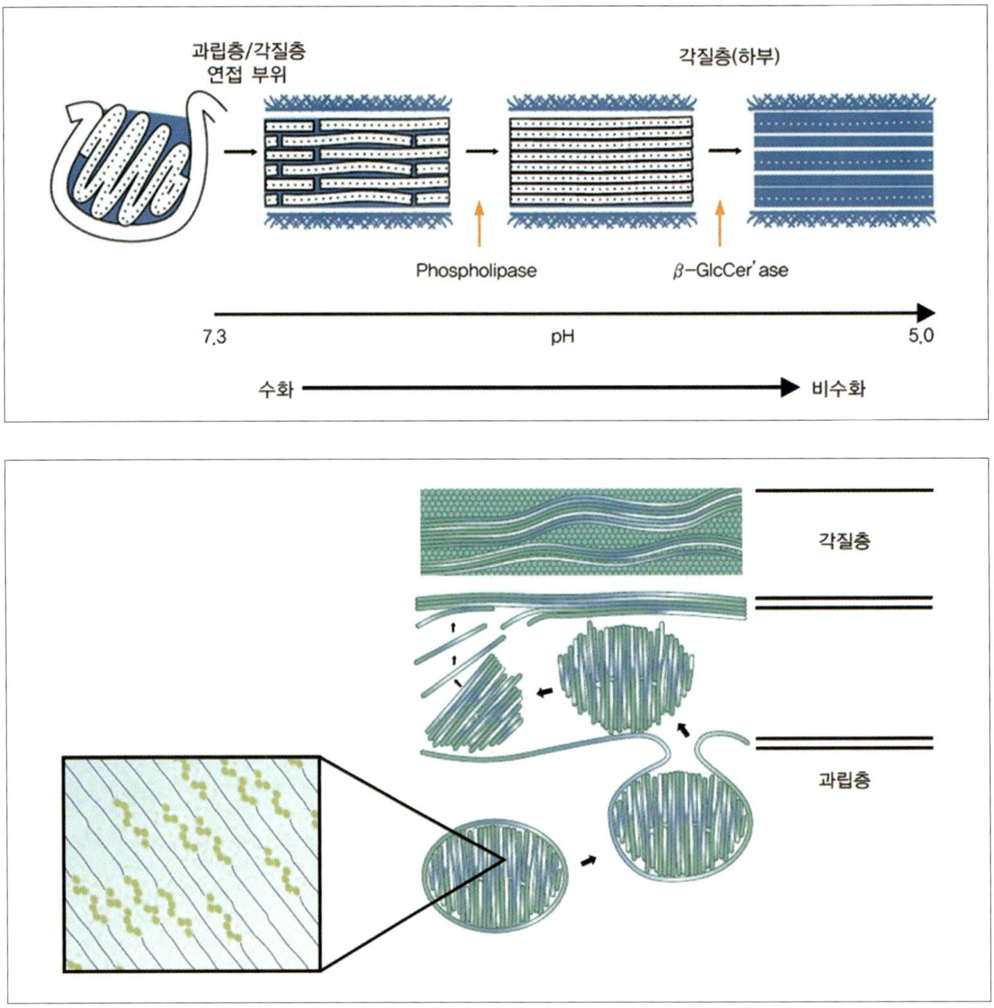

그림 4-5. 각질층의 지질 형성 과정(모식도)

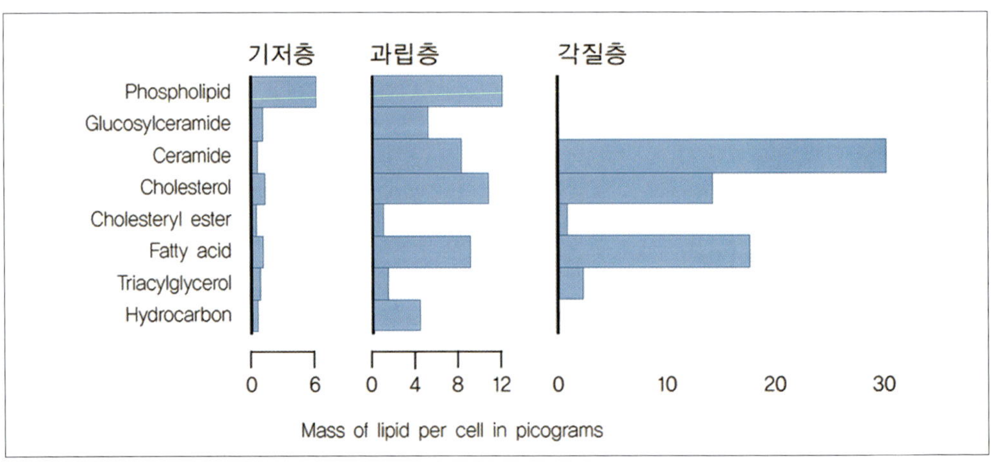

그림 4-6. 각질층의 지질은 기저층·과립층에 비하여 차이가 있으며, 장벽 기능을 담당하는 중요한 3가지 성분으로 구성된다.

• 참고: 도포 및 내부에서 생성된 지질

표피 기저층에 존재하는 각질형성세포는 혈액 또는 체액 내에 존재하는 콜레스테롤을 흡수할 수 있으나, 표피에서 대부분의 지질이 합성된다. 지질을 도포하면 지질은 표피로 흡수되고, 세포 안으로 전달된 후에 골지소체(Golgi apparatus)에서 층판소체(lamellar body)로 유입된다. 층판소체의 지질은 각질층으로 분비되면서 새로운 라멜라 층을 형성한다. 이러한 지질의 *de novo* 합성은 피부 장벽 회복에서 매우 중요한 기전이다.

층판소체(Odland body)는 피부 장벽 기능에서 매우 중요한 역할을 담당한다. 층판소체는 다양한 지질 성분과 지질 분해 효소를 각질층으로 전달한다. 전달된 지질 분해 효소는 sphingomyelin(스핑고미엘린), glucosylceramide(당화세라마이드), phospholipid(인지질), cholesterol sulfate 등의 다양한 지질 성분을 분해한다. 이후에 각질세포간 지질의 라멜라 구조 형성에 필요한 세라마이드, 자유 지방산, 콜레스테롤 형태로 전환된다. 이러한 세포외 변환 과정은 pH 등의 다양한 기전 등에 의해 조절된다.

각질층에 존재하는 지질 합성은 세가지의 속도 제한 효소(rate limiting enzymes)가 관여한다. 콜레스테롤 합성은 3-hydroxy-3-methylglutaryl coenzyme A (HMG CoA) reductase, 지방산은 acetyl CoA carboxylase(ACC) 및 fatty acid synthase가 관여한다. 세라마이드 합성은 serine palmitoyl transferase(SPT)가 합성 속도를 결정하는 역할을 담당한다.

피부 장벽이 손상되면 효소 활성이 증가하면서 각질층의 지질을 보충한다. 또한 sterol regulatory element-binding proteins(SREBPs) 등의 전사 인자(transcription factors)는 콜레스테롤과 지방산 합성을 조절한다.

콜레스테롤은 피부 장벽 회복에서 중요한 역할을 담당한다. 콜레스테롤 함량이 감소하면 peroxisome proliferator-activated receptors(PPARs) 및 liver X receptors(LXRs)가 ATP-binding cassette transporter A1(ABCA1)의 발현을 증가시킨다. ABCA1은 콜레스테롤의 세포외 분비를 조절함으로써 각질형성세포의 세포막을 통한 콜레스테롤 이송을 촉진한다. 세라마이드, 콜레스테롤, 자유 지방산의 각질세포간 지질 성분 중에서 어느 하나만을 도포하면 피부 장벽 기능이 회복되지 않으며, 적절한 비율(3:1:1)의 혼합물은 장벽 회복을 유도한다.

표피 스테롤 함량이 감소하면 단백질 분해 과정에 의해 SREBPs가 활성화되면서 세포 핵으로 들어가며, 유전자를 활성화시킴으로써 콜레스테롤, 지방산 합성 효소의 생성을 증가시킨다. SREBPs는 SREBP-1a, -1c, SREBP-2의 3가지 아형이 존재한다. 인체 피부의 각질형성세포는 SREBP-2가 가장 많으며, 콜레스테롤과 지방산 합성에 관여한다. 그러나 세라마이드 합성에는 SREBP가 관여하지 않는다.

3) 구조

층판소체에서 분비된 내용물은 각질세포 사이에서 펼쳐지고 연결된다. 개형(리모델링) 과정을 거치면서 넓고 길어지면서 공간이 소실된다. 이중 막으로 이루어진 여러 층의 층판 구조가 형성된다. 엿가락처럼 길고 굵어야 한다. 끊기거나 가늘어지면 장벽 기능은 감소된다.

지질은 친수성·소수성 구조가 상존하며, 원형~사슬 모양을 나타낸다. 끼리끼리 모여서(유유상종?) 얇은 막 형태를 유지함으로써 장벽 기능을 나타낸다.

4) 종류

피부 장벽 기능을 담당하는 핵심 지질은 3종류이다. 각질층 지질은 각질세포 사이에 존재하며, 다층상 형태로 존재한다.

지질은 건조시킨 각질층 무게의 14%를 차지한다. 건조 중량 비율에 따르면 세라마이드 40~50%, 콜레스테롤 25~35%, 자유 지방산 15~20%를 차지한다.

• 참고: 층판소체 지질 vs 각질세포간 지질

피부 투과 장벽 역할을 담당하는 각질층은 단백질이 풍부한 각질세포와 이들을 연결하는 각질교소체 및 층상 구조를 이루는 각질세포간 지질로 구성되어 있다. 각질세포간 지질은 상부 과립층에 위치한 층판소체에서 각질층으로 지질이 분비되며, 각질세포 사이로 퍼져 나가면서 형성된다. 층판소체에서 분비된 지질 원판은 서로 융합하여 넓은 판을 형성한다. 층판소체에 glycosphingolipid, phospholipid, free sterol 등의 지질 및 lipid hydrolase, glycosidase, protease 등의 효소 외에 antimicrobial peptides 등의 단백질이 포함되어 있다. 분비된 지질은 상기 효소 작용으로 세라마이드, 콜레스테롤, 자유 지방산으로 변환되어 장벽 기능을 수행한다.

층판소체 지질은 극성 지질(polar lipid) 성분이 많으나, 효소의 작용으로 변환된 각질층 지질은 중성 지질(neutral lipid)을 나타낸다. 지질은 물에 쉽게 용해되지 않는 유기 화합물이다. 지방산의 에스터 형태에 해당하는 중성 지질(비극성 지질, non-polar) 및 양친매성의 극성 지질로 분류된다. 중성 지질은 글리세롤과 지방산이 결합된 중성 지방, 콜레스테롤과 지방산이 결합된 콜레스테롤 에스터, 자유 지방산이 대표적이다. 극성 지질은 소량으로 존재하며, 인지질·당지질·스핑고지질 등은 세포막을 구성하는 중요한 성분이다.

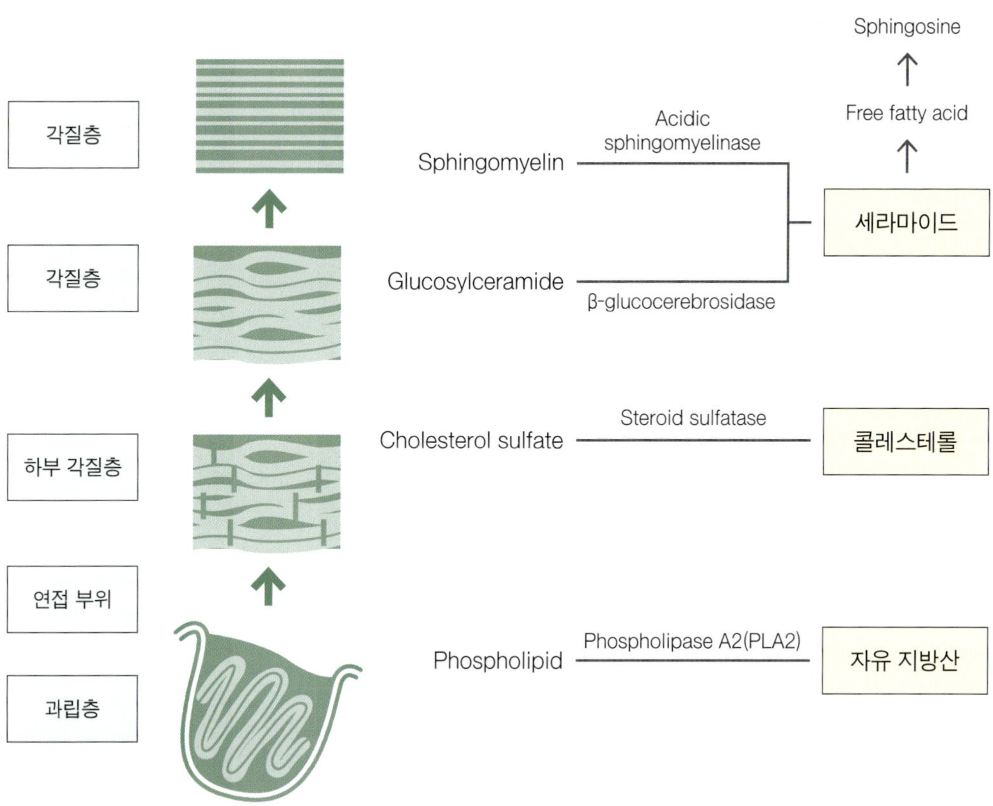

그림 4-7. 각질세포간 지질(세포의 변환)

5) 각질세포간 지질

① 세라마이드(ceramide)

세라마이드 전구체[glucosylceramide(GC)]에서 유래하며, 표피에서 합성되어 층판소체를 통해 각질층으로 공급된다. Sphingolipid 염기(long-chain aminoalcohol)에 지방산이 연결된 구조이다(amide linkage). Glucosylceramide, sphingolipid의 가수 분해에 의해 합성된다. 속도 조절 효소는 serine palmitoyl transferase이다. 세라마이드는 인체의 지질 중에 콜레스테롤과 인지질의 10% 이하로 소량이다. 그러나 각질층에서 가장 많은 양(체중당 지질의 30~40%)을 차지하므로 장벽 기능에 중요한 역할을 담당한다. 높은 세라마이드 함량은 표피에서 각질층에서만 관찰된다. 세라마이드 생합성은 각질형성세포가 각질세포로 분화하면서 가장 활성화되기 때문이다. 세라마이드 중에서 acylceramide는 각질세포 지질막 및 각질세포 사이에 존재하는 지질 층판 구조에 매우 중요하며, 각질층의 장벽 기능에 필수적이다. Glucosylceramide 합성에 중요한 역할을 하는 효소는 ceramide glucosyltransferase이며, 골지소체에 존재한다. 각질층에서 세라마이드 함량은 높지만(30~40%), 기저층·가시층·과립층에서 세라마이드는 거의 관찰되지 않는다. 표피에서 합성된 지질이 glucosylceramide, sphingomyelin과 같은 형태로 층판소체에 채워지고, 각질층으로 분비되기 때문이다.

세라마이드 1은 1982년에 처음 발견된 천연 세라마이드이며, 리놀레인산을 함유하고 있다. 1950년대 이후에 합성 세라마이드는 제형을 만들기 쉽다는 점에서 다양해졌다. 세라마이드는 스핑고이드 분자에 지방산이 결합된 소수성 sphingolipid가 공통 구조이다. 스핑고신 염기의 아미노기에 지방산이 아미드 결합(amide bond)한다. 피부 장벽의 항상성 유지, 수분 유지 및 다양한 세포의 신호 전달 뿐만 아니라 세포 고사(apoptosis), 세포 분화·증식에 관여한다.

피부에 존재하는 세라마이드는 층판소체에서 분비되는 glucosylceramide(GC) 전구체에서 생성되지만, 최근의 연구에 따르면 sphingomyelin 전구체와 acylceramide, acylglucosylceramide 등에 의해서 생성된다. 세라마이드는 수산화기·스핑고이드 구조의 이중 결합·아실기의 수산화기·리놀레인산(linoleic acid) 결합 유무에 따라 12가지로 분류한다. 40~76개의 탄소, 평균 분자량(700) 등에 의해 복잡한 구조를 나타낸다. Acylceramide는 각질세포 지질막(주머니, corneocyte lipid envelope) 및 각질세포간 지질 층판을 형성하므로 장벽 기능에 중요하다.

세라마이드 1은 비극성 분자이며, 리놀레인산을 포함하고 있다. 세라마이드 1의 독특한 분자 구조는 일종의 리벳(rivet) 형태로 작용하며, 각질세포간 지질에서 일정한 주기가 존재하는 다중층 구조를 나타낸다. 세라마이드 1, 4, 9은 피부 장벽의 완전성(integrity)에서 매우 중요한 역할을 하며, 피부의 지질 장벽에서 중요한 리놀레인산을 제공한다. Sphingomyelin에서 유래한 세라마이드(세라마이드 2, 5)는 각질층의 완전성을 유지하는데 필수적이다.

합성 세라마이드 또는 유사 세라마이드는 천연 세라마이드와 동일하게 hydroxy기와 두 개의 알킬기, 아미드 결합을 하고 있다. 다양한 유사 세라마이드 [N-(3-hexadecyloxy-2-hydroxypropyl)-N-2-(hydroxyethylhexadecanamide(PC-104), N-(2-hydroxyethyl)-2-pentadecanolylhexadecanamide(Bio391)]는 각질세포간 지질에서 관찰되는 지질 다중층 구조를 만들수 있다. 그 외의 유사 세라마이드는 myristoyl/palmitoyl oxostearamide/arachamide MEA(Ceramide 9S), myristoyl/palmitoyl oxostearamide/arachamide serinol(Ceramide 5SP) 등이 있다.

• 참고: 세라마이드 합성

세라마이드 합성은 다양한 인자에 의해 영향을 받는다. 자외선에 노출되거나 사이토카인에 의해서 세라마이드 합성에 관여하는 효소(SPT)의 발현이 증가하고, sphingolipid 합성이 증가한다. 스트레스 또는 약제에 의해 혈중 코티솔 농도가 높아지면 세라마이드 합성이 억제된다. 1,25-dihydroxyvitamin D_3, retinoic acid, ursolic acid, lactic acid 등은 세라마이드 생성을 높인다. 알칼리성 pH는 산성 pH에서 높은 활성을 나타내는 β-glucocerebrosidase, acidic sphingomyelinase 활성을 억제하므로 장벽 기능을 손상시킨다. 그러므로 알칼리성 비누·세정제 사용은 장벽을 손상시킨다.

사이토카인은 세라마이드 합성에 영향을 끼친다. Tumor necrosis factor(TNF)와 interleukin-1α(IL-1α)는 세라마이드 합성을 촉진하고, SPT 발현을 증가시킨다. Toll-like receptor(TLR)-7 수용체를 활성화시키는 약제(imiquimod)는 IL-1α 생성을 촉진하고, 피부 장벽 기능을 강화시킨다. IL-4는 세라마이드 생성을 억제한다.

자외선은 SPT 발현 및 sphingolipid 합성이 증가하므로 아토피 피부염, 피부 건조증의 광선 치료에 활용한다.

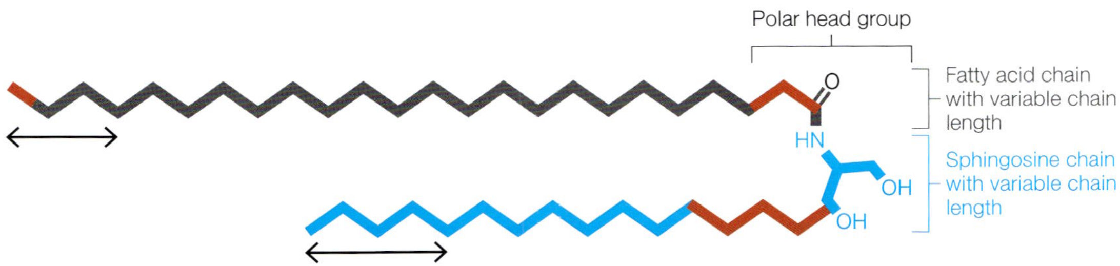

	Non-hydroxy fatty acid [N]	α-hydroxy fatty acid [A]	Esterified ω-hydroxy fatty acid [EO]
Dihydro-sphingosine [dS]	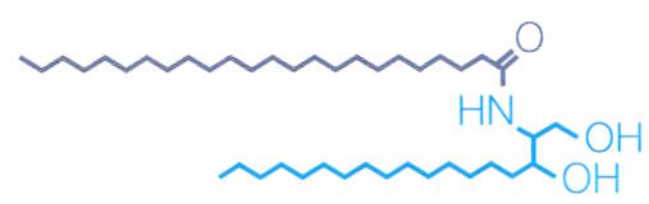 [NdS]	 [AdS]	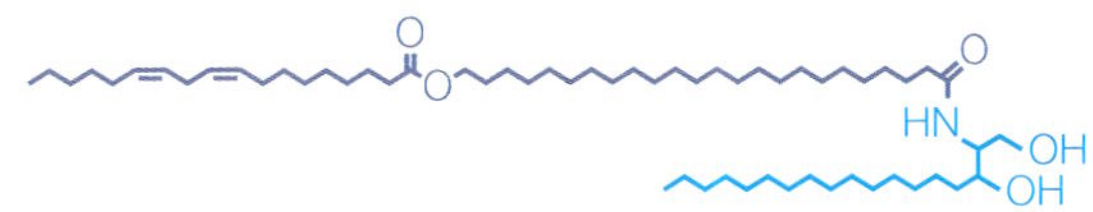 [EOdS]
Sphingosine [S]	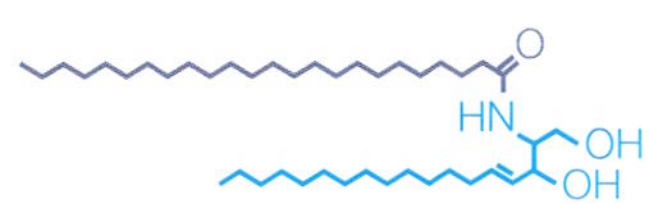 [NS]	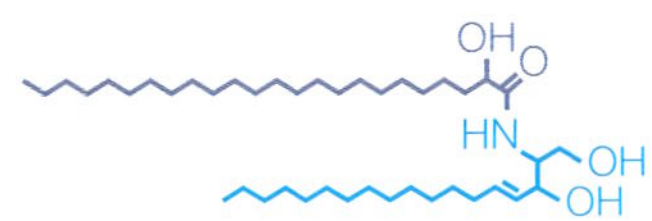 [AS]	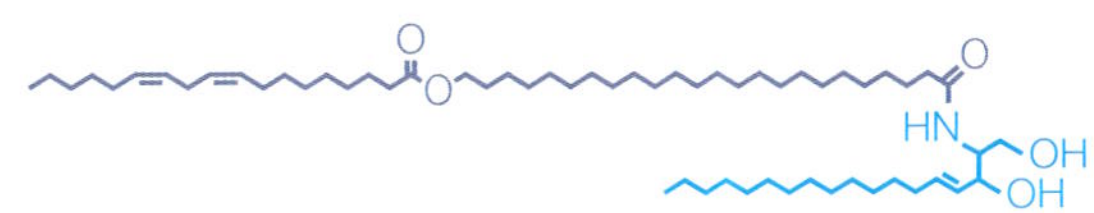 [EOS]
Phyto-sphingosine [P]	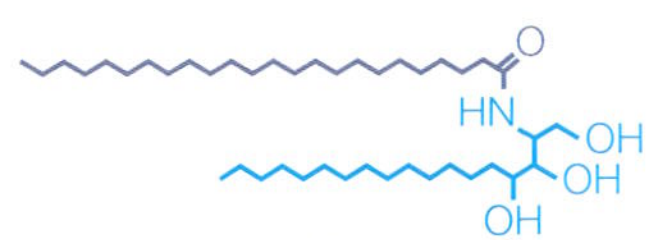 [NP]	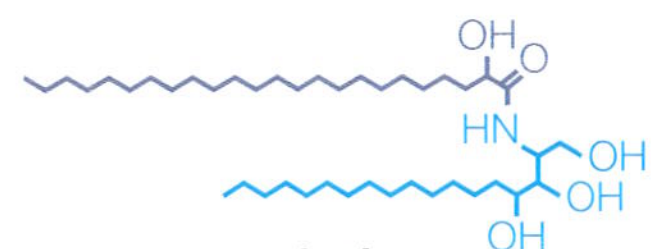 [AP]	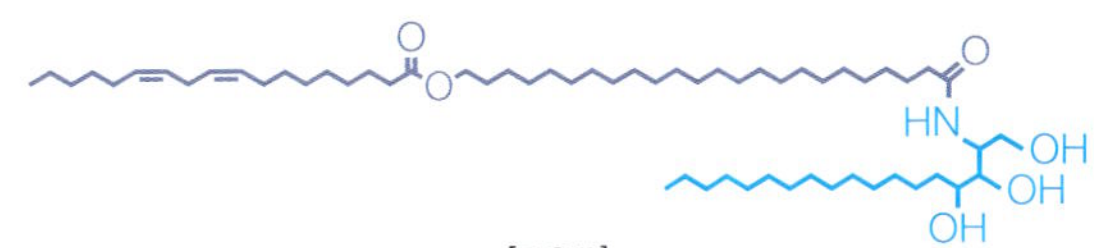 [EOP]
6-hydroxy sphingosine [H]	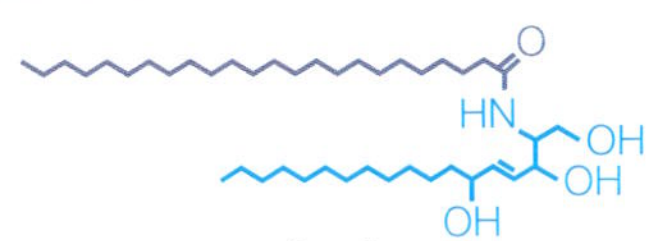 [NH]	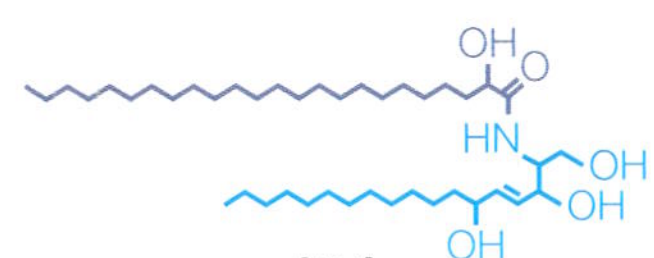 [AH]	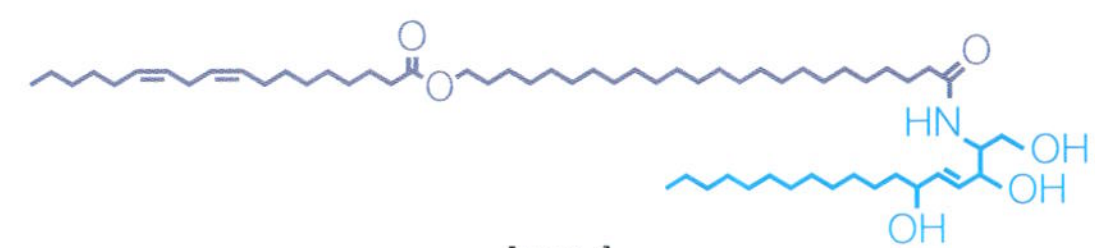 [EOH]

그림 4-8.
세라마이드
구조식/명칭

② 콜레스테롤(cholesterol)

콜레스테롤은 인체에서 가장 풍부한 지질이며, 형질막 및 각질세포간 지질의 중요한 구성 성분이다. 4개의 탄소 고리로 구성된 스테로이드 핵 구조가 존재하므로 다른 지질과 매우 다른 화학 구조를 지니고 있다. 스테로이드 핵 구조의 한쪽 끝에 탄화 수소기가 연결되고, 다른 쪽 끝은 hydroxy기가 연결된 형태이다(분자량=386.6). 4개의 탄소 고리로 이루어진 다환성(polycyclic) 구조이다. 콜레스테롤은 3번 위치의 hydroxy기(친수성 부분)에 의해 지질 이중막의 표면에 수평으로 배열된다. 이러한 구조적 특성은 세포막의 유동성, 유연성, 견고함 등을 조절한다. 지용성이므로 지방 조직, 지질 이중층에서 세포막 사이로 이동이 용이하다.

세포 내 콜레스테롤 생합성 경로에서 HMG-CoA reductase에 의한 mevalonic 산의 변환 과정은 초기 속도 조절 단계에 해당된다. 콜레스테롤을 낮추는 약물(lovastatin)은 반응을 억제함으로 혈중 콜레스테롤 양을 낮출 뿐만 아니라, 피부 장벽 회복을 억제한다. 노화 피부는 콜레스테롤 함량이 감소하므로 상기 약제를 복용하면 건조 피부가 호발한다.

표 4-1. 콜레스테롤 합성에 영향을 주는 인자

	합성 증가	영향 없음
식이		V
피부 장벽 손상	V	
피부 칼슘 이온 증가	V	
HMG-CoA reductase 활성	V	
SREBP-2	V	

• 내인성 합성

피부에 존재하는 콜레스테롤은 cholesterol sulfotransferase type 2B isoform 1b(SULT2B1b)에 의해 각질형성세포에서 합성된다. 콜레스테롤 합성 속도 결정 단계는 3-hydroxy-3-methylglutaryl coenzyme A(HMG-CoA) reductase 효소이다.

Sterol regulatory element-binding proteins(SREBPs)로 알려진 전사 인자는 콜레스테롤과 지방산 합성에 관여한다. 표피 sterol 양이 감소되면 단백질 분해 경로를 통해 SREBPs가 활성화되고, 활성화된 SREBPs는 세포 핵으로 들어가 콜레스테롤 합성을 촉진하는 유전자 발현을 촉진한다. 3 종류의 SREBPs가 규명되었다(SREBP-1a, SREBP-1c, SREBP-2). SREBP-2는 표피에서 콜레스테롤 합성에 관여한다.

• 참고: 식이

콜레스테롤은 음식을 통해 흡수되며, 기저층의 각질형성세포는 순환계에 존재하는 콜레스테롤을 흡수하지만, 기저층 상부의 각질형성세포는 콜레스테롤과 유리 지방산을 생합성한다. 그러므로 혈청 콜레스테롤 수치와 무관하다! 각질형성세포에 의한 콜레스테롤 흡수는 peroxisome proliferator-activated receptors(PPARs)및 Liver X receptors(LXRs)에 의해 조절된다. PPARs 및 LXRs은 콜레스테롤 유출을 조절하는 세포막 이송체[ATP-bining cassette transporter(ABCA1)]의 발현을 증가시킴으로써 각질형성세포의 세포막을 통한 콜레스테롤 이송에 영향을 끼친다. 저밀도 지질단백질(low-density lipoprotein: LDL) 수용체는 콜레스테롤 흡수에 관여한다.

표 4-2. 콜레스테롤 장·단점

장점	단점
생체 내에서 생성됨	세라마이드, 자유 지방산 없이 단독으로 사용하면 장벽 회복을 억제함
세포막 유동성 및 각화 과정의 중요한 조절 인자	

피부 장벽이 손상되지 않으면 기저층의 각질형성세포는 LDL 수용체를 발현하지 않지만, 장벽이 급성 손상되면 mRNA와 단백질 수준에서 LDL 발현이 증가하고, apolipoprotein E(ApoE) 발현이 증가한다.

만성 피부 장벽 손상이 일어나면 각질형성세포는 LDL 수용체를 발현한다. LDL, ApoE 증가는 외부에서 공급되는 콜레스테롤을 각질형성세포로 이동시킨다. 그러나 피부에 존재하는 대부분의 콜레스테롤은 식이에서 섭취된 것이 아니고, 표피 세포에서 대부분 합성된다. 순환계를 통한 콜레스테롤 공급은 층판소체에서 지질 생성에 관여하지 않으므로 장벽 회복을 촉진시키지 못한다.

• 참고: 각화 vs 콜레스테롤

콜레스테롤은 다양한 기전을 통해 각화 과정을 조절한다. 세포막에서 콜레스테롤은 "lipid raft"를 형성하고, lipid raft는 다양한 효소와 신호 전달 체계를 조절한다. 피부 각화는 다양한 신호 전달 체계에 영향을 끼치며, 콜레스테롤 합성을 통해 각화 과정에 관여한다.

- SULT2B1b는 콜레스테롤 설페이트 합성에 중요한 효소이다.
- HMG-CoA reductase는 콜레스테롤 생성의 속도 조절에 관여한다.
- PPARα, PPARβ/δ, PPAR-γ는 콜레스테롤 합성을 촉진한다.
- SREBPs은 콜레스테롤과 지방산 합성에 관여한다.
- Liver X receptors(LXRs), PPARs는 SULT2B1b 발현을 조절한다.

표피에 콜레스테롤 설페이트(cholesterol sulfate)가 매우 풍부하며, 과립층에서 가장 많은 양이 존재하지만 각질층에서 점차 감소한다. 콜레스테롤 설페이트는 세포간 결합에 중요한 역할을 한다. Steroid sulfatase에 의해 설페이트가 분해되면 각질층 탈락에 관여한다. 콜레스테롤 설페이트가 감소하면 표피 분화와 각질세포 탈락에 이상이 나타난다. Cholesterol sulfate가 발현되지 않는 질환[X-linked ichthyosis(steroid sulfatase 결핍에 의함)]에서 물고기 비늘 모양의 피부가 나타난다. 피부 건조증은 콜레스테롤을 낮추는 약을 복용하는 환자에게 호발한다.

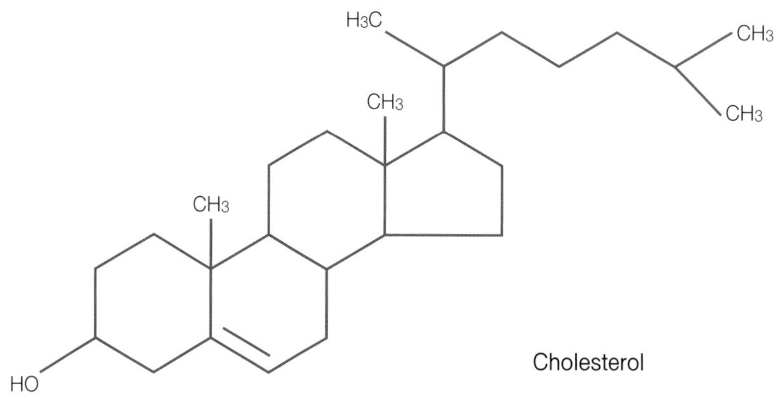

그림 4-9. 콜레스테롤 구조. 스테로이드 핵 구조의 한쪽 끝에 탄화수소기가 연결되고, 다른 쪽 끝은 hydroxy기가 연결되어 있다.

• 참고: 콜레스테롤/광노화

자외선 A(UVA)는 콜레스테롤을 콜레스테롤 과산화물(Chol-OOHs)로 산화시키며, 콜레스테롤 과산화물은 세포막에 손상을 준다. 콜레스테롤 과산화물이 산화되어 oxyradical이 되면 손상이 가속화된다. Oxyradical은 연속적인 과산화 반응을 일으키는 자유 라디칼 물질이다. 세포외 기질 분해효소(matrix metalloproteinase-9) 및 콜라겐 분해 효소 발현을 증가시키며, 해로운 영향을 끼친다. Chol-OOHs는 피부에서 자연 노화의 지표 물질에 해당한다.

③ 자유 지방산(free fatty acid)

자유 지방산의 탄소 사슬 길이는 10~30개이며, 이중 결합에 따라 분류한다. 분자량은 386.1이며, 속도 제한 효소는 acetyl-CoA carboxylase 및 fatty acid synthase이다. 표피 손상에 의해 상기 효소의 mRNA 상승이 유발된다. 효소를 억제하는 acetyl-CoA carboxylase-α inhibitor에 속하는 5-(tetradecyloxy)-2-furoic acid(TOFA)는 지방산 합성을 방해하므로 피부 장벽 회복을 지연시킨다. 그러므로 표피에 지방산을 도포하면 장벽 기능이 회복된다.

지방산 생합성은 피부 장벽 회복 및 각질층 pH를 약산성으로 유지시킨다(acid mantle). 자유 지방산은 각질층을 pH 5~5.5의 산성으로 유지시킨다. 산성 스핑고마이엘린네이즈, 베타-글로코세레브로시데이즈는 다른 단백분해효소가 pH 7 이상에서 작용하는 것과 대조적으로 pH 5.5 이하에서 작동한다. 각질층의 pH가 상승되면 두 가지 효소의 효능이 낮아진다. 각질세포 외부의 시멘트 역할을 담당하는 세라마이드 성분이 감소하므로 피부 장벽의 기능 감소 및 각질층 탈락을 유도한다. 두 가지 효소 작용 감소 뿐 아니라 단백 분해효소[세린 단백분해효소(serine protease)] 및 PAR-2(protease activated receptor-2)가 증가하여 각질형성세포에서 각질세포의 전환이 빨라지고 층판소체 분비가 감소되면 피부 장벽 손상의 악순환이 나타난다. 자유 지방산에 의해 pH가 산성으로 유지되면 인지질 분해효소가 인지질에 작용하여 글리세롤을 생성한다. 글리세롤은 각질층에서 수분을 머금는 역할을 하므로 피부 수화가 유지된다.

참고: 지방산(포화 vs 불포화)

지방산은 탄화수소의 사슬로 구성되며, 표피에 소수성(hydrophobic) 기능을 제공한다. 지질 특성은 지질 포화도 및 탄소 길이에 의한다(불포화=이중 결합 有, 포화=이중 결합 無). 탄소의 기본 골격에 곁가지로 수소가 연결되며, 다른 한쪽 끝에 카복실기가 존재한다. 포화 지방산의 탄소 골격은 탄소-탄소간에 한 쌍의 전자만을 공유하는 단일 결합으로 이루어져 있다. 사슬 길이에 따라 단쇄·중쇄·장쇄·아주 긴 사슬 지방산으로 구분한다. 피부 장벽 기능 및 세포막 안정성을 유지시킨다. 불포화 지방산은 탄소-탄소 간에 한 개 이상의 이중 결합을 하므로 단일 결합에 비해 수소의 숫자가 적다. 포화 지방산은 더 이상의 수소를 받아들일 수 없는 포화 상태이다. 이중 결합의 숫자에 따라 단일 또는 다중 불포화 지방산으로 구분한다. 보습, 항염증, 항산화 기능이 있다. 그러나 불포화 지방산은 이중 결합이 파괴되면 수소가 첨가될 수 있으므로 쉽게 산화된다. 안정성은 산화도에 따라 결정된다. 포화 지방산은 높은 융점에 의해 상온에서 고체이다. 불포화 지방은 융점이 낮으므로 상온에서 액체 또는 기름 상태이다. 지방산의 한쪽 끝은 카복실기(-COOH)이고, 다른 쪽 끝은 메틸기($-CH_3$)이다. 불포화 지방산의 오메가(ω) 분류법은 메틸기가 붙어있는 부분부터 몇 번째 탄소의 이중 결합 유무에 의해 ω-3 또는 ω-6 지방산으로 분류한다. 오메가 6 불포화 지방산은 체내에서 합성되지 않는 필수 지방산이다. 식물·생선 기름에서 유래하므로 음식, 도포제 형태로 얻어야 한다. 피부 장벽 기능, 막 유동성, 세포 신호, 염증성 eicosanoid 대사에 관여한다. 오메가 6 지방산에 해당하는 리놀레산(linoleic acid)은 인지질, 글리코실세라마이드, 세라마이드 1,4,9를 구성하는 요소이므로 아토피 치료에 사용된다. 불포화 지방산(오메가 3 지방산)은 생선에서 얻을 수 있으며, 결핍되면 피부 변화는 없으나, 염증 해소에 중요하다. 영양 섭취 부족에 의한 필수 지방산 결핍은 다양한 표피 변화를 유발한다. 표면이 거칠어지고 인설이 존재하며 장벽 손상에 의해 세균 감염, 상처, 탈모가 나타난다.

참고: 단일 불포화 지방산은 올레인산(oleic acid) 및 다중 불포화 지방산은 리놀레산(linoleic acid), α-리놀렌산(α-linolenic acid), 아라키돈산(arachidonic acid), 에이코사펜타엔산(eicosapentaenoic acid), 도코사헥사인산(docosahexaenoic acid) 등이 있다. 포화 지방산은 팔미틱산(palmitic acid), 스테아릭산(stearic acid) 등이 있다.

- Linoleic acid는 필수 지방산으로서 소수의 식용유(해바라기유, 홍화씨유)에 포함되어 있는 불포화 ω-6 지방산이다. 피부 장벽의 견고성을 유지하는 구조 지질이다. Polyunsaturated essential cis-fatty acid이며, prostaglandin 생성에 필요한 물질이므로 항염증, 면역 증강 효과가 있다.

- Oleic acid가 인체에서 소량 생성되므로 필수 지방산은 아니지만, 피부에 중요한 지방산이다. Long alkyl chain이 결합된 polar head가 존재한다. Alkyl chain이 ceramides 내부로 침투하면 피부 장벽 구조를 파괴한다. 상 분리(phase separation)에 의해 막 내부에 oleic acid가 축적되면 유동성이 증가되며, 세라마이드에 더 쉽게 확산된다. 그러므로 장벽이 손상되며, 성분의 침투가 증가한다. Oleic acid는 올리브 기름에 다량 존재한다.

- Stearic acid는 생체에서 생성되므로 필수 지방산은 아니며, 피부 관리용 제품에 흔히 포함되어 있다.

- Arachidonic acid는 PGE_2와 더불어 leukotriene 합성에 관여한다. 식물성 기름에 미량 존재하지만, 고기·달걀·유제품 등의 동물성 제품에 많이 포함되어 있다.

• 참고: 생리적 지질 혼합물(physiologic lipid mixture)

세라마이드는 피부 수분 증발을 억제하고, 물과 결합하여 수분을 유지하므로 피부 장벽 기능에 매우 중요하다. 또한 세포 흡착·표피 분화에 중요한 역할을 하며, 세포자멸사(apoptosis)의 이차 신호 전달 역할을 함으로써 피부 장벽 구조와 기능에 필수적인 역할을 한다. 각질층에서 세라마이드 함량과 각질세포간 지질 조성비 변화는 피부 장벽 손상을 유발하고, 다양한 피부 질환의 악화 요인이 된다, 아토피 피부염은 각질층의 세라마이드 함량이 감소되어 있다. 특히 세라마이드 1의 감소는 장벽 기능의 약화를 초래한다. 건선에서 세라마이드와 기타 지질 조성비의 이상이 존재하며, 여드름은 세라마이드1이 감소되어 있다. 노화 피부는 콜레스테롤 감소 뿐만 아니라 전체 세라마이드(특히 세라마이드 1) 감소, linoleate 감소, oleate 증가가 동반된다.

세라마이드를 함유한 지질은 손상된 피부 장벽 기능을 회복시키므로 생리적 지질을 이용한 다양한 형태의 국소 치료법이 제시되었다. 그러나 천연 세라마이드는 소의 뇌로부터 추출하므로 가격이 비싸고 광우병 등의 논란 때문에 사용에 제한이 있다. 그러므로 천연 세라마이드와 동일하거나 유사한 합성 세라마이드 또는 가성 세라마이드를 개발하고 있다. 화장품에 사용되는 가성세라마이드는 세라마이드의 기본 구조와 차이가 있는 합성 지질이며, 천연 세라마이드 3과 유사하다. 세라마이드는 지질층의 이중 구조를 자체적으로 형성할수 없다. 콜레스테롤, 자유 지방산, 콜레스테롤 황산염 등과 결합하면 지질의 이중막 구조를 만든다. 피부 장벽 기능 유지는 지질의 조성비가 중요하다. 그러므로 일정한 조성비를 갖는 각질세포간 지질 혼합물을 이용하여 손상된 피부를 효과적으로 회복시키는 연구가 진행되었다.

Elias 등은 각질세포간 지질을 구성하는 3종류(세라마이드, 콜레스테롤, 자유 지방산) 지질의 외용 효과를 조사하였다. 단독 혹은 2종을 혼합하여 도포하면 장벽 기능이 악화되었다. 그러나 3종을 적당한 비율로 혼합하여 도포하면 장벽 회복이 촉진되었다.

이러한 연구 결과를 바탕으로 최적의 회복 효과를 나타내는 생리적 지질 혼합물(physiologic lipid mixture) 개념이 제시되었다. 세라마이드, 콜레스테롤, 자유 지방산의 혼합 비율은 3:1:1의 몰비(molar ratio)가 효과적이며, 각각의 농도는 1~2% 이상이 적절하다. 이중에 한 종류만 없어도 피부 장벽 회복 기능은 저해된다.

생리적 지질 혼합물에 의한 피부 장벽 기능의 회복 기전은 피부 표면을 밀봉하거

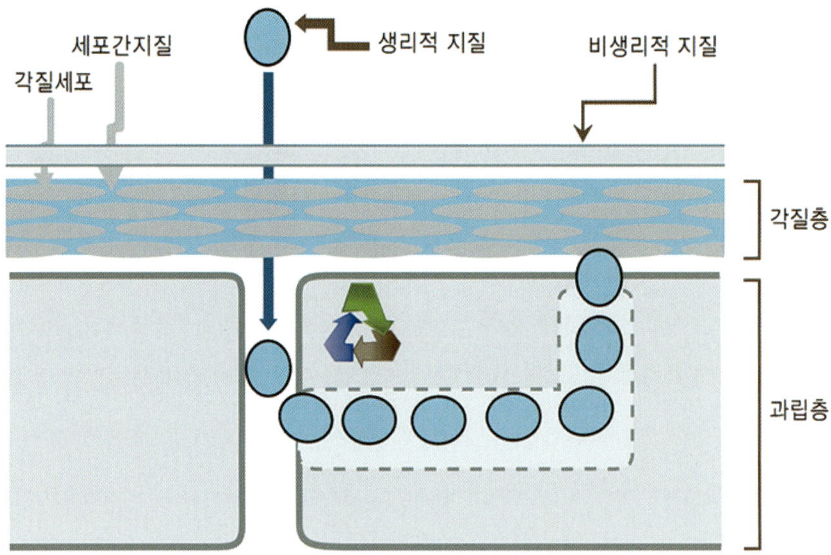

그림 4-10. 생리적 지질 vs 비생리적 지질

나 반투과성 막을 형성하는 일반적인 개념과 차이가 있다.

바셀린, 미네랄 오일, 라놀린, 스쿠알린 등의 비생리적 지질 혼합물은 각질층의 표면에서 반투과성 막을 형성한다. 그러나 세라마이드 등의 지질 성분은 소수성이므로 밀폐제로 작용할 뿐만 아니라 각질층을 통과하여 각질층 하부의 각질형성세포에 흡수된다. 이후에 다층판 구조의 각질세포간 지질층을 형성한다.

6) 피지(sebum)

① 생성/분비

피부 표면 지질은 각질세포간 지질(intercellular lipid)과 피지(sebum)가 있다. 각질세포간 지질은 각질형성세포 분화 과정에서 생성되며, 피지는 피지샘에서 분비되므로 구성 성분에 차이가 있다.

머리,이마, 코, 볼의 피지샘은 타 부위보다 많이 존재한다. 피지세포 분화에 의해서 피지가 전분비(holocrine)에 의해 배출되며, 피지세포 수명은 21~25일 정도이다. 피지샘에 연결되어 있는 소엽(lobule)의 외각부는 미분화 피지세포이다. 분화 과정 이후(7일)에 피지세포가 성숙되면서 지방 소적(lipid droplet)이 나타나며, 피지관을 경유하여 배출된다.

피지선은 출생시에 미성숙 상태이지만, 7~20세 이전까지 성숙되면서 피지 분비가 증가한다. 사춘기 이후에 분비량이 증가하며, 여성은 폐경기·남성은 60~70세 이후에 감소한다. 남성 〉 여성, 여름 〉 겨울에 분비가 왕성하다.

• 참고: Skin surface lipid film (SSLF)

피지 및 각질형성세포에서 생성된 지질은 부위에 따라 성분에 차이가 있다. 이마는 피지 지질이 대부분을 차지한다(94~97%). SSLF의 두께는 4㎛이상이다. 피지선 분포가 낮은 다리는 0.5㎛이하이다.

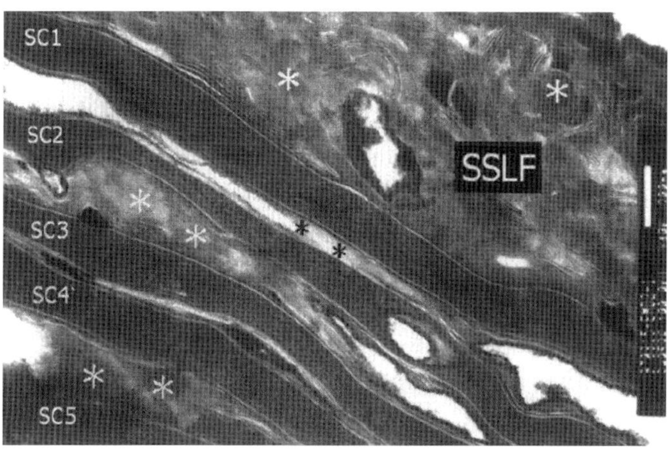

그림 4-11. Ruthenium tetroxide 염색을 이용한 각질층(얼굴) 지질 구조(전자 현미경 소견). SSLF에 존재한 lipid granule(*).

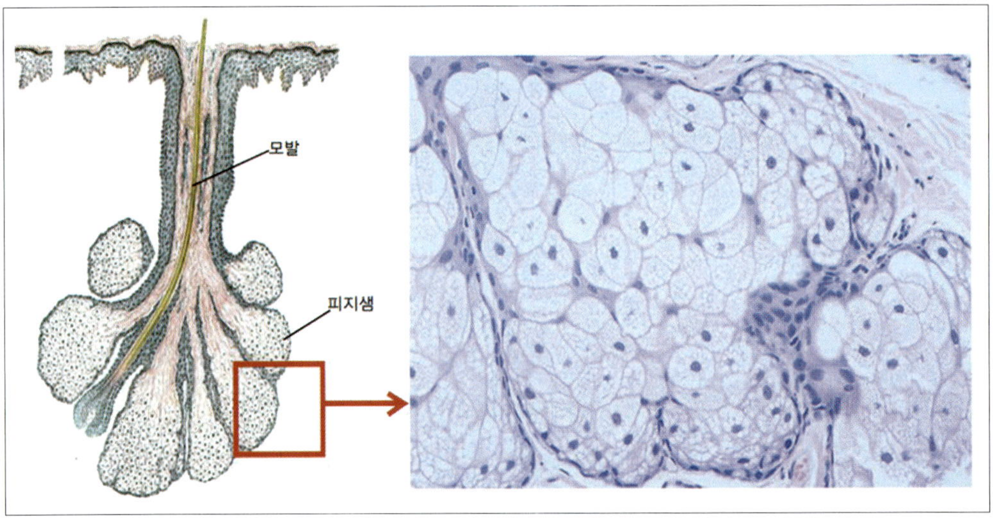

그림 4-12. 피지선의 광학 현미경 소견

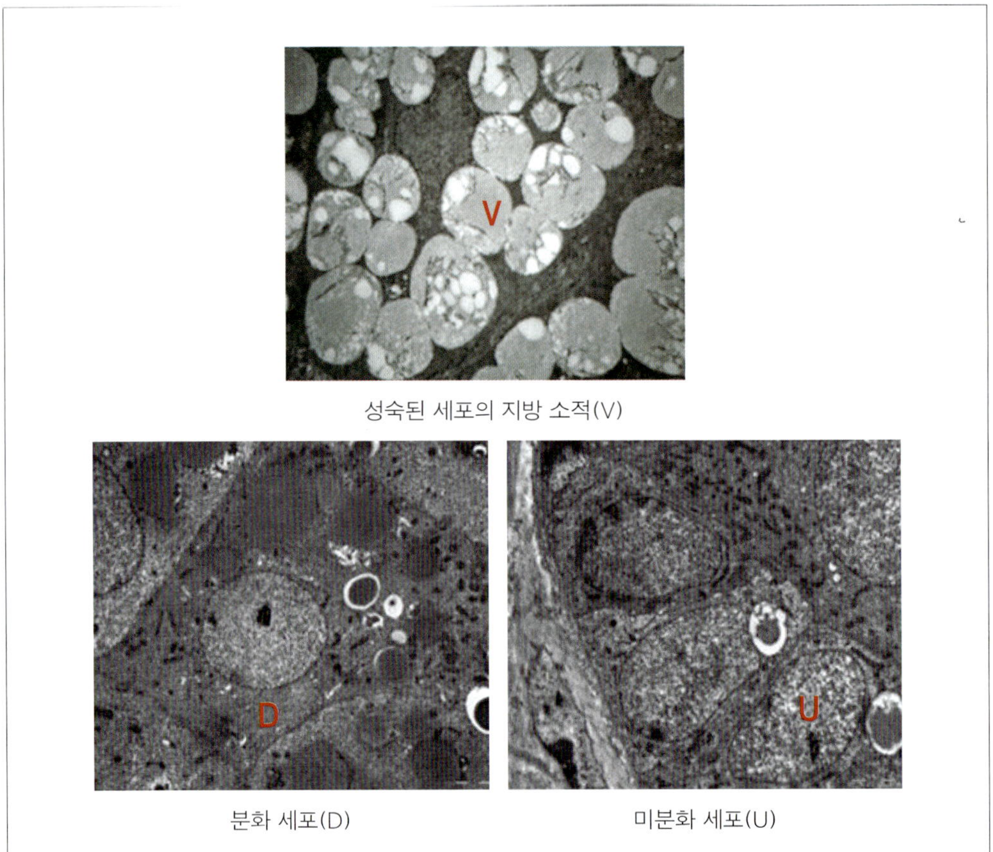

그림 4-13. 피지세포의 전자 현미경 소견(성숙될수록 지방(V)이 증가함)

피지 생성을 조절하는 인자 및 기능을 소개한다.

첫째, 안드로겐(androgen)이 관여한다. 부신에서 생성되는 dehydroepiandrosterone sulfate(DHEAS)가 피지샘 조절의 중요한 인자이다. 피지샘에 존재하는 다양한 효소(type 1 3β-hydroxysteroid dehydrogenase, type 2 17β-hydroxysteroid dehydrogenase, type 1 5α-reductase)에 의해 DHEAS는 testosterone과 dehydro-testosterone(DHT)로 전환된다.

둘째, isotretinoin(13-cis retinoic acid)은 피지 생성을 억제하는 강력한 물질이다. 피지 생성 감소는 2주 정도 후부터 관찰된다. 조직학적으로 피지샘 크기가 감소하고, 피지세포가 미분화 상태 및 세포질 내부에 피지 축적이 나타나지 않는다. Isotretinoin의 피지 분비 억제 기전은 미상이지만, 안드로겐 합성 방해·피지세포 주기 억제·세포자멸사(apoptosis) 등이 제시되고 있다.

셋째, peroxisome proliferator-activated receptors(PPARs)는 liver X 수용체와 함께 heterodimer를 형성하는 핵 수용체이다. 지질 대사(liposensor), 세포 분화를 비롯한 다양한 세포 반응과 연관된 유전자 전사를 조절한다. 피부 장벽 항상성 유지 및 염증 억제 기능이 있다. 건선, 아토피 피부염 치료에 적용하고 있다. 기저 상태의 피지세포에서 PPAR-α·PPAR-β/δ·PPAR-γ 수용체 아형이 존재하며, PPAR-γ는 분화된 피지세포에서 발현된다. 피지세포 분화, 지질 생성을 조절한다(8장 참조).

넷째, fibroblast growth factor receptors(FGFRs) 1, 2는 표피와 피부 부속기에서 발현된다. FGFR2 유전자의 체세포 돌연변이, FGFR2 유전자의 배선 돌연변이(germline mutation)에 의해 여드름이 동반되므로 FGFR2가 피지세포에서 피지 생성과 분비를 조절하는 인자이다.

다섯째, 그 외에 다양한 인자가 관련된다. 멜라노코르틴(melanocortin), substance P, 코르티코트로핀 분비 호르몬은 피지 생성을 촉진시킨다. 스트레스와 연관된 인자는 substance P, 코르티코트로핀 분비 호르몬, 글루코코르티코이드 등이다. 상기 물질은 염증을 유발하는 사이토카인 및 효소를 활성화하므로 피지 생성이 증가된다. 강렬한 햇빛이 존재하는 여름철에 피지 분비가 증가한다. 피지의 지질(스쿠알렌)은 자외선과 함께 염증 및 면포 형성에 관여한다.

여섯째, 음식물은 의견이 분분하다. 당도가 높은 음식은 안드로겐의 혈중 농도를 증가시키므로 피지 분비가 상승한다. 쌀 크리스피 시리얼(rice crispie cereal), 콘 플레이크(corn flake), 쌀 케이크(rice cake), 콘 칩(corn chip), 베이글, 도너츠, 빵 등의 탄수화물이 많은 음식은 피해야 한다. 당도가 낮은 음식은 당근, 바나나, 포도, 키위, 배, 사과, 오렌지 등의 채소 및 과일이다. 아이스크림, 요거트, 우유와 같은 유제품은 당도가 낮지만, 과도한 섭취는 피지 분비를 증가시킨다. 유제품에 존재하는 성장 인자가 영향을 끼치며, 유제품의 단백질이 mTORC1을 활성화시켜 피지 분비를 증가시킨다.

② 피지 지질 vs 표피 지질

인체의 피지샘 피지는 triglyceride(64%), wax ester(26%), squalene(12%), cholesterol ester(2%), 자유 지방산(1.2%), 콜레스테롤(0.6%)로 구성된다(보고자, 위치에 따라 다소 차이가 있음). 피지가 표피로 이송되는 기간에 털집깔대기(infundibulum)에 존재하는 세균의 효소가 triglyceride의 일부를 가수분해하여 monoglyceride와 diglyceride 및 자유 지방산(free fatty acid)이 생성된다. 자유 지방산은 여드름의 염증성 병변 발생에 관여한다. 피지샘에서 분비되는 피지는 타 부위의 지질과 차이가 있다. 기타 부위의 지질은 wax esters와 squalene이 거의 없으나, 피지에는 wax ester와 squalene이 존재한다.

표 4-3. 피지선에서 유래하는 지질

Lipids	Sebum Weight(%)	Epidermal Surface Lipid Weight(%)
Triglyceride, diglyceride, and free fatty acids	57	65
Wax ester	26	NA
Squalene	12	NA
Cholesterol	2	20

NA, not applicable

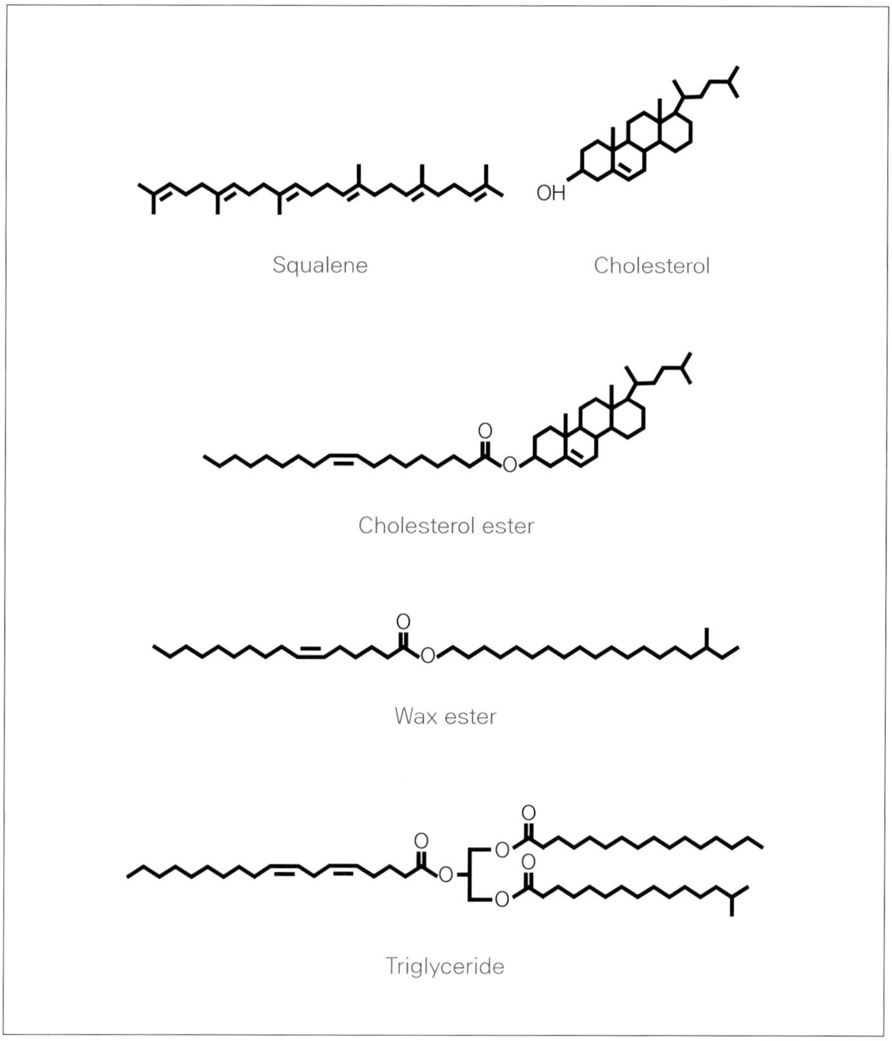

그림 4-14. 중요한 인체 피지 지질(구조식)

표 4-4. 피부(이마)에 존재하는 지질 성분

Lopid class	Mean, weight(%)	Range, Weight(%)
Triglycerides	41.0	19.5~49.4
Diglycerides	2.2	2.3~4.3
Faity acids	16.4	7.9~39.0
Wax esters	25.0	22.6~30.5

③ 기능

지성 피부를 만들고 여드름 유발 원인으로 간주하는 피지는 피부 장벽 기능에 부분적으로 관여한다! 피지의 비타민 E는 항산화 작용이 있으며, 면역글로불린 A는 항균 기능이 있다. 그 외에 모발 성장에 부분적으로 관여한다. 물체가 있으면 그림자가 존재하듯이 장·단점이 있다!

첫째, 각질층의 수분 유지에 관여한다.

피지선에서 분비된 triglyceride는 피부 표면으로 이동되기 이전에 lipase에 의해 글리세롤로 가수분해되며, 수화 기능을 담당한다.

둘째, 표피 장벽 손상을 유도한다.

피지 분비 증가 또는 인위적으로 피지를 도포(oleic acid)하면 표피 지질이 희석되므로 필수 지방산(linoleic acid)가 감소된다. 피부 장벽이 손상되므로 표피 칼슘 기울기 변화, 모낭 상피 증식·과각화증에 의한 면포 형성, 염증성 사이토카인 증가(TNF-α, IL-1α, IL-1β 등)가 나타난다.

셋째, 항산화 물질을 공급한다.

피지는 항산화 물질을 비타민 E의 형태로 피부 표면으로 배출시킨다. α-tocopherol은 중요한 항산화 물질로 알려져 있다. α-tocopherol은 피지샘 분포가 많은 얼굴에서 더 높게 존재한다. 피지샘에 존재하는 platelet-activating factor acetylhydrolase Ⅱ는 산화 스트레스(특히 UVB)로부터 각질형성세포를 보호한다.

넷째, 항균·염증 반응에 관여한다.

피지세포는 면역 기능, 염증 과정에 관여한다. Pro-inflammatory cytokines, 지질

> 참고
>
> • 선천성 항균 기능에 관여하는 monounsaturated fatty acid
>
> → sapienic acid (C16:1Δ6) 〉 palmitoleic acid (C16:1), oleic acid(C18:1)
>
> • 염증성 매개체
>
> → lipoperoxide(squalene의 peroxidation)에 의해 IL-6, lipoxygenase 및 PRAR 활성화

에서 유래된 염증 mediators(prostaglandin E2, leukotriene B4 등) 생성 및 *C. acne* 연관 cytokine에 의해 toll-like receptor 발현 외에 peptide를 생성한다.

다섯째, 여드름과 연관된다.

피지 분비에 의해 여드름이 발생하지만 구성 성분과 밀접한 관계가 있다. 리놀레익산이 감소하면 피부 장벽 기능이 악화되므로 염증이 유발되고 각질 탈락이 지연된다. 피지의 항산화제(비타민 E)가 감소하거나, 스쿠알렌의 과산화에 의해 면포가 형성된다. 일부의 여드름 환자는 화장품에 의해 피지가 더 많이 분비된다고 간주하였으므로 보습제를 사용하지 않았다. 적당한 피지 존재는 트리글리세라이드(triglyceride) 분해 산물(글리세린, glycerin)에 의해 수분량을 증가시킨다. 그러나 피지가 과분비되면 오히려 장벽이 손상되어 피부가 건조해지고 민감해진다. Bouwstra의 보고에 의하면 피지의 구성 성분 중에서 long chain fatty acid는 3차원 지질 배열(orthorhombic 구조 형성)에 중요한 역할을 한다고 주장하였다.

참고: Barrier property

- Orthorhombic(crystalline phase) pattern[SC lipid]
  〉Hexagonal(gel phase) pattern[SC lipid mixed with sebum]
- Sebum은 SC lipid의 fluidity 증가시킴

참고: PAR-2·피지 지질과 여드름의 병태생리를 소개한다.

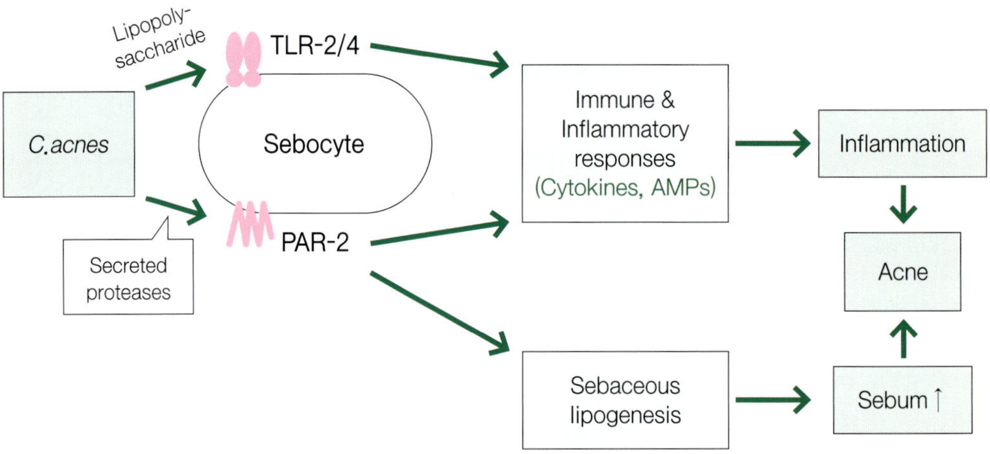

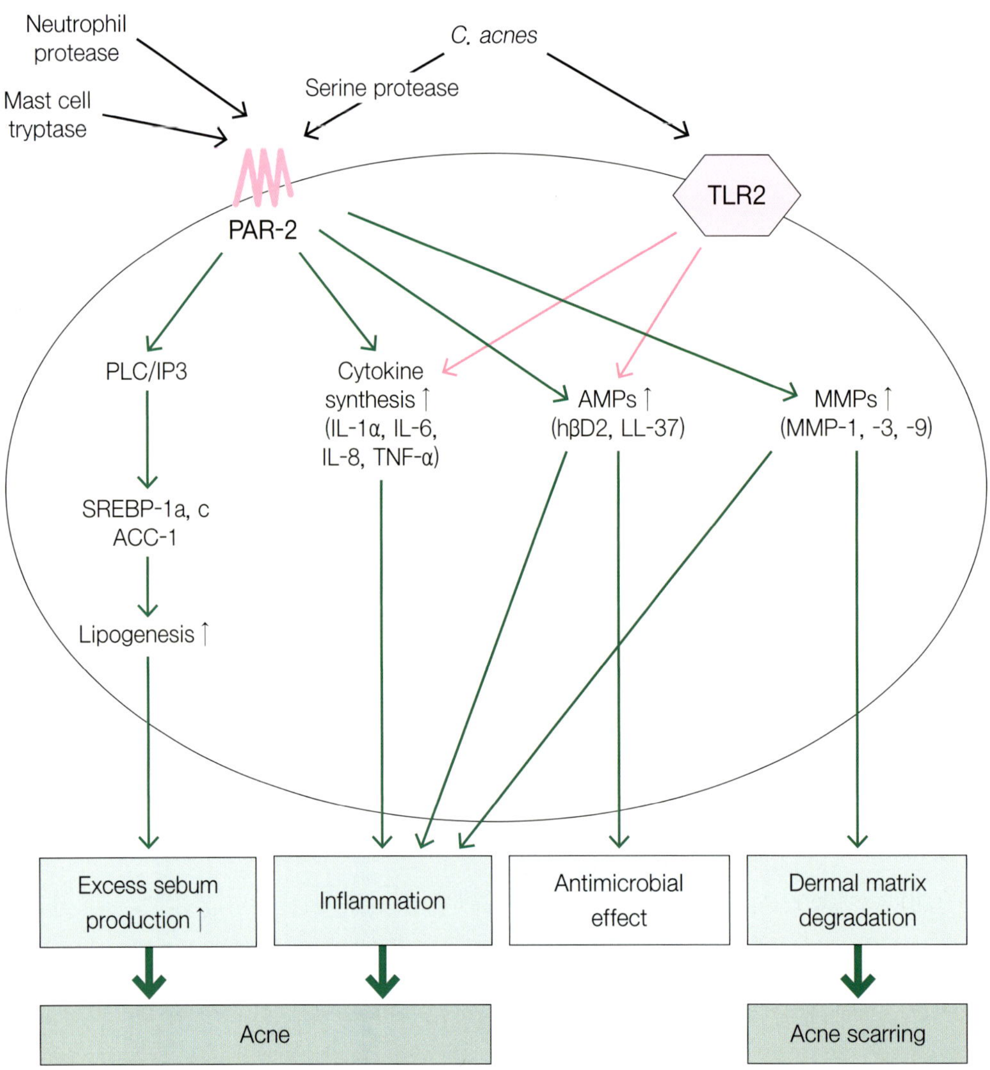

그림 4-15. 피지세포 vs PAR-2(여드름 병태생리)

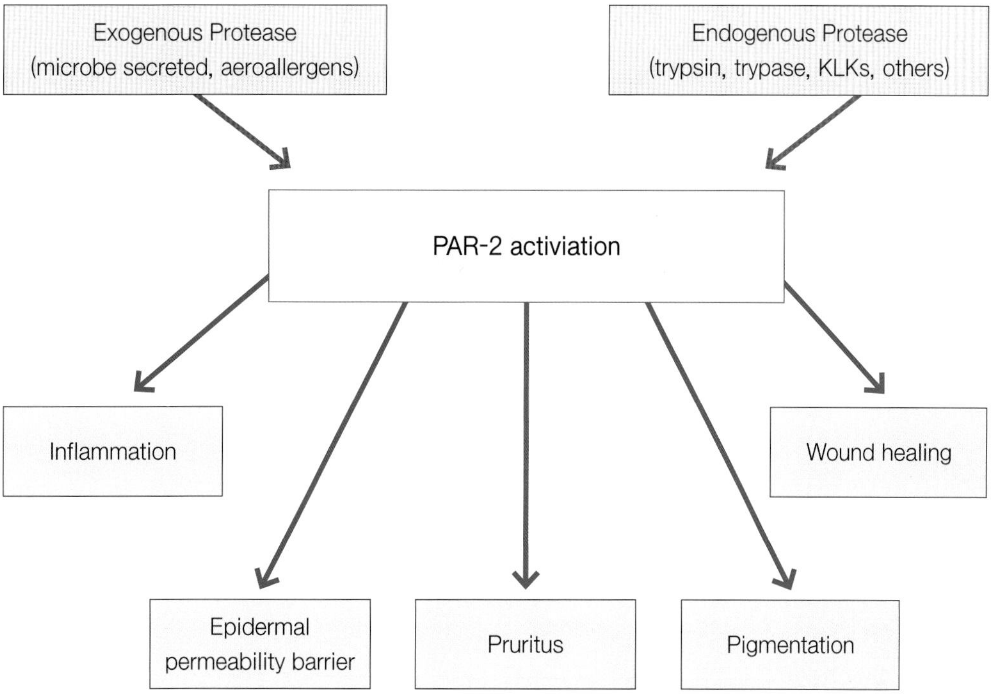

그림 4-16. PAR-2의 다양한 기능

참고: 중요한 인체 구성 지질체(lipidome)

지질체는 다양한 종류의 지질 분자로 구성되어 있다. 인체에서 지질체 구조와 형태는 다양하다. 조직에 따라 당화지질체, 인산지질 구조, 콜레스테롤 등의 형태로 존재한다. 지질체의 기본 구조는 탄화수소 형태의 지방산이 일반적이다. 조직의 기능에 따라 에너지 저장 목적의 triglyceride 형태, 세포 신호 전달에 관여하는 diacylglycerols, 세포막 구성 성분의 phospholipids, glycerophospholipids, sphingolipids 및 cholesterol과 같은 생체 호르몬 형태로 존재한다.

• Triglyceride

Triglyceride는 글리세롤 한 분자에 3개의 지방산이 존재한다. 글리세롤은 3개의 수산기(-OH) 그룹을 가지며, 각 그룹은 하나의 지방산과 에스터 결합을 이룬다. Triglycerides는 각질층에서 세포간 지질이며, 세라마이드·콜레스테롤·자유 지방산과 함께 피부 장벽에 관여한다. 피하 지방층의 에너지 공급원이다. 천연 식물성 오일이나 동물성 지방에 포함되어 있으며, 화장품과 보습제에 사용된다.

• Diacylglycerol

Diacylglycerol은 글리세롤 분자에 두 개의 지방산이 결합된 형태이다. 글리세롤의 3번째 탄소 위치에 지방산이 결합되지 않으므로 triglycerides와 차이가 있다. 대사에 의한 중간 대사체이며, 세포막 지질 이중 층의 구성 요소이다. 세포 내에서 신호 전달 경로 조절 역할을 담당한다. 피부 장벽 기능 강화, 염증 조절 및 보습 유지 등에 관여한다.

• Sphingolipid

Sphinogosine 기본 형태의 지방산이 결합된 구조이다. Sphingolipid는 친수성 머리 부분과 소수성 꼬리 부분을 가지는 양 친매성이다. Phospholipid와 함께 세포막에서 이중 층을 형성한다. Sphingolipid는 세라마이드, sphingomyelin, glycosphingolipid 등이 있다. Sphingolipid는 세포 신호 전달 경로에서 중요한 역할을 한다. Sphingosine-1-phosphate 등은 세포 성장, 생존, 이동 등의 세포 기능 조절 및 염증에 관여한다.

• Phospholipid

글리세롤에 두 개의 지방산과 하나의 인산기가 결합된 형태이다. 인산기에 콜린(choline), 에탄올아민(ethanolamine), 세린(serine) 등의 극성 머리 부분이 결합되면 친수성 머리 부분과 소수성 꼬리 부분을 가지는 양 친매성(amphiphilic)을 나타낸다. 양 친매성 구조의 phospholipids는 수중에서 이중 층(bilayer)을 형성하며, 세포막의 기본 구조를 이루는 주요 성분이다. 피부 장벽을 강화하고, 보습 및 염증을 조절한다.

코르테 150 mL

CORTHE®

피부에 끈적임 없는 투명 보습막!

코르테 모이스처-RX리차징 젤

피부진정, 피부유연에 도움	유해물질로 부터 피부보호, 활력피부	피부건조 예방, 보습진정, 자극완화
알로에베라잎추출물 Aloe Barbadenisis Leaf Extract	금송뿌리추출물 Sciadopitys Verticillata Root Extract	쇠비름추출물 Portulaca Oleacea Extract

3 SKIN CARE SYSTEM

- ✓ 수분 입자에 가벼운 보호막 형성
- ✓ 히알루론산, 판테놀이 피부 수분 공급
- ✓ 알로에, 병풀이 피부에 편안함과 진정

DMS INTERNATIONAL

(주)디엠에스인터내셔날 080.533.6006 www.dmsc.co.kr

5. 층판소체/케라토히알린 과립

1) 층판소체(lamellar body)

이중 막으로 둘러싸인 층판소체는 과립층에 존재하는 원형~난원 형태의 소포체(0.1~0.5㎛)이다. Trans-Golgi network(다양한 분지가 있는 tubulovesicular 구조)에서 유래된다. 극성 지질 전구체를 각질형성세포(과립층)에서 세포 외부 공간으로 배출한다(exocytosis). 1960년대, 전자현미경 소견상 과립층에서 관찰하였고, 변형된 미토콘드리아로 간주하였다. 이후에 바이러스 또는 분비 과립으로 추정하였다. 층판소체는 케라티노좀(keratinosomes), 오들랜드 바디(Odland bodies), 표피 층판소체(epidermal lamellar bodies) 등으로 명명하였다. 이후에 Elias 등은 과립층과 각질층의 경계면에서 층판소체가 분비되면서 각질세포 사이의 공간을 채우는 현상을 규명하였다. 층판소체에 다양한 지질 전구체(극성 지질/phospholipid, sphingomyelin, glucosylceramide, cholesterol sulfatase), 지질 분해 효소(acidic sphingomyelinase, β-glucocerebrosidase, steroid sulfatase, phospholipase A2, neutral lipase 등)가 존재한다. 단백질 분해 효소 억제제[elafin, lymphoepithelial Kazal-type inhibitor(LEKTI) 등] 및 각질층 구조 단백질(corneodesmosin), 항균 펩타이드(cathelicidin, human β-defensin 2)가 포함되어 있다. ATP-binding cassette transport(ABC) family 계통의 ABCA12는 glucosylceramide를 층판소체 내부로 이동시킨다. ABCA12 기능 소실에 의해 어린선이 유발된다(Harlequin / lamellar ichthyosis). Martin 단백질은 층판소체 분비를 조절하며, TMEM 79 유전자에 의해 coding된다. 각질층·과립층 세포의 접촉부에 원형질 막의 함몰이 존재한다. 층판소체 분비가 유발되면 원형질막 함몰이 깊어지며, 광범위하게 결합된다. 새로운 층판소체는 Trans-Golgi network에서 이탈되어 원형질막과 결합하고, 각질층과 과립층 경계 부위로 분비된다. 층판소체가 분비된 후에 전구체 극성 지질(polar lipids)은 지질 분해 효소에 의하여 비극성 지질[세라마이드(ceramide, Cer), 콜레스테롤(cholesterol, Chol), 자유 지방산(free fatty acid, FFA) 등]으로 전환된다. 세포외 유출(exocytosis)에 의해 분비된 지질은 융합하여 판을 형성한다. 층판소체 막에서 유래된 에스테르화 ω-hydroxyacyl-sphingosine ceremide는 산화·가수 분해 과정을 거쳐 ω-hydroxyceramide가 되며, transglutaminase에 의해 각질세포 외막(cornified envelope, CE)와 공유 결합하면 각질세포 지질외막(cornified lipid envelope, CLE)을 형성한다. 층판소체에서 유래된 구조 단백질(corneodesmosin)은 각질교소체(corneodesmosome) 형성에 관여하며, 각질층의 견고함을 유지시킨다. 층판소체에서 분비된 단백질 분해효소(kallikrein 5/7) 및 억제제는 균형을 유지하며, 각질교소체 단백질을 분해하여 각질세포 탈락을 조절한다. 층판소체는 항균 펩타이드를 피부 표면으로 분비함으로써 투과 장벽 및 항균 장벽에 관여한다.

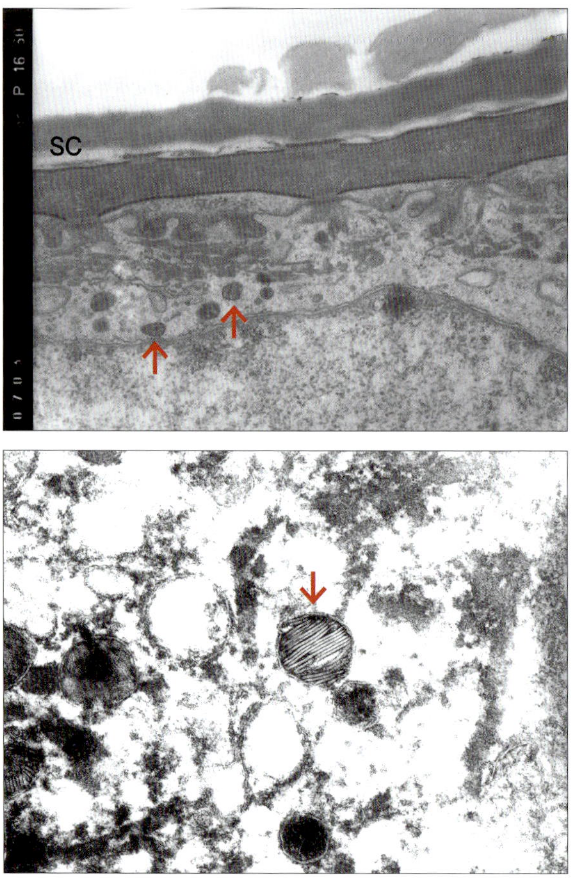

그림 5-1. 층판소체(←)

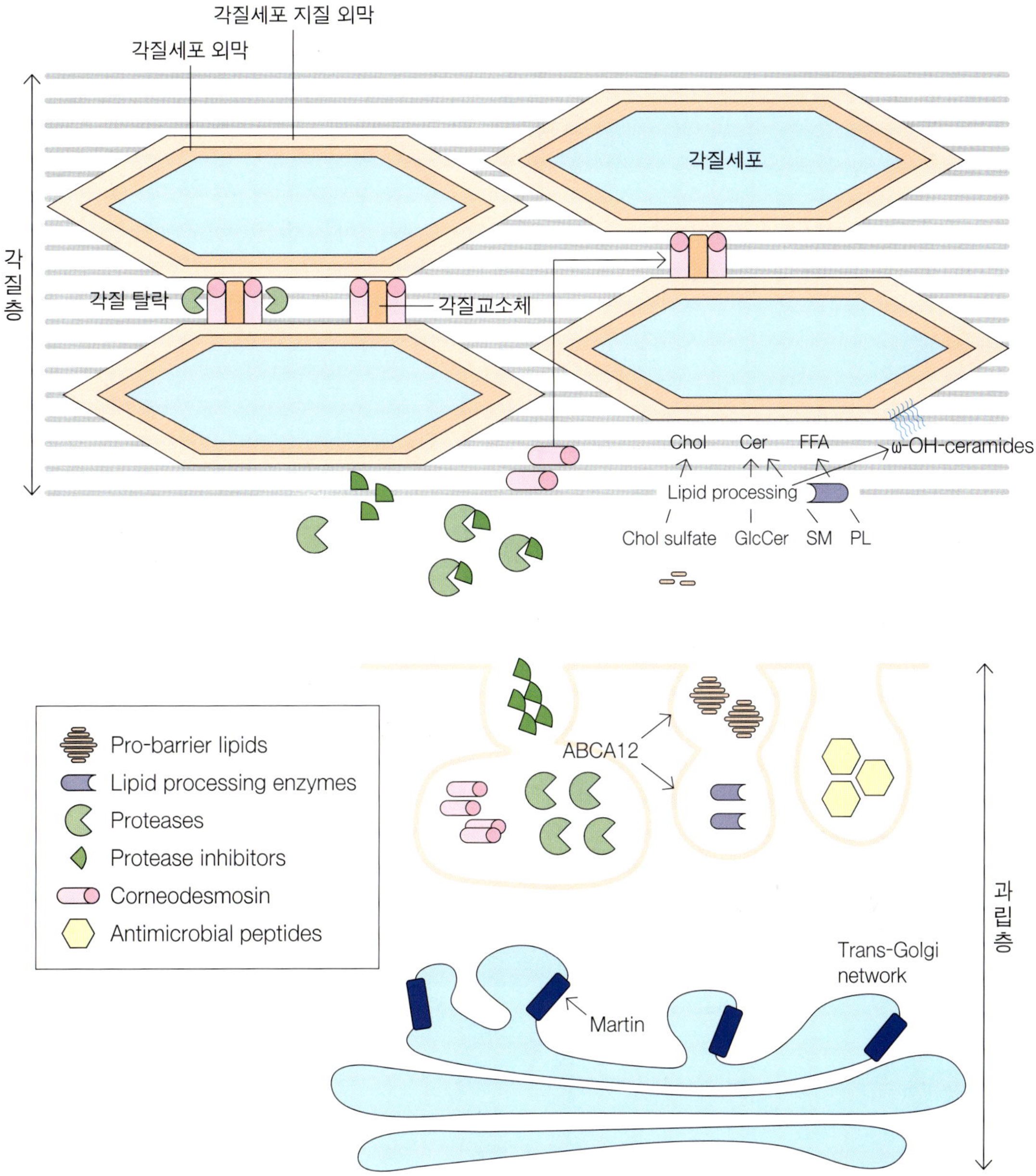
각질세포 지질 외막
각질세포 외막
각질세포
각질층
각질 탈락
각질교소체
Chol
Cer
FFA
ω-OH-ceramides
Lipid processing
Chol sulfate
GlcCer
SM
PL
Pro-barrier lipids
Lipid processing enzymes
Proteases
Protease inhibitors
Corneodesmosin
Antimicrobial peptides
ABCA12
Martin
Trans-Golgi network
과립층

그림 5-2. 층판소체

• 참고: 층판소체 지질은 극성 지질(polar lipid) 성분이 많지만, 효소에 의해 변환된 각질층 지질은 중성 지질(neutral lipid)이다. 지질은 물에 쉽게 용해되지 않는 유기 화합물이다. 지방산 에스터 형태의 중성 지질(비극성 지질) 및 양친매성 형태의 극성 지질(polar lipid)로 분류된다. 중성 지질은 글리세롤과 지방산이 결합된 중성 지방, 콜레스테롤과 지방산이 결합된 콜레스테롤 에스터, 자유 지방산이 대표적이다. 각질층에서 극성 지질은 소량으로 존재하며, 인지질·당지질·스핑고지질 등은 세포막을 구성하는 중요한 성분이다.

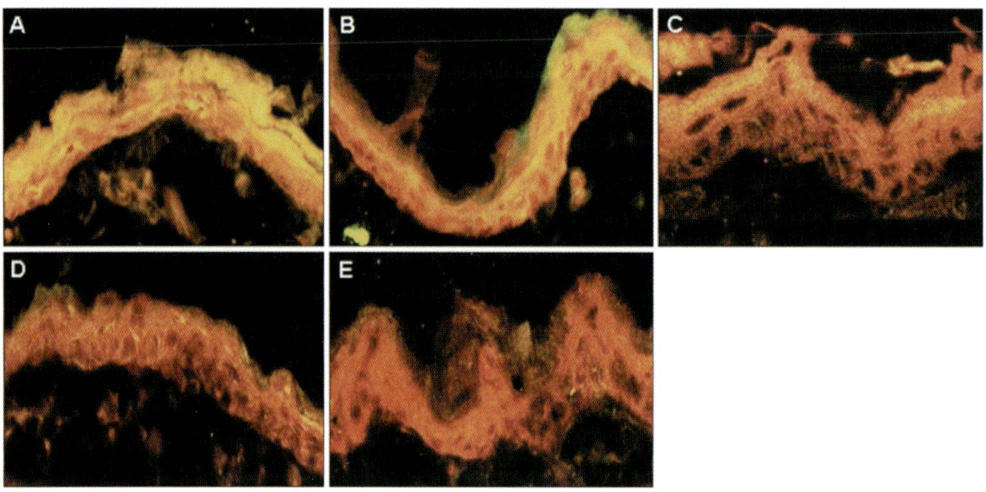

그림 5-3. 각질층의 중성 지질(노랑색)을 측정하는 nile red 염색 소견(Confocal laser scanning microscopy, X400). 침수 시간과 비례하여 중성 지질 감소가 관찰됨[A: 정상 대조군, B: 24시간 경과, C: 36시간 경과, D: 48시간 경과, E: 72시간 경과]

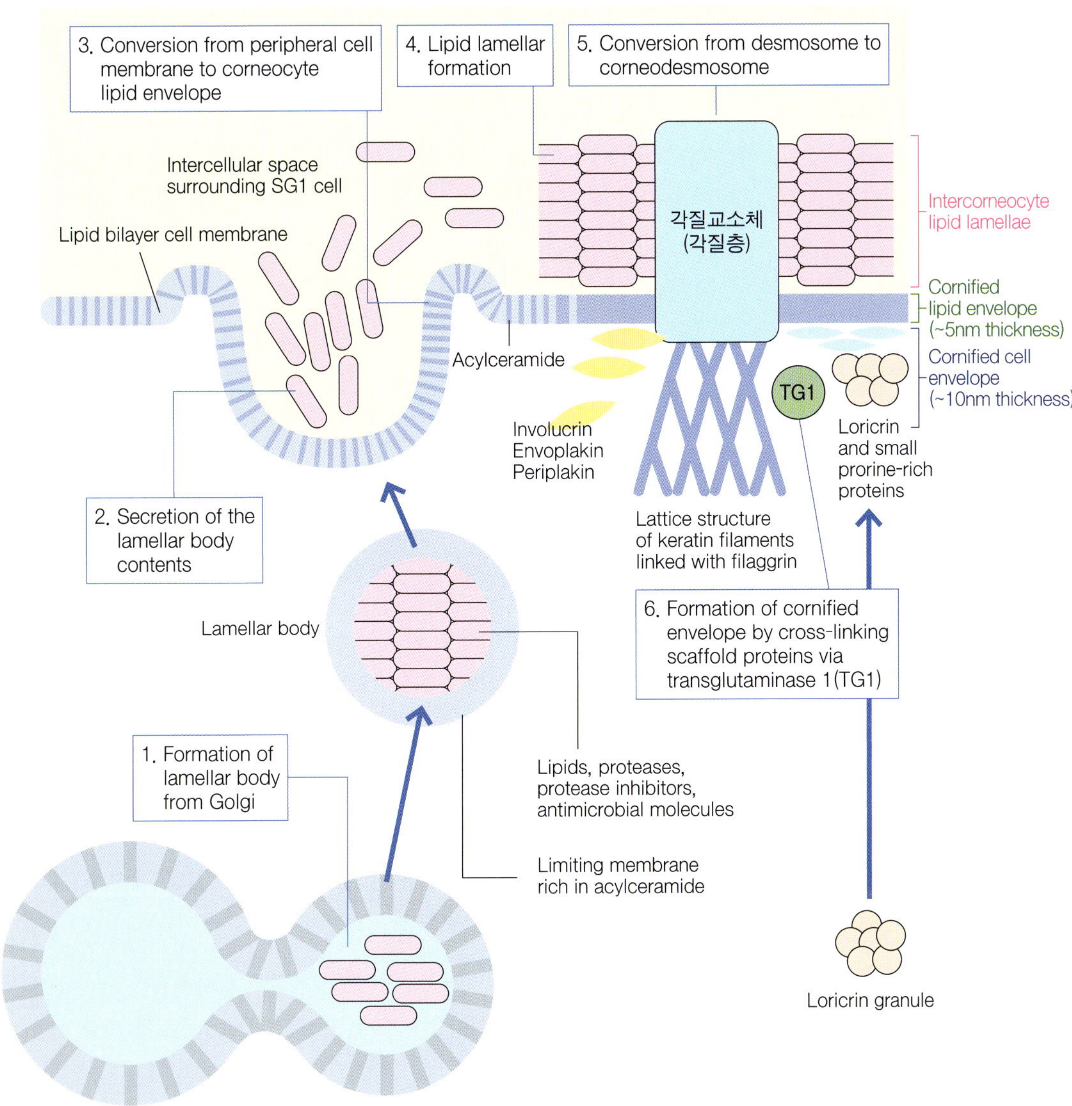

그림 5-4. 층판소체에서 지질 형성 과정

2) 각질유리질과립(케라토히알린 과립, keratohyaline granule)

각질유리질과립은 과립층에 대부분 존재하며, 일부는 가시층에 존재한다. 과립은 물에 녹지 않으며, 소포질 내에 위치한다. 불투과성 각질층의 구조 단백질을 제공한다. 주요 성분은 케라틴 필라멘트 다발과 케라틴 단백질의 결합에 관여하는 단백질(filaggrin), 각질세포 외막 형성에 관여하는 단백질(loricrin, trichohyaline 등)이 있다. 각질유리질과립은 각질세포 외막 형성을 촉진한다. 상부 과립층으로 올라갈수록 크기가 커지지만, 하부 표피층에서 더 작은 각질유리질과립이 밀집된 형태로 분포하며, 단백질 집합체 및 초기의 케라틴 형성에 관여한다. 과립의 크기가 커지면 각질세포는 당김세사(tonofilament)를 균질한 케라틴 기질로 전환시키므로 각질화(cornification)의 중요한 단계이다.

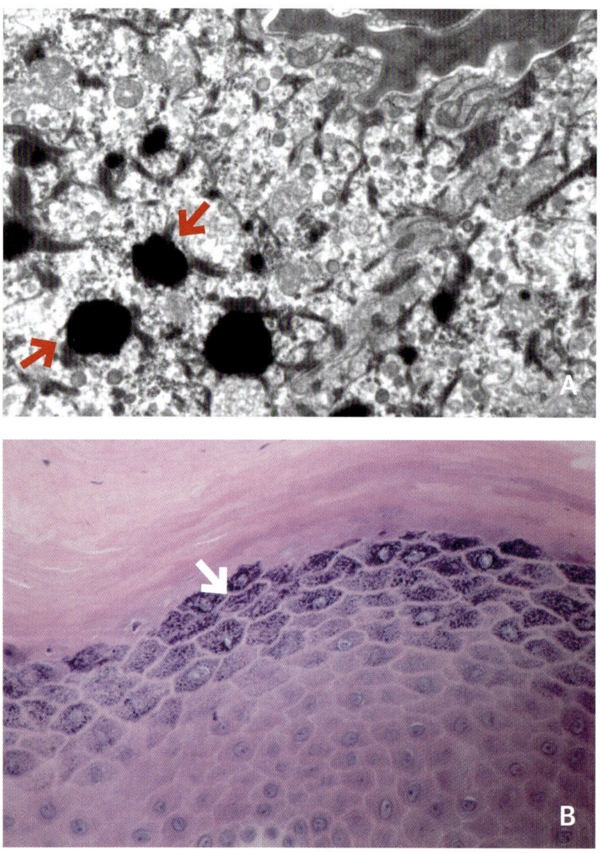

그림 5-5. 각질유리질과립(→)의 전자 현미경(A) 및 광학 현미경(B) 소견이며, 필라그린의 고향입니다.

6. 표피 연결 구조물

피부는 기저층의 줄기 세포가 분열하면서 새로운 각질형성세포가 형성된다. 이러한 세포는 상층부로 올라가면서 분화한다. 각질층에서 핵이 없는 각질세포가 되면 28일의 여행을 마치면서 탈락된다. 건강한 피부는 세포 증식 및 탈락의 균형이 필요하다. '고인물이 썩는다'는 속담이 적절한 표현이다. 질환 또는 환경(온도, 습도)의 부조화가 나타나면 피부가 두꺼워지거나 얇아지며, 다양한 변화가 동반된다.

세포 연결 구조는 교소체(desmosome), 각질교소체(corneodesmosome), 밀착 연접(tight junction), 접착 결합(adherens junction)이 있다. 단백으로 구성된 복합체이다. 세포 결합(cell adhesion) 구조는 세포간의 물리적 결합에 의한 피부 장벽 기능 외에 세포 골격 조절, 신호 전달 활성 조절 등에 관여한다.

1) 교소체

표피 세포를 연결시키는 구조는 교소체(desmosome)이다. 세포 분화 과정에서 연결 고리가 잘 유지되면 피부결이 매끈하다. 그러나 탈락이 안되면 피부는 거칠어지고 인설이 나타난다. 남녀 관계, 부모·자식 관계, 형제 관계도 동일하다. 과유불급(過猶不及)이다! 조선 시대의 당파 싸움은 너무 끈끈한 교소체 때문일까?

기저층~과립층에 존재하는 각질형성세포의 물리적 견고함 유지는 교소체(desmosome)에 의해 이루어진다. 각질층에 존재하는 각질교소체(corneodesmosome)를 구성하는 단백질 성분과 거의 동일하지만, desmosomal cadherin에 차이가 있다. Desmosomal cadherin은 desmoglein, desmocollin으로 이루어져 있다. 교소체는 desmoglein 1,3 및 desmocollin 1,3 이지만, 각질교소체는

desmoglein 1 및 desmocollin 1로 구성된다. 세포의 연결 구조는 표피에서 서로 밀접한 상호 작용이 있다. 교소체를 구성하는 단백이 미세소관 형성 및 조절 단백을 세포질 가장자리로 이동시키며, 안정적인 미세소관 구조를 형성한다. 미세소관은 과립층 각질형성세포에서 접착 결합(engaged adherens junction) 구조가 만들어지며, 밀착 연접의 형성에 있어 매우 중요하다. 세포간 결합 구조는 표피세포간 결합을 통해 물리적인 안정성 유지 뿐만 아니라 상호 작용을 통해 정상적인 피부 장벽을 형성한다. 기저층의 각질형성세포는 극성이 존재한다. 기저막과 접촉하고 있는 기저(basal) 세포막을 제외한 정단부(apical)와 측부(lateral)의 세포막에 교소체와 접착 결합이 존재한다. 가시층 및 과립층의 각질형성세포는 교소체와 접착 결합이 세포막 전반에 존재하며, 교소체를 구성하는 단백 조성은 각질형성세포의 분화에 따라 차이가 있다.

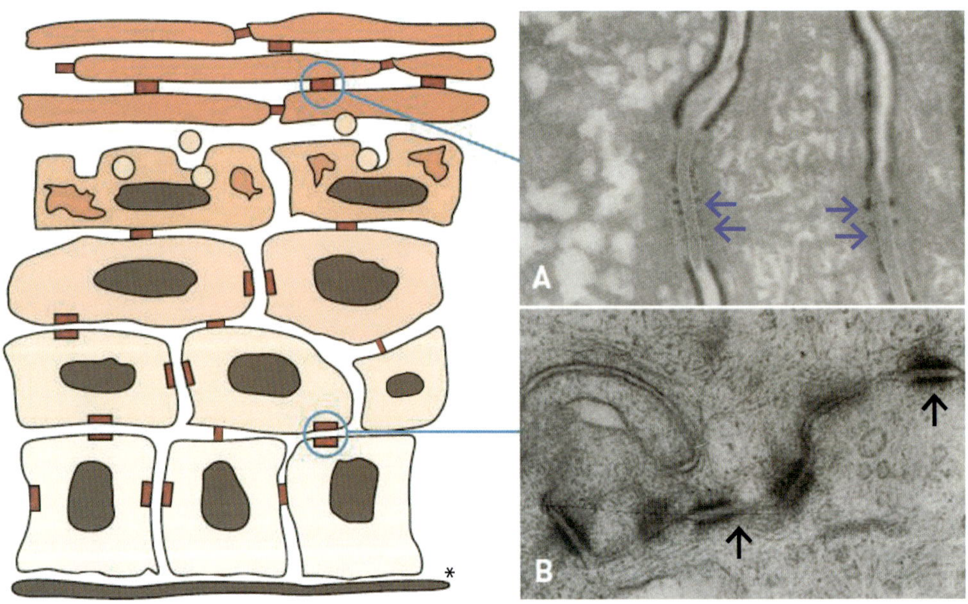

그림 6-1. 각질교소체(A, ←)와 교소체(B, ←)/기저막대(*)

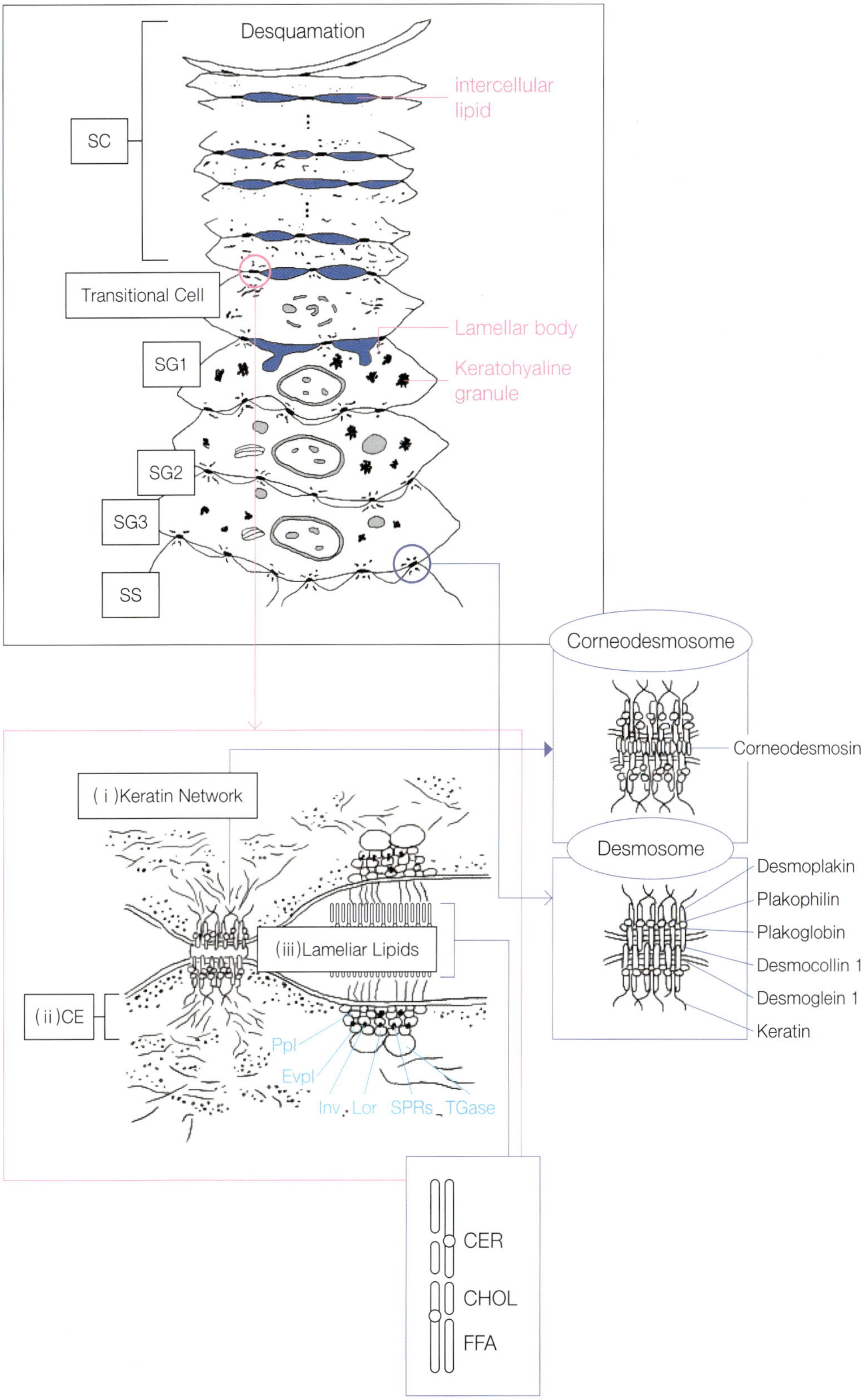

그림 6-2. 각질교소체, 교소체, tight junction

2) 각질교소체

각질교소체(corneodesmosome)는 각질세포를 연결하는 구조물이다. 기저층~과립층의 각질형성세포 결합을 담당하는 교소체(desmosome)에서 유래한다. 성분은 각질교소체와 거의 유사하지만, desmosomal cadherin 구성 성분에 차이가 있다. 각질교소체의 desmosomal cadherin은 desmoglein 1, desmocollin 1으로 구성되며, 세포 외부에서 동형 이합체 또는 이형 이합체를 형성한다. 세포 내부에 존재하는 plakophilin, plakoglobin 및 desmoplakin 등이 keratin intermediate filament와 결합한다. Corneodesmosin은 각질교소체에 유일하게 존재하며, 층판소체에서 분비된다. 과립층에서 생성되며, 과립층·각질층 사이의 공간으로 이동하여 각질교소체의 cadherin 단백과 결합한다. 그러므로 각질교소체의 각질세포간 결합을 튼튼하게 만든다. 각질 탈락 과정에서 단백질 분해 효소(protease= cathepsin, kallikrein-regulated peptide

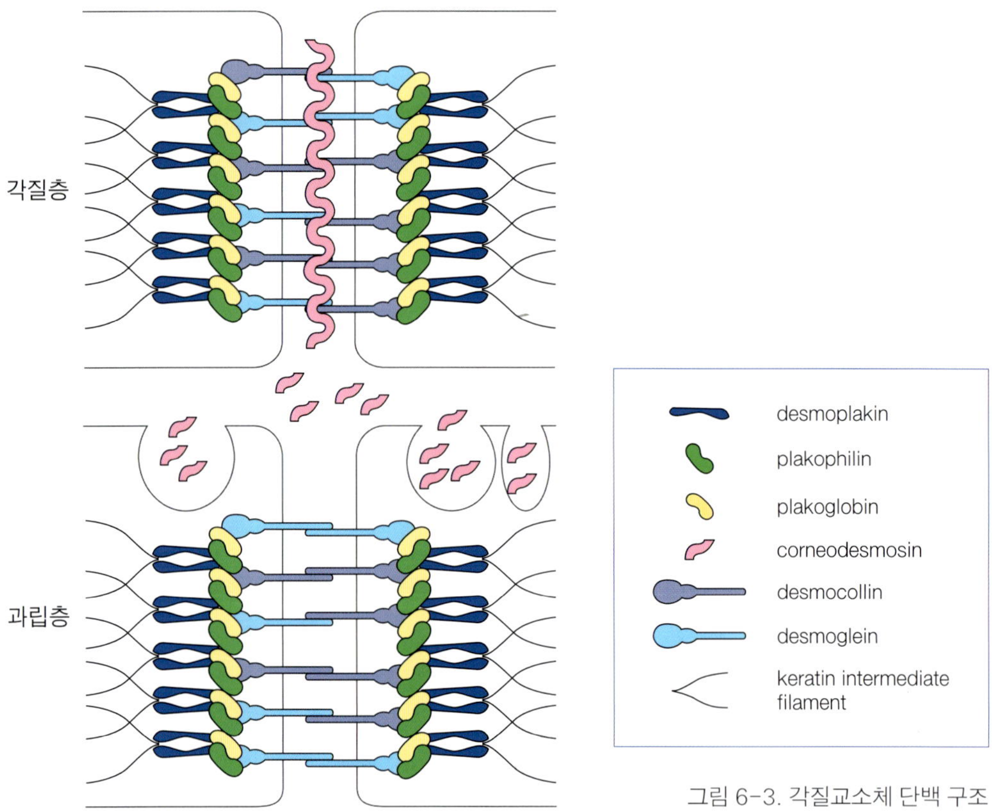

그림 6-3. 각질교소체 단백 구조

등)에 의해 각질교소체가 분해된다. 각질교소체는 하부 각질세포에서 표면 전체에 분포하지만, 상부 각질세포는 측면에만 연결되어 있다.

기저층~과립층에 교소체가 다수 존재한다. 과립층에서 각질층으로 이행하면 미세 구조물에 많은 변화가 나타난다. 각질층을 연결하는 각질교소체는 변형된 교소체이다. 교소체와 비교하면 형태 뿐만 아니라 구성 성분에 다소 차이가 있다. 각질교소체 분해는 각질세포 탈락에 중요한 역할을 담당한다. 다양한 분해 효소가 피부에 존재하며, 역할에 차이가 있다. 효소 활성을 조절하는 인자는 각질층의 pH, 수분 함유량 등이 관여한다. 정상 피부의 pH는 4.5~5.5 이므로 약산성이다. 세정제, 비누 등에 의해 피부의 pH가 알칼리로 변하면 특정한 효소(SCCE)의 활성이 높아지므로 각질교소체가 쉽게 분해된다. 그러므로 각질세포 탈락이 증진되며, 피부 장벽에 손상이 유발된다. 그외에 지질(cholesterol sulfate 등), 가수분해 효소, 당단백질, 염증 세포, 세균, 집먼지 진드기에서 분비되는 단백분해 효소가 각질교소체 분해에 관여한다.

• 참고: 각질교소체에 문제가 있는 피부 질환

건조 피부는 각질교소체를 분해하는 효소 활성이 낮기 때문에 각질세포가 탈락되지 않는다. 그러므로 퇴적층처럼 피부에 각질이 축적된다. 아토피 피부염은 자연 보습 인자를 만드는 필라그린 및 각질교소체를 분해하는 효소의 유전자 이상이 나타난다. 각질교소체가 쉽게 분해되고 각질세포 탈락이 증가하므로 세균, 집먼지 진드기의 침입에 의해 감염이 호발된다. 생선 비늘처럼 피부가 변하는 반성 어린선(X-linked ichthyosis)은 콜레스테롤 황산염의 유전자 이상에 의해 각질세포 탈락이 일어나지 않는다. 그러므로 인설이 피부에 비늘처럼 존재한다. 그러나 Netherton 증후군은 유전자 돌연변이에 의해 각질분해 효소 활성이 증가하므로 조기에 각질세포가 탈락된다. 피부 질환의 대표적인 치료제는 스테로이드이다. 장기간 또는 고효능 약제는 심각한 피부 문제를 유발한다. 각질교소체의 손상에 의해 장벽이 파괴되므로 다양한 질환이 발생한다.

• 참고: 각질 탈락

각질 탈락(desquamation) 과정은 corneodesmosin, desmosomal cadherin, desquamation enzyme, desquamation enzyme inhibitor, membrane trafficking system이 관여한다. Corneodesmosin(분자량: 52~56kDa)은 당단백질이며, 과립층

에 분포하는 층판소체에서 분비된다. 각질교소체 외측에 공유 결합한다. 각질층에서 cathepsin, 단백질 분해효소(kallikrein 연관)에 의해 분해된다. 각질탈락 효소는 여러 종류의 serine protease로 구성되며, 층판소체에 존재한다. Membrane trafficking system에 의해 각질층으로 이동하여 각질교소체(corneodesmosome) 성분을 분해하여 각질 탈락에 관여한다. 각질 탈락 효소 억제제(LEKTI)는 층판소체에 존재한다. 각질층의 pH가 높아지면 단백질 분해가 촉진되므로 각질 탈락이 유발된다.

3) 밀착 연접(치밀 이음)

밀착 연접(tight junction, TJ)은 과립층에 존재하는 세포간 연결 구조이며, 피부 장벽 기능 외에 다양한 역할이 규명되고 있다. 진피에서 표피로 557 Da 표지자를 주입하면 밀착 연접 부위를 관통하지 않았으며, 세포간 공간에서 내부 및 외부로 이동하는 물질의 크기·전하에 따라 통과 유무를 조절하는 기능이 규명되었다. 밀착 연접은 transmembrane protein, junctional plaque component 등으로 구성되었다. 전자는 claudin(Cldn), junctional adhesion molecule, Marvel domain protein 등이 있으며, 세포 외부와 연결되어 있다. 후자는 zonula occludens(ZO), cingulin 등이 있으며, actin filament와 세포 내부에서 연결되어 있다. Occludin·cingulin·claudin-3는 과립층, claudin-1·MUPP-1·JAM은 표피 전층, 및 ZO-1, claudin-4는 가시층에 주로 분포한다. ZO은 세포막 관통 단백을 한곳에 집결시키며, actin filament를 연결하는 가교 역할을 담당한다.

투과 전자현미경 소견에서 TJ은 과립층의 세포간 공간이 폐색된 부위이며, 인근 세포의 형질막(plasma membrane)과 접촉되어 있다. 일명 'kissing point'로 명명한다. Freeze fracture 전자현미경 소견에서 일부의 영역에서만 존재하므로 maculae occludentes로 명명하였다. 밀착 연접은 과립층의 각질형성세포에만 존재하며, 세포막 전체에 분포하지 않고, planar polygonal network 구조를 형성하여 내 ·외부의 물질 이동을 조절한다.

포유류 표피에서 TJ 기능은 다음과 같다.

첫째, 표피 투과 장벽 기능을 담당한다. 표피의 최상층·모낭의 최외층에서 Cldn-

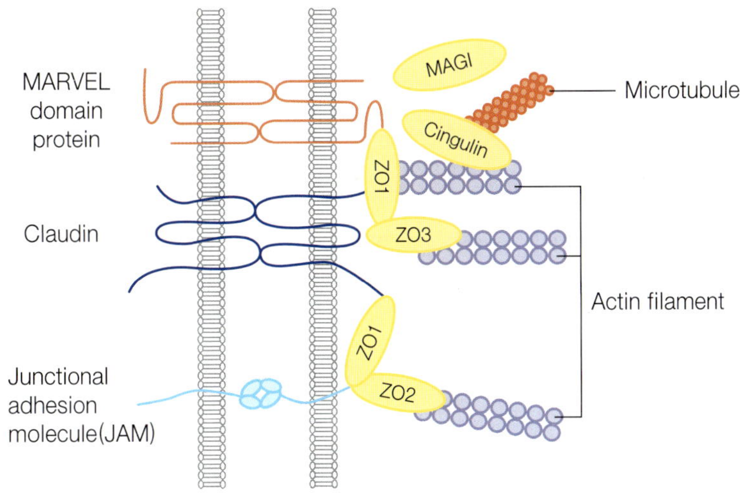

그림 6-4. tight junction

1, Cldn-4이 풍부하게 발현된다. Cldn-1이 결핍된 쥐를 이용한 실험에 의하면 경표피 수분 손실이 증가하므로 출생 후 하루만에 사망한다. 표피의 E-cadherin이 결핍되어 과립층의 Cldn-1이 소실된다. TJ 단백질이 변형된 쥐를 이용한 실험 결과도 동일하였으며, 과립층의 막을 통과하지 않는 557 Da 추적자(tracer)는 세포간 확산을 보였다. 야생형 마우스에 비해 Cldn-1이 결핍된 쥐에서 TJ 구조가 미숙하므로 Cldn-1 결핍 마우스는 TJ의 장벽 기능이 저해되었다. 인간은 Cldn-1이 결핍되어도 치명적이지 않지만, NISCH(neonatal ichthyosis sclerosing cholangitis) 증후군을 초래한다. 이유는 인간의 임신 기간은 길기 때문에 장벽 형성에 필요한 시간이 충분하다. 또한 mice에 비해 체표 면적의 비율이 높기 때문이다.

TJ는 극성 층판소체(polarized lamellar body, LB) 분비를 조절하므로 각질층의 지질 형성에 중요한 역할을 한다. 또한 표피의 칼슘 기울기 형성에 관여함으로써 각질형성세포 분화와 연관된다. TJ 형성과 기능은 표피의 칼슘 이온 농도에 의존적이다. 세포의 칼슘 농도가 낮으면 분리되고, 높으면 TJ 단백질에 재조합된다. TJ은 호르몬, 사이토카인, 성장 인자와 같은 생물활성 인자(bioactive agent)에 의해 개폐된다.

밀착 연접은 각질형성세포 사이로 물질이 투과되면 크기와 전하를 기준으로 투과를 조절하는 투과 장벽 기능이 있다. 24가지 이상의 claudin 중에 어떤 조합의

claudin이 발현되어 밀착 연접을 구성하는지에 따라 투과 조절 양상에 차이가 있다. 피부 장벽 기능 외에도 밀착 연접을 구성하는 단백이 Hippo pathway, MAPK pathway 등의 신호 전달 활성을 조절하여 다양한 생리 현상에 관여한다.

둘째, 표피의 면역 장벽 기능에 관여한다. TJ 장벽은 외부 항원과 결합한 랑게르한스 세포(Langerhans cell, LC)에 의해 재결합된다. 정상 상태에서 TJ 하부에 존재하지만 활성화되면 TJ 장벽 밖으로 랑게르한스 세포가 활성화되며, 수지상 돌기가 연장되며 TJ를 통과하여 외부 항원을 포획한다. 이후에 TJ이 새롭게 형성된다. 아토피 피부염의 병변 부위 LC는 정상 또는 아토피 피부염의 비병변부에 비하여 매우 증가하였다. TJ를 통과한 수지상 세포는 Langerin에 양성이다.

셋째, 세포 극성 유지에 관여한다. TJ는 단층 상피에서 세포막의 꼭지면과 기저외측(basolateral)에 극성을 나타낸다. 그러므로 과립층 세포의 극성에 중요한 역할을 한다. Cldn-1이 결핍된 쥐에서 기능적 변형은 없었으나 각질층 구조의 변형은 관찰되었다. Cldn-6가 과발현된 쥐는 각질층 성분과 장벽 기능의 변화가 나타났다. 세포 극성과 연관된 TJ 연구가 주목을 받고 있다.

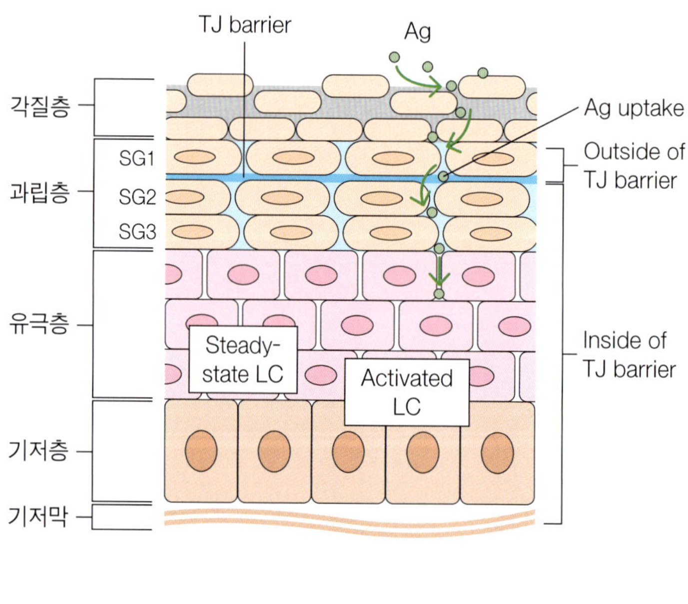

그림 6-5. Tight junction vs Langerhans cell(LC)

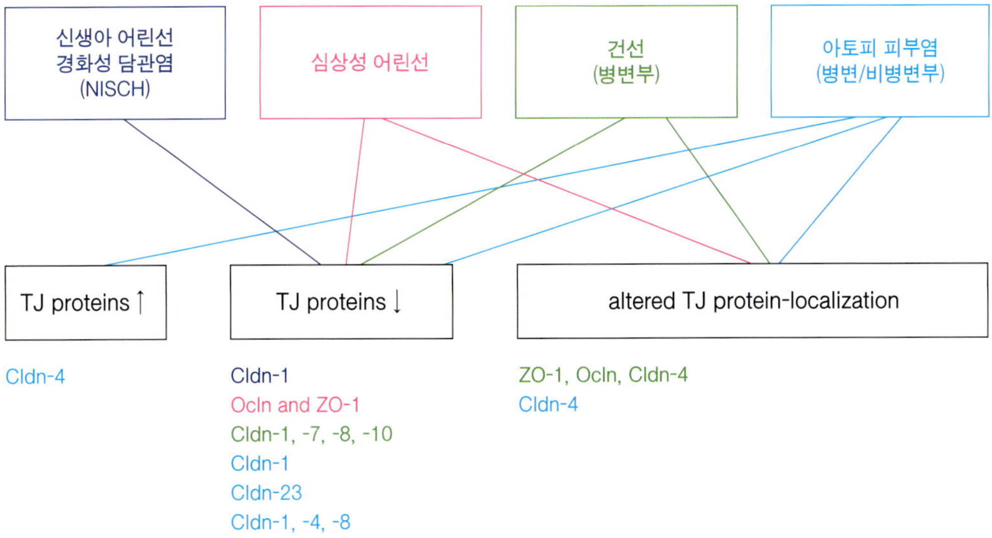

그림 6-6. 질병에 따른 tight junction(TJ)

넷째, 유전자 발현, 세포 증식·분화, 종양 형성에 관여한다. Cldn-6가 과발현된 쥐는 각질형성세포 증식 및 표피와 모낭 분화가 억제되었다. 건선, 편평세포암과 같이 과증식 및 분화 장애가 나타나는 질환에서 Cldn-1이 감소되었다. 유전자 발현(전사 인자와의 상호 작용, 전사 인자의 격리, RNA 처리 과정, 유전 암호 해독)에 관여한다. 유전자 발현, 증식·분화의 변화는 종양 발생과 밀접한 관련이 있다. TJ 단백질은 종양의 종류에 따라 감소하거나, 과발현된다. 대장암, 난소암, 유방암, 전립선암, 췌장암에서 Cldn-1, -2, -3, -4, -7이 증가되었다. 유방암에서 Cldn-1, -2, -7·전립선암에서 Cldn-2·편평세포암에서 Cldn-1이 감소된다. 발현의 차이는 조직 특이성에 기인한다.

• 참고: 접착 결합(adherens junction)은 세포막을 관통하는 cadherin 단백, cadherin 단백과 액틴 섬유 사이를 연결하는 β-catenin, p120-catenin, α-catenin 등으로 구성되어 있다. 접착 결합은 세포 결합에 관여하지만, Wnt 신호 전달, NF-κB, YAP 활성 조절 등을 통해 다양한 생물학적 현상에 관여하므로 밀착 연접 형성에 중요한 역할을 한다. β-catenin 또는 E-cadherin의 발현을 억제하면 밀착 연접에 장애가 유발된다.

• 참고: 세포 극성(cellular polarity)

극성은 RNA, 지방, 단백 등이 균등하거나 대칭적으로 존재하지 않는 상황을 의미한다. 극성은 단백과 지질의 상호 작용에 의해 조절되며, epithelial polarity program(EPP)이라고 명명한다. EPP에 관여하는 단백 물질은 partitioning-defective (PAR), Crumbs(CRB), Scribble(SCRIB) 및 Cdc42, Rac1·RhoA와 같은 RHo GTPase, phosphoinositide와 같은 지질 등이 있다. 작용 기전은 무척추 동물(초파리 등) 모델과 포유 동물의 상피세포 배양 연구에 의해 밝혀졌다. 그러나 포유 동물의 표피에서 동일한 조절 기전 작동 유무는 미상이다. 세포 극성은 세포 분화, 이동 등의 생물학적 현상에 관여한다. 암을 비롯한 다양한 질환의 발생과 관련이 있다.

상피세포에서 세포 극성은 중요한 역할을 담당한다. 세포 내부와 외부의 물질 수송이 일정한 방향성을 가지도록 하며, 세포 분열 과정에서 방추사(mitotic spindle)의 형성 각도를 기저막에 수직 혹은 수평으로 조절함으로써 줄기 세포 증식과 분화를 조절한다.

인체의 표피는 4종류의 각질형성세포가 존재한다. 세포 수준 뿐만 아니라 조직 전반에 극성이 관찰된다. 극성은 표피의 발생 과정, 각질형성세포가 최종 분화를 거쳐 탈락되거나 새로운 각질형성세포 생성 과정, 피부 장벽을 형성하여 인체를 보호하고 항상성을 유지하는 과정과 연관된다. 극성이 비정상적으로 형성되면 피부암 등의 질환이 발생한다. 표피의 극성 형성 및 유지에 세포간 결합이 중요한 역할을 담당한다. 접착 결합, 밀착 연접, 교소체 등의 세포 결합 구조는 세포의 극성에 따라 일정한 규칙에 의해 세포 표면에 존재한다. EPP 관련 물질과 세포막에서 상호 작용을 통해 세포 극성 형성 및 유지에 관여한다.

밀착 연접은 세포막 단백과 지질의 이동을 제한함으로써 정단부와 기저측부의 세포막 단백과 지질의 차이를 유지하여 세포 극성을 지속시킨다. EPP에 관여하는 물질이 세포간 결합 구조 형성 및 조절에 관여하는 기전이 규명되었다. 생쥐 피부에서 CDC42 발현을 억제하면 aPKC에 의한 GSK3β의 인산화에 장애가 발생하여 β-catenin이 분해되면서 접착 결합에 장애가 발생된다. CRB3와 PALS1 발현이 억제되면 밀착 연접 형성이 억제되므로 장벽 기능에 장애가 나타난다. Par3는 각질형성세포(과립층)에서 밀착 연접을 구성하고 있는 ZO-1과 동일한 위치에 존재한다. Par3 발현을 억제하면 세포 배양에서 밀착 연접 형성이 지연된다. 각질형성세포에서 Par3 발현을 억제하면 갓 태어난 생쥐 피부에서 경표피 수분 소실이 증가한다. 밀착 연접을 구성하는 occludin, claudin-1 발현 억제 및 밀착 연접 기능 장애가 나타난다.

소포는 세포질에 존재하는 막으로 둘러싸인 구조이며, 다양한 물질이 내부에 존재한다. 내부 물질에 따라 소포의 최종 목적지와 이동이 결정된다. 정단부 혹은 측부 세포막을 통해 세포 외부로 분비되거나, 리소좀과 결합한다. 소포 내부 물질에 따라 세포 내부 이동과 최종 목적지가 조절되는 현상을 소포 수송(vesicle trafficking)이라고 한다. 소포 수송이 정상적으로 이루어지려면 세포 극성이 중요하다. 소포 수송을 통해서 정단부와 기저측부에 특이하게 존재하는 세포막 단백과 지질이 각자의 자리에 위치하게 된다. 이 과정은 세포 극성 형성 및 유지에 매우 중요하다. 상피 세포에서 소포 수송은 외부로부터 영양분 흡수, 노폐물 배출 뿐만 아니라 피부 장벽 형성 및 유지에 중요하다. 층판소체, 케라토히알린 과립이 과립층과 각질층 연접 공간으로 적절히 분비되는 현상은 각질층을 형성하고 유지하는데 매우 중요하며, 소포 수송의 중요한 기능이 규명되고 있다.

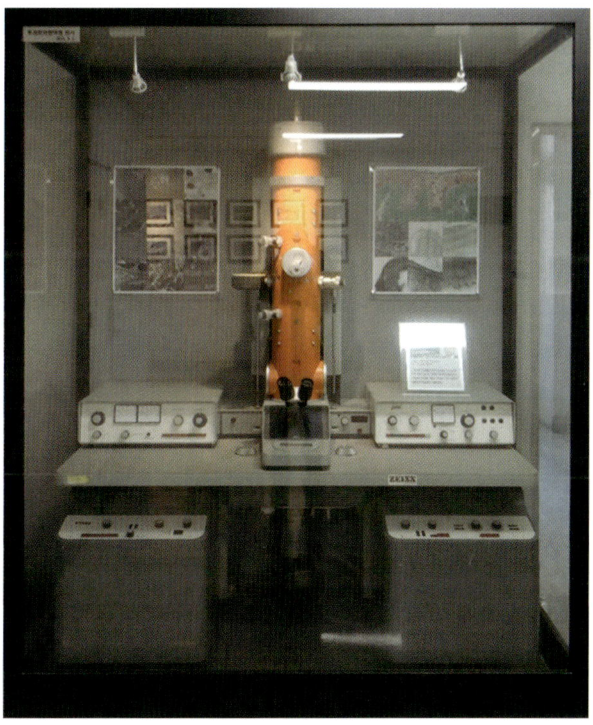

Elias 교수가 기증한 전자현미경

7. 피부 수원지

한반도의 강은 동·서·남해로 흐르고, 각종 댐은 농업·공업 뿐만 아니라 식수를 제공하고 있다. 피부 수원지는 자연 보습 인자·히알루론산·아쿠아포린 등이 있다.

1) 자연 보습 인자(natural moisturizing factor)

각질층에 존재하는 자연(천연) 보습 인자는 아미노산이 주성분이며, 수분을 유지하는 수원지 역할을 담당한다. 자연 보습 인자는 건조한 상태에서 각질층 무게의 약 10%를 차지한다. 함습 능력이 매우 강하므로 60%의 상대 습도에서도 수분을 유지한다. 자연 보습 인자를 제거하면 각질층 수분 함량은 25%, 탄력성은 66% 감소한다. 각질세포는 케라틴 단백질이 대부분을 차지하지만, 분화 과정에서 단백질 분해 산물(자연 보습 인자)가 생성된다. 수분 유지, 삼투압, 각질층의 유연성을 제공한다.

자연 보습 인자의 뿌리는? 정답: 필라그린 원조=프로필라그린(profilaggrin)!

과립층의 케라토히알린 과립(keratohyaline granule)에 존재하는 프로필라그린은 단백질 분해, 탈인산화 과정을 거치면서 필라그린으로 변한다. 필라그린은 케라틴 필라멘트를 접착하는 기질 단백 역할을 담당한다. 최종 단계에서 친수성 아미노산을 생성하거나 자연 보습 인자를 형성한다. 아토피 피부염은 이것이 결핍되므로 각질세포의 수화가 감소한다. 결과적으로 피부가 건조해진다. 어린선을 포함한 과각화성 질환은 케라토히알린 과립 및 필라그린이 감소되거나 존재하지 않는다. 필라그린 대사 산물은 '자연 보습 인자'이다. 각질층 상부로 갈수록 수분량은 급격히 감소하지만, 건조한 각질층은 병원성 미생물의 집락을 억제한다. 각질층의 수화가 증가하면 병원성 미생물

(포도구균, 연쇄구균)이 증식한다. 각질교소체(corneodesmosome)가 변형되면서 형성된 열공(lacunae)이 수화에 의해 확장되며 세균이 침투하는 통로를 형성한다. 땀 분비가 증가되는 여름철에 습한 부위(겨드랑이, 서혜부)는 피부 감염이 흔히 발생한다. 각질층이 과수화되면 필라그린의 단백분해 과정이 억제되므로 대사 물질(유로카닉산) 및 자연 보습 인자의 생성이 감소한다. 그러므로 각질층의 pH가 증가하면서 함습력이 낮아진다. 피부 유연성과 피부 장벽 기능 저하가 나타난다.

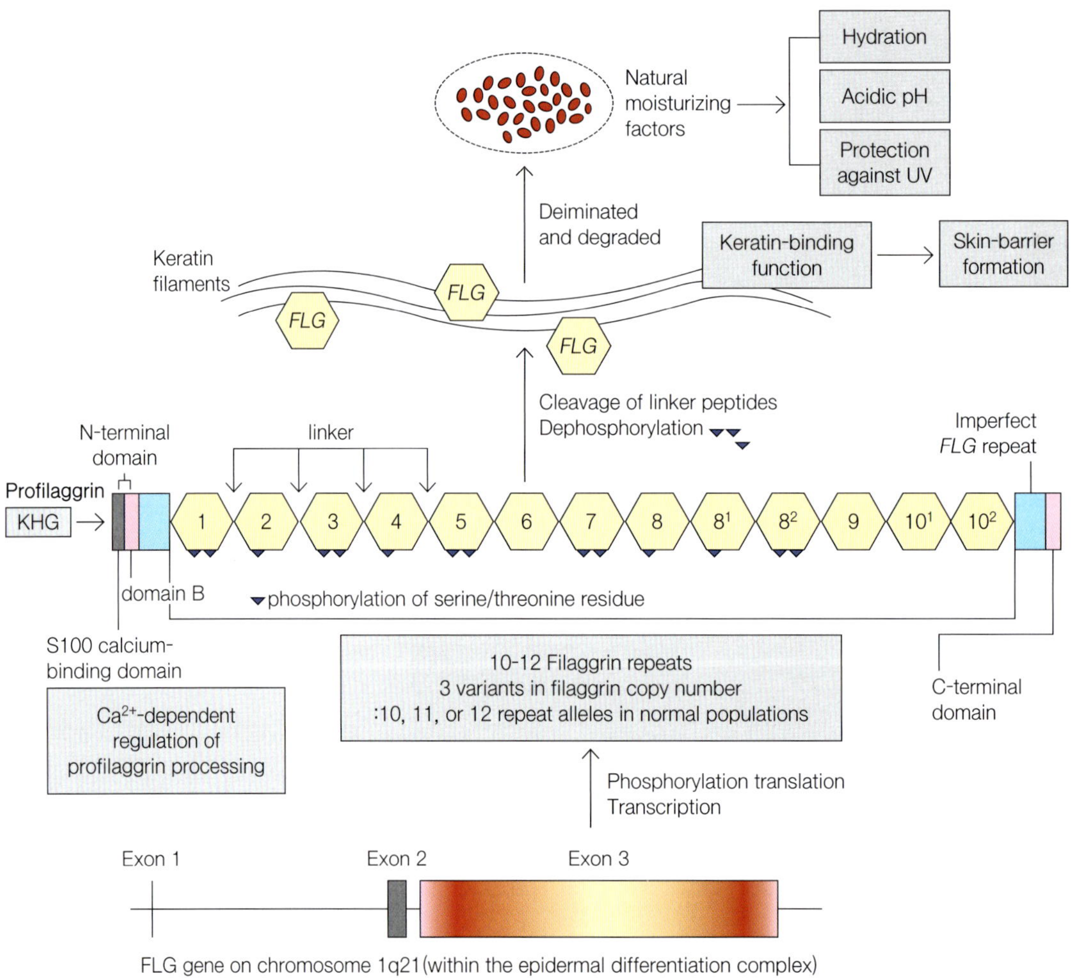

그림 7-1. 프로필라그린→필라그린→NMF

표 7-1. NMF 성분

Components	Mole(%)
Amino acids	40
Sodium pyrrolidone carboxylic acid	12
Lactate	12
Urea	7
Ions (e.g., Cl^-, Na^+, K^+, Ca^{2+}, Mg^{2+}, PO_4^{3-})	18.5
Sugars	8.5
Ammonia, uric acid, glucosamine, creatine	1.5
Citrate and formate	0.5

피부과 의사의 꿈

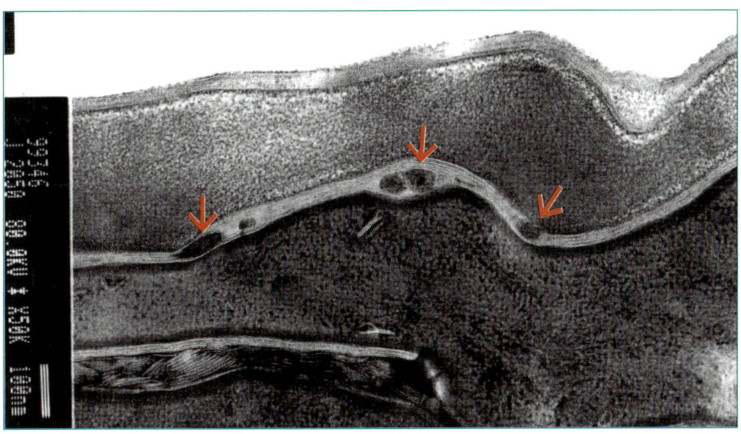

참조: 열공(lacunae ←)의 전자 현미경 소견

2) 필라그린(filaggrin) / 프로필라그린(profilaggrin)

프로필라그린(profilaggrin)은 과립층에 존재하는 keratohyaline granule(KHG)에 존재한다. 10~12개의 필라그린 monomer 및 칼슘 결합 단백질로 구성되며, 각질형성 세포의 최종 분화 과정에서 이온 증가와 함께 KHG에서 탈과립된다. 탈인산화 과정 및 protease 효소(caspase-14, kallikrein-5, elastase-2 등)에 의해 분해된다. LEKTI는 상기 효소 기능을 억제한다. 프로필라그린 분해에 의해 생성된 프로필라그린 B domain은 핵 내부로 이동하며, 신호 전달 기능이 있다. 생성된 필라그린은 케라틴 필라멘트와 결합하여 견고한 각질세포막(물리적 장벽)을 형성한다. 각질층 상층부로 이동하면 caspase-14, peptidylarginine deiminase(PAD) 등에 의해 추가적인 분해가 유발된다. PDA는 arginine을 citrulline으로 변환된 이후에 케라틴에서 분리시킨다. Deimination된 필라그린은 casase-14, bleomycin hydrolase 등에 의해 자유 아미노산, urocanic acid, pyrrolidone carboxylic acid(PCA), 유기산 등으로 변한다. Histidine에서 유래된 trans-UCA는 자외선 B에 의해 cis-UCA로 변하므로 자외선 차단 기능을 나타낸다. PCA 및 자유 아미노산은 자연 보습 인자로 작용하며, 각종 유기산에 의한 약산성 pH는 단백질 분해효소의 활성화 억제 환경(낮은 습도/수분 함량)에 의해 분해를 촉진시킨다.

• 참고: 프로필라그린을 coding하는 필라그린 유전자는 염색체 1q21에 존재하며, exon(3개) 및 intron(2개)로 구성된다. 타 유전자와 함께 표피 분화 complex를 형성한다. 대부분의 profilaggrin polyprotein은 단일 대형 exon 3에 의해 coding 된다. Exon 3은 filaggrin repeat unit(972~975bp)가 10~12회 반복된다. 8 또는 10번째 repeat 후에 repeat가 1번 더 나타나면 10~12개가 존재하는 변이가 나타날 수 있다. 필라그린 용량과 연관되므로 아토피 피부염 발생과 관련이 있다. N 말단부에 B domain, S100 calcium biding domain이 존재한다. 필라그린 유전자 돌연변이에 의해 어린선, 아토피 피부염, 건조 피부 유발 및 장벽 기능이 저하된다.

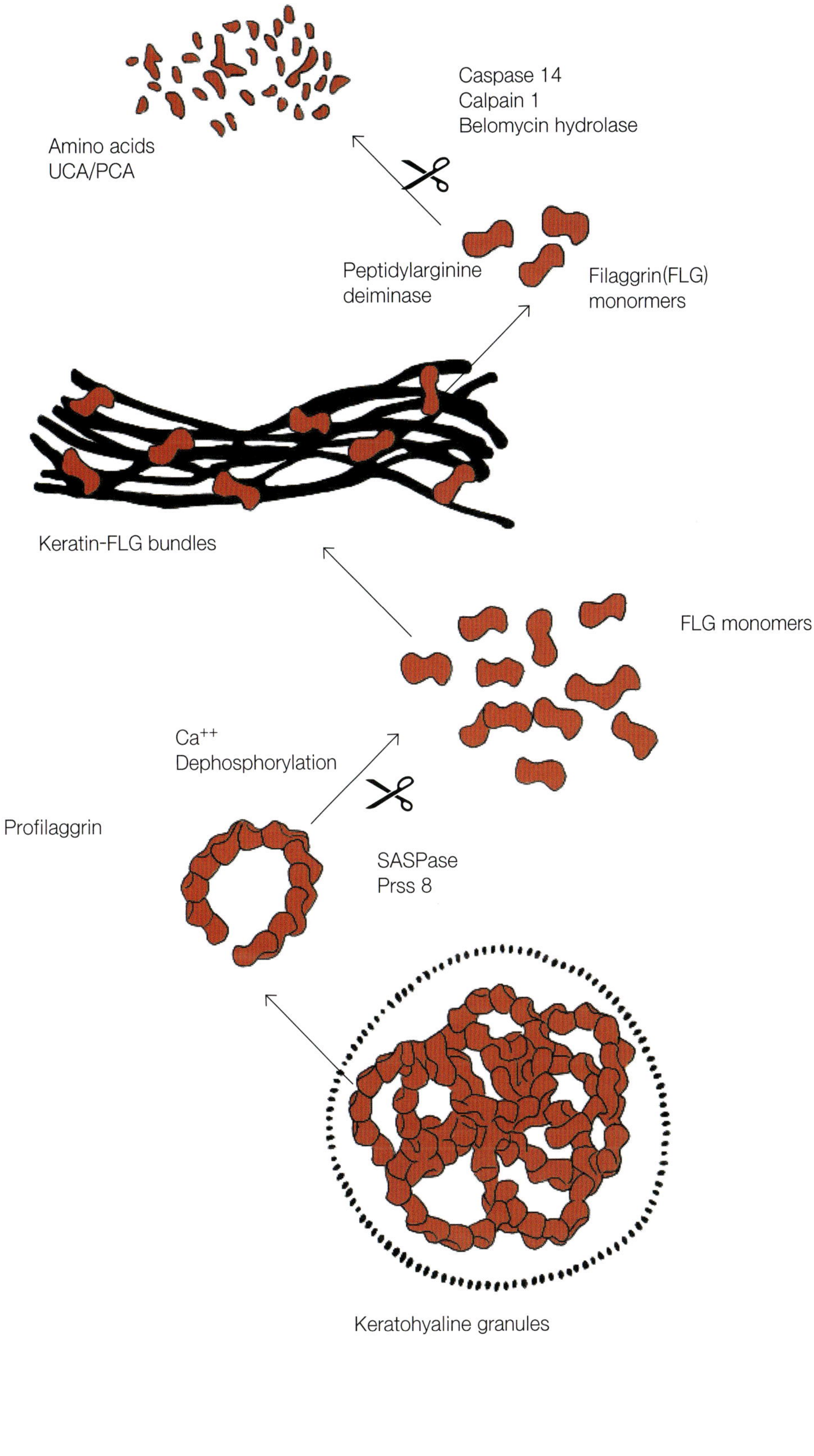
Caspase 14
Calpain 1
Belomycin hydrolase
Amino acids
UCA/PCA
Peptidylarginine
deiminase
Filaggrin(FLG)
monormers
Keratin-FLG bundles
FLG monomers
Ca++
Dephosphorylation
Profilaggrin
SASPase
Prss 8
Keratohyaline granules

그림 7-2. 필라그린 대사

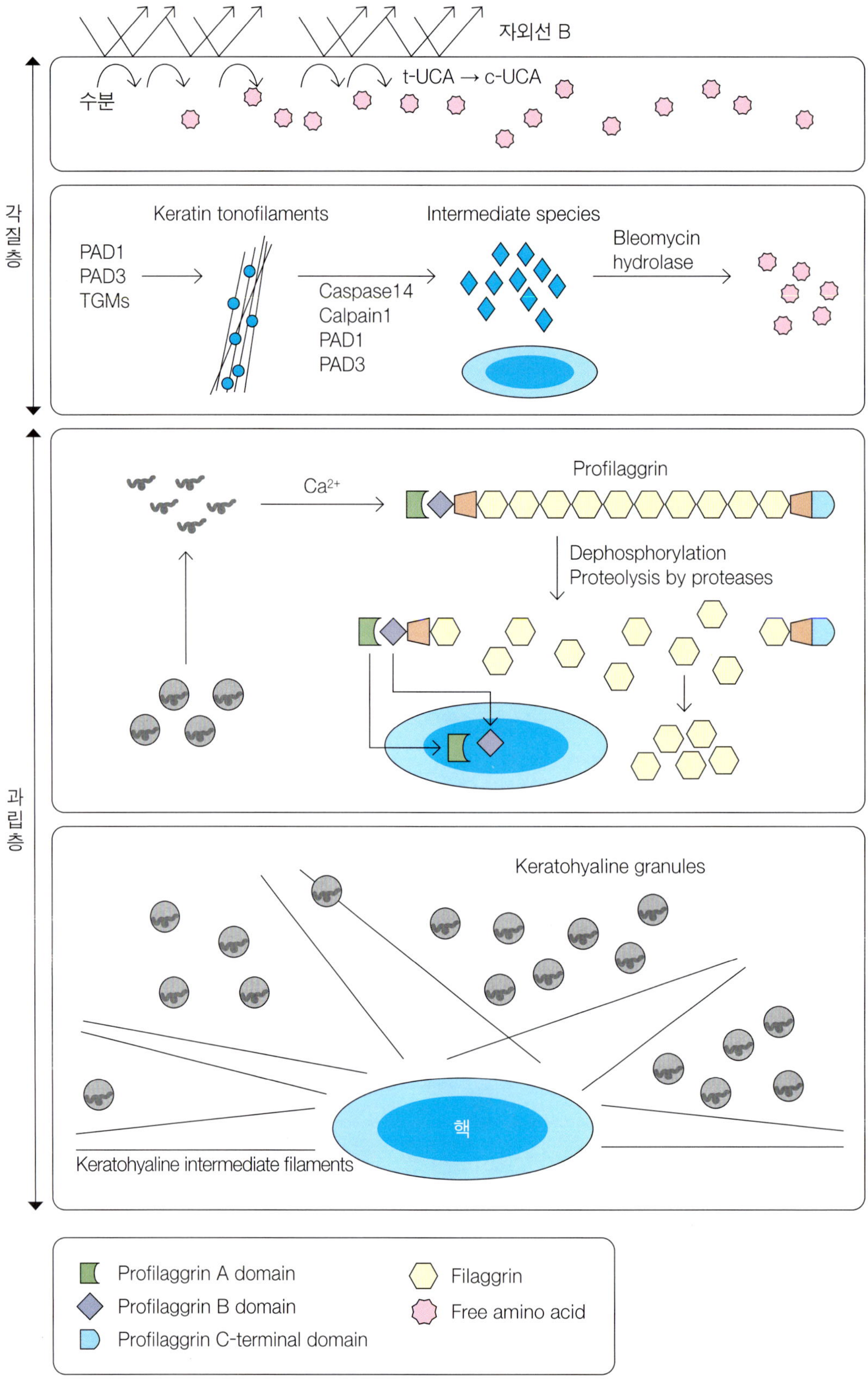
자외선 B
수분
t-UCA → c-UCA
각질층
Keratin tonofilaments
Intermediate species
PAD1
PAD3
TGMs
Caspase14
Calpain1
PAD1
PAD3
Bleomycin
hydrolase
과립층
Ca2+
Profilaggrin
Dephosphorylation
Proteolysis by proteases
Keratohyaline granules
핵
Keratohyaline intermediate filaments
Profilaggrin A domain
Profilaggrin B domain
Profilaggrin C-terminal domain
Filaggrin
Free amino acid

그림 7-3. 필라그린 대사

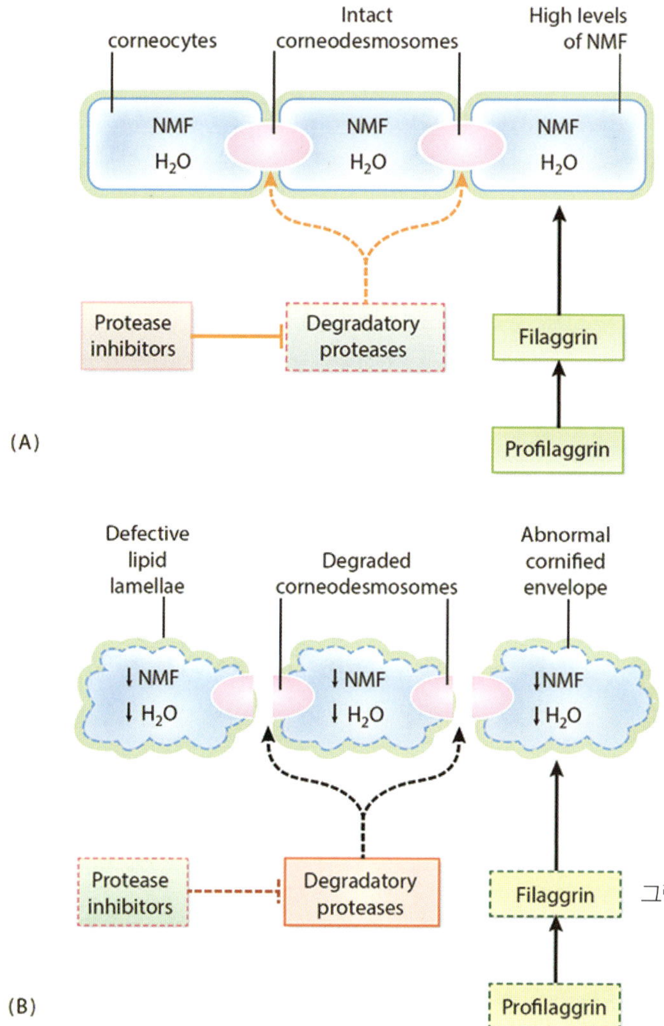

그림 7-4. 정상 피부(a)는 장벽 기능이 유지되지만, 손상된 피부(b)는 NMF(자연 보습 인자), 수분이 감소하며 필라그린의 기능이 억제된다.

3) 히알루론산(hyaluronic acid, HA)

HA는 Meyer와 Palmer가 1934년에 소의 연골에서 발견하였다. 유리와 같이 빛나는 성상에 의해 명명되었다. 그리스 어원의 유리(glass)와 유사한 hyal, 구조상 uronic acid의 존재에 의해 HA로 명명되었다.

Hyaluronic acid(HA)는 D-glucuronic acid와 D-N-acetylglucosamine이 beta-1,4 및 beta-1,3 glycosidic bond로 구성된 이당류(disaccharide)가 반복되어 연결된 다당류이다. HA는 탄소·수소·질소·산소로 구성되며, 분자식은 $C_{14}H_{21}NO_{11}$이다.

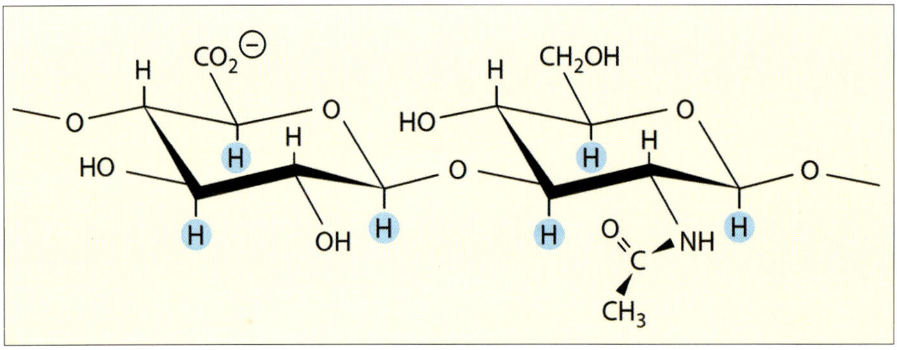

그림 7-5. Hyaluronic acid 구조식

Glycosaminoglycan(GAG)[dermatan sulfate, heparin, heparan sulfate, keratin sulfate, chondroitin-4, chondroitin-6-sulfate]은 core protein과 결합하여 proteoglycan을 형성한다. HA는 core protein에 부착되지 않는 비황화 GAG이다.

세포 형질막 내측에서 히알루론산 합성 효소(HA synthases, HAS-1, -2, -3)에 의하여 합성되며, 각질형성세포는 HAS-1, -3을 발현한다. 표피의 기저층과 유극층에서 대부분 합성된다. 각질형성세포(중·상부 유극층) 사이의 공간에 가장 높은 농도로 분포하지만, 정상 각질층에서도 존재한다.

분자량에 따라 피부에 미치는 영향은 차이가 있다. 저분자 히알루론산(25~100kDa)은 erb B4, precursor heparin binding epidermal like growth factor, CD44 isoform의 complex와 결합하면 각질형성세포 증식, 세포간 간격 확장에 의한 세포 유동성 공간 제공 및 신호 전달(Rac 1)에 의한 세포 이주 촉진, 상처 치유에 관여한다. 기타 경로에 의해 Toll-like receptor 2 또는 4를 활성화시켜 β-defensin 발현 증가, 염증 반응 및 innate immune response를 나타낸다. 고분자 히알루론산(600 kDa 이상)은 각질형성세포 분화에 관여한다. CD44 Knockout 마우스 모델에서 히알루론산은 CD44와 함께 각질형성세포 분화, 콜레스테롤 합성 증가 등에 의해 피부 장벽 항상성에 관여하였다.

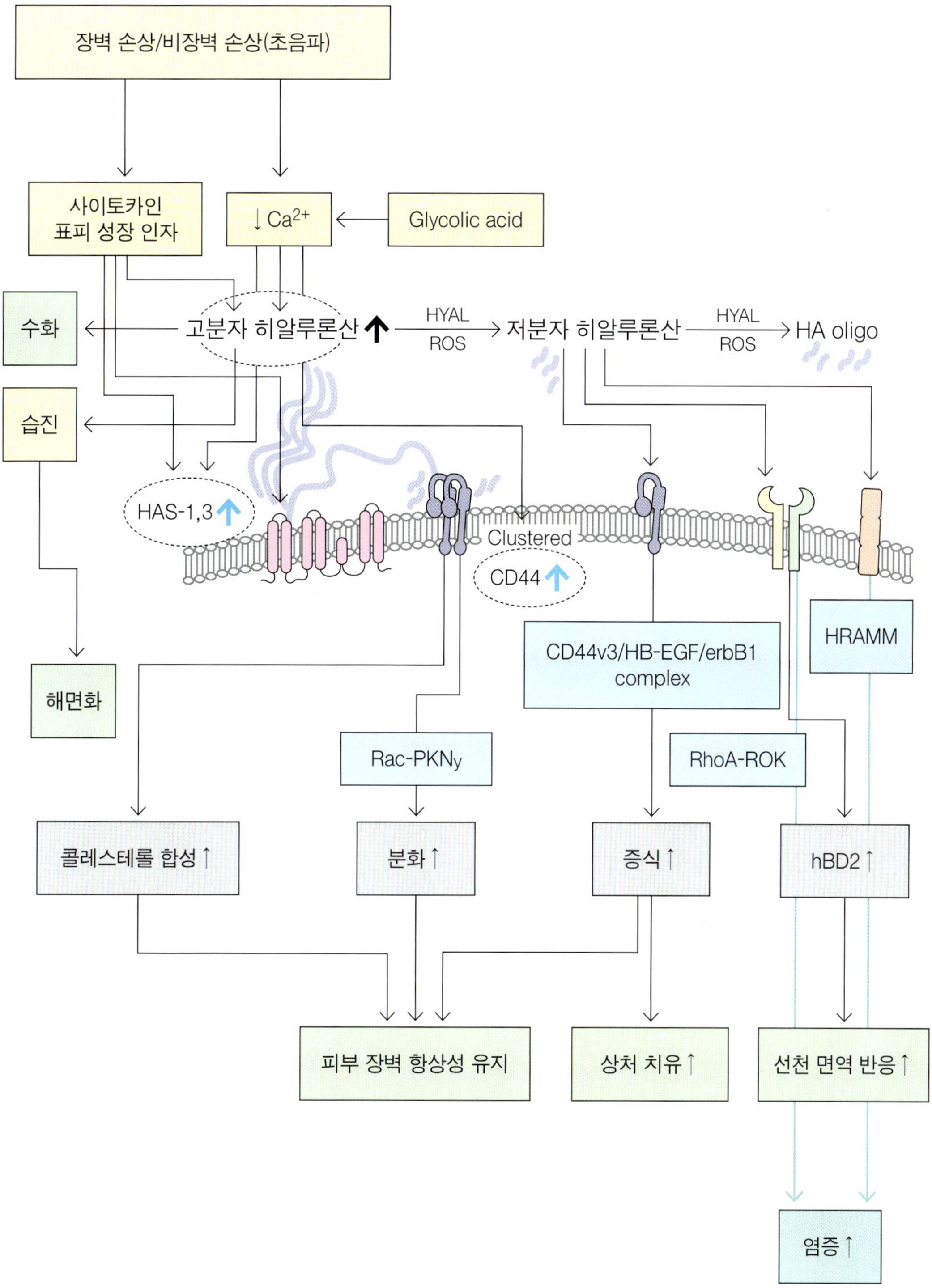

그림 7-6. 히알루론산 기능

표 7-2. HA 장·단점

장점	단점
강력한 함습제 비면역성 표피에서 저장고 역할 약물 전달에 관여 다양한 생물학적 효능 및 의학적 활용	분자량에 따라 피부 투과도에 차이가 있음 진피로 투과하지 못함 건조한 환경에서 건조증 유발

참고

-HA는 음식으로 섭취할 수 있으나, 위에서 소화되므로 피부 효과는 없음.

-함습제로서 HA는 1,000배의 물을 끌어당기는 능력이 있음. HA의 국소 도포는 피부 보습을 향상시키며, 습한 환경에서 보습 능력은 최대가 됨.

• 히알루론산 수용체(CD 44)

CD44는 세포간 유착에 중요한 역할을 하는 당단백질이다. 유전자는 11번 염색체 단완에 최소한 20개의 exon이 존재한다. 기본형(standard form) CD44s 및 아형(variant form) CD44v가 있다. 가장 많은 분포를 보이는 형태는 10개의 변이 exon이 없는 CD44s이다. CD44는 caveolin-enriched microdomains(lipid raft)에 존재하며, 세포외 기질 성분(히알루론산)의 수용체로 작용한다. 세포와 세포간, 세포와 기질의 상호 작용에 의해 세포간 유착에 중요한 역할을 담당한다. 태생기의 배형성, 창상 치유, 염증 반응, 림프구 활성화, 세포 이동과 같은 다양한 생리적 과정에 관여한다. 그 외에 종양 발생, 전이에 중요한 역할을 담당한다.

CD44는 피부에서 과립층과 각질층을 제외한 각질형성세포 표면, 모낭, 피지샘, 에크린 한선에 분포한다. 기본형은 림프구, 조혈세포, 간엽세포, 표피세포에 분포한다, 아형은 표피 및 활성화된 림프구에 존재한다.

• 히알루론산 합성 효소(HAS) 발현을 조절하는 인자

첫째, 히알루론산 합성 효소(HAS-1, -2, -3)는 다양한 사이토카인과 성장 인자에

의해 조절된다. 표피 성장 인자(epidermal growth factor, EGF), 각질형성세포 성장인자(keratinocyte growth factor, KGF)는 설치류 각질형성세포의 장기형(organotypic) 배양에서 HAS-2, -3를 증가시킨다. EGF는 HAS-2, -3의 증가와 함께 히알루론산 및 수용체(CD44) 증가를 유도한다. 인체의 각질형성세포에서 HAS-3의 mRNA 발현은 interferon(IFN)-γ에 의해 증가하고, transforming growth factor(TGF)-β에 의해서 감소한다. TGF-β는 설치류의 각질형성세포에서 HAS-1을 증가시킨다.

둘째, 자외선(UVB)는 각질형성세포에서 히알루론산 합성 효소(HA synthases, HAS) 및 히알루론산 분해 효소(hyaluronidase, HYAL)의 히알루론산 발현을 조절한다. 사람의 각질형성세포주(HaCaT 세포주)에 UVB를 조사하면 3시간 후에 HAS-1·HAYL-1·-2이 증가하고, 히알루론산 발현이 감소한다. 24시간 이후에 히알루론산 발현 및 히알루론산 합성 효소(HAS-1, -2, -3)의 mRNA양이 증가한다. UVB에 의해 증가된 염증성 사이토카인[interleukin(IL)-lα, tumor necrosis factor(TNF)-α]에 기인된다.

셋째, 초음파 영동은 피부 장벽을 손상시키지 않으면서 칼슘 이온, 사이토카인 변화를 유도하여 표피의 히알루론산 및 CD44 발현을 조절한다. 화학 박피술에 사용하는 glycolic acid 도포에 의해 히알라론산이 증가된다. 기전은 유사하다.

• 히알루론산 기능

표피에서 히알루론산은 조직 구조를 지지하는 물리적 역할 외에 표피 증식 및 분화 조절, 수분 항상성 유지, 상처 치유 촉진, 표피 투과 장벽 항상성 유지, 면역 반응, 종양의 악성화·전이 조절 등의 다양한 역할을 담당한다.

첫째, 투과 장벽 항상성을 유지시킨다.

표피에서 히알루론산과 CD44의 상호 작용은 각질형성세포 증식·분화, 콜레스테롤 합성 증가, 층판소체 형성·분비를 조절함으로 표피 투과 장벽 항상성에 관여한다.

둘째, 표피 증식 및 분화에 관여한다.

각질형성세포 증식과 이동에 관여하는 EGF, KGF는 HAS-3 발현을 증가시킴으로 각질형성세포에서 히알루론산 생성을 증가시킨다. 각질형성세포 성장을 억제하고 분화를 촉진시키는 것으로 알려진 hydrocortisone, TGF-β는 히알루론산 생성을 감소시킨다.

셋째, 수분 보유 능력이 있다.

히알루론산은 분자량이 유사한 다른 물질과 비교하면 삼투 활성도가 높다. 그러므로 수분 함유 능력(자신의 무게 6,000배)이 있다. 히알루론산은 급성 습진 병변에서 표피 내로 조직액을 유입하여 각질형성세포 결합력을 감소시키며, 해면화(spongiosis)를 일으킨다.

넷째, 손상된 부위에서 생성이 증가한다.

히알루론산은 빠른 재구축이 필요한 조직(손상된 피부, 염증 조직, 종양) 등에서 일시적으로 양이 증가하는데, 손상된 피부는 정상보다 7배 정도 증가된다. 상처 치유 과정에서 표피에서 HB-EGF, 진피에서 KGF가 성장 인자로 작용한다. 표피의 히알루론산은 표피에서 유래되는 HB-EGF만으로도 유발되며, HB-EGF와 수용체(EGF 수용체)는 각질형성세포에서 히알루론산 생성을 autocrine 및 paracrine 방식으로 활성화시켜 표피의 상처 치유 과정을 촉진시킨다. 상처 조직에서 일시적으로 과생성된 히알루론산은 각질형성세포 증식을 유도하며, 각질형성세포 사이의 간격을 넓힘으로써 세포가 움직일 공간을 제공한다. 세포내 신호 전달에 의해 세포 이주, 재상피화 과정에 관여한다.

다섯째, 면역 반응에 관여한다.

저분자 히알루론산은 면역 적격세포를 활성화시켜 다양한 사이토카인을 생성하여 면역 반응을 유발한다. 또한 각질형성세포의 toll-like receptor(TLR)2, TLR4를 활성화시키는 기전을 통해 β-defensin 2 발현을 증가시킴으로써 표피의 자연 면역 반응을 증가시킨다.

여섯째, 항염증 효과(저분자 HA), 항노화(주름, 탄력성) 효능이 있다.

보습제, 필러 제품에 활용되고 있다. 그 외에 종양의 악성화, 전이에 관여하지만 논란이 있다.

4) 아쿠아포린(aquaporin, AQP)

아쿠아포린은 피부, 신장, 눈, 소화관, 뇌 등의 다양한 기관에서 수분 수송(채널, water channel)에 관여하는 막 단백질이다. 세포의 배관 시스템에 해당한다.

세포(원형질) 막에 존재하는 homotetramer이며, 막관통(transmembrane) 구조이다. Tetramer의 subunit은 6개의 알파-나선형 domain으로 구성되며, 수공 기공(pore)가 포함되어 있다.

13종류(AQP0~AQP12)의 단백질 동형(isoform)이 포유류에 존재한다. 2가지의 기능적 아형으로 분류한다. 1,2,4,5,8 아코아포린은 수분 이동 및 3,7,9,10 등은 수분 외에 글리세롤, 용질 등의 물질을 전달한다. 아쿠아포린 3은 각질층을 제외한 각질형성세포의 세포막(기저층〉과립층)에서 발현되며, 표피에서 수분 · 글리세롤 등을 투과시키는 통로이다.

글리세롤은 내인성 보습제로 작용하므로 각질층의 수화를 촉진시킨다. 수분, 글리세롤 이동은 세포 이동 및 피부 손상에 의한 회복을 촉진시키므로 세포 분열·분화, 지질 대사, 피부 장벽에 중요한 역할을 담당한다. AQP는 세포막을 통해 양 방향의 삼투압에 의해 수분, 글리세롤, 비이온 분자(유레아) 등이 선택적으로 투과된다. 아쿠아포린-3이 결손된 생쥐 실험에 의하면 표피 각질층 수화, 글리세린 감소에 의한 피부 건조증, 피부 탄력 감소 및 장벽 회복이 지연되었다. 습진, 노화, 자외선 노출, 건선 등에서 AQP-3 발현이 감소된다.

자외선은 MAP kinase에 의해 아쿠아포린-3 발현을 감소시키며, free radical도 억제시킨다. *Ajuga turkestanica*는 노화, 자외선에 의한 피부 건조증을 완화시킨다. 화장품에 glycerylglucoside, kestanica, 난초 및 *Ajuga turkestanica* 추출물이 사용되고 있다. 레티놀, n-acetyl cystein은 자외선에 의한 아쿠아포린-3의 하향 조절을 억제시킨다.

2003년, Peter Agre 및 Roderick MacKinnon은 아쿠아포린 구조를 발견하여 노벨 화학상을 수상하였다.

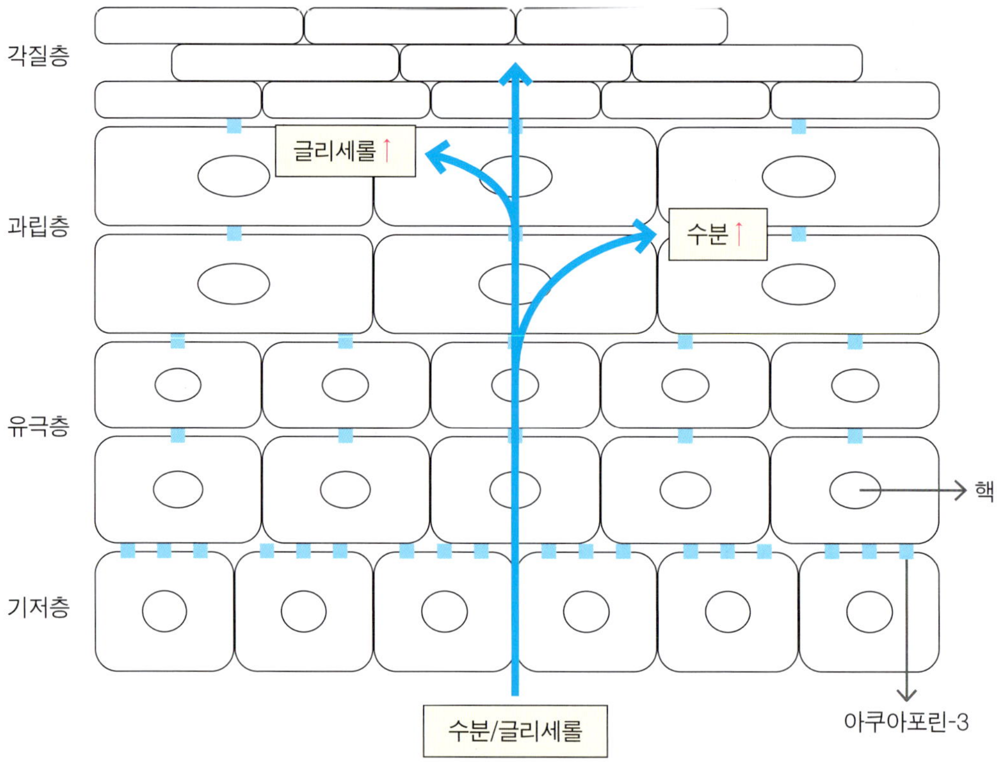

그림 7-7. 아쿠아포린

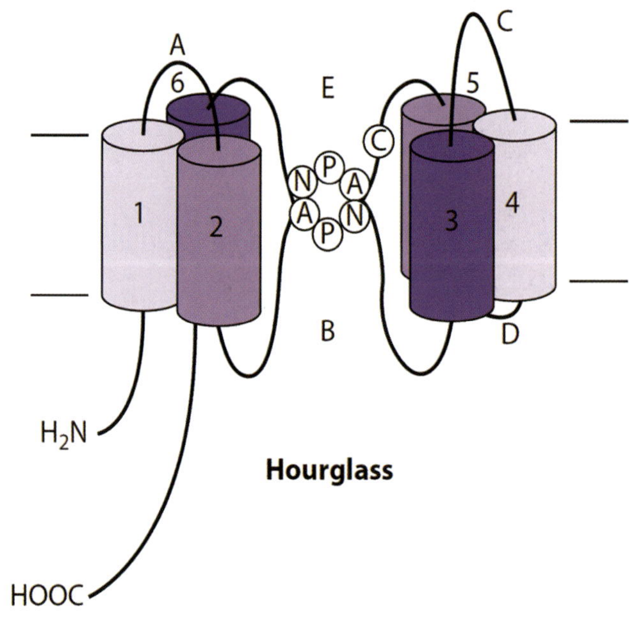

그림 7-8. 모래 시계 모델(초창기 개념)

Dr.G
100시간 지속
마르지 않는
보습 장벽 크림
*닥터지 더모이스처 배리어.D 인텐스 크림 100mL
식약처 심사 완료
가려움 개선
기능성 화장품
영유아** 피부 사용 적합
소아과
피부 테스트 완료
0세부터 성인까지
인체적용시험 완료
10가지
보습 장벽 개선
Dr.G
Dermoisture Barrier.D Intense Cream
Double Barrier.D Solution
Moisturizing Barrier Solution for sensitive skin of all ages.
Long Lasting Moisture
Micro Skin Liposome
Family Use
MY SKIN MENTOR Dr.G
성 보고 제품명 : 닥터지더모이스처배리어디인텐스크림
유아 및 소아 대상 2주간 사용성 평가 인체적용시험 : ㈜엘리드/2023.02.22~03.10/평균 3.29 ± 1.78세의 영유아 및 소아 25명
세상코스메틱 공식몰과 OLIVE YOUNG에서 만나보세요
www.dr-g.co.kr / 1811-9415

8. 연관된 수용체/효소/기타

1) Protease activated receptor-2(PAR-2)

Protease activated receptors(PARs)는 7개의 아미노산으로 구성되며, transmembrane domain이 존재하는 G단백 결합 수용체(G-protein-coupled receptors)의 superfamily이다. 단백분해효소의 세포내 반응을 매개하며, 4종류의 PARs(PAR-1, -2, -3, -4))가 존재한다. 수용체는 구조적으로 유사하다. 공통적인 활성화 기전을 공유하고 있으나, 조직에 따라 차이가 있다. PAR-1, -3, -4는 thrombin 수용체로서 조혈세포에 많이 분포한다. 그 외에 단핵구·T림프구 및 혈소판에 존재하며, 혈소판의 혈액 응고 반응에 필수적이다. PAR-2는 각질형성세포, 혈관 내피세포, 소화기 상피세포, 소화기 근세포, 췌장 선세포에 분포한다. Serine protease에 해당하는 trypsin, 비만세포가 분비하는 tryptase 및 factor VIIa·Factor Xa 등의 혈액 응고 인자에 의해 활성화된다.

• 활성화 기전

Serine protease(trypsin, tryptase)는 PAR-2의 세포외 N-말단에 위치하고 있는 효소 부위를 절단하며, N-말단 부위(사람 NH2-SLIGKV)를 노출시킨다. 새로운 N-말단 부위가 세포막에 존재하는 PAR-2 수용체와 재결합하여 tethered ligand를 형성하므로 수용체를 활성화시킨다[효소적 활성화(enzymatic activation)]. 비효소적 활성화(non-enzymatic activation) 기전은 다음과 같다. 합성된 5~6개의 아미노산으로 이루어진 활성 펩티드[SLIGRL-amide 또는 SLIGKV-amide(SLIGKV-NH2)]는 효소 부위를 절단시키지 않으며, PAR-2 수용체와 직접 결합하여 수용체를 활성화시킨다.

• 신호 전달 경로

PAR의 공통적인 신호 전달 경로는 heterotrimeric Gq/11 단백에 의해서 phospholipase C(PLC)가 활성화된다. Inositol triphosphate와 diacylglycerol이 형성되어 칼슘 이온 및 protein kinase C(PKC)가 활성화된다. PAR-1은 Gq/11 단백과의 상호 작용 외에 Gi 단백에 의해 PAR-2가 활성화되면 c-Src를 경유한 신호 전달 및 mitogen-activated protein(MAP) kinase 경로에 의해 신호 전달이 유발된다.

• PAR-2 발현

표피에 PAR-1, PAR-2의 두 가지 형태가 존재하며, serine protease에 의한 하위 신호 전달을 매개한다. PAR-1은 serine protease(thrombin, trypsin)에 의해서 활성화되지만, PAR-2는 thrombin에 의해서 활성화되지 않는다. Trypsin, 비만세포의 tryptase, factor Xa, acrosin, gingipain, neuronal serine protease 및 표피에 내인적으로 존재하는 serine protease[Kallikrein(KLK)5, KLK6, KLK14]에 의해 활성화된다. 정상 피부에서 PAR-2는 serine protease의 활성도를 감지하여 G-단백 결합 단백에 의한 세포내 반응을 매개하는 수용체 역할을 담당한다. PAR-2는 세포의 형질막, 특히 lipid raft에 위치하고 있다. Lipid raft는 세포막의 특수한 microdomain이며, Golgi apparatus에서 glycosphingolipid와 sphingomyelin이 응집되어 세포 막으로 운반된다. Lipid raft에 콜레스테롤, glycosylphosphatidyliositol-linked protein 등이 포함되어 있다. Lipid raft에 위치하고 있던 PAR-2가 활성화되면 내포작용(endocytosis)에 의해 세포질 내부로 이동하여 분해되는 과정을 거친다.

PAR-2는 과립층에서 가장 높게 발현된다. 그외에 모낭의 각질형성세포 및 피지선, 내피 세포(혈관), 근상피 세포(한선), 수지상 세포(진피)에서 발현된다. 염증이 유발되면 PAR-2는 구심성 신경 섬유에서 발현된다. 아토피 피부염은 정상 피부 및 건선의 표피에 비하여 PAR-2가 하부 표피의 각질형성세포에서 발현된다.

• 피부 장벽 vs PAR-2

첫째, PAR-2는 층판소체 분비를 조절함으로 피부 투과 장벽에 관여한다. PAR-2는 층판소체가 형성되고 분비되는 표피 상층부의 lipid raft 영역에 존재하며, 층판소체 분비에 영향을 끼친다. 피부 장벽 기능이 손상되면 피부의 pH가 증가하여 각질층 내에서 단백분해효소 활성이 급격히 증가되고, PAR-2 수용체가 lipid raft domain에서 세포질 내부로 내화(internalization)된다. PAR-2 작용제를 도포하면 표피 투과 장벽 기능의 회복이 지연되며, 층판소체 분비가 억제된다. PAR-2 K/O mice는 급성 장벽 손상 후에 층판소체 분비, lipid raft 형성, caveolin-1의 발현 활성이 증가된다.

둘째, PAR-2는 각질형성세포의 최종 분화 및 각질세포 형성을 조절한다. PAR-2가 결핍되면 급성 장벽 손상 후의 각질세포 형성이 감소하므로 과립층 상부 세포의 최종 분화가 지연된다.

• 피부 질환 vs PAR-2

아토피 피부염의 outside-inside-outside 모델을 소개한다. 유전 혹은 후천적인 자극으로 유발되는 표피 구조의 이상(outside)이 선행되면 면역 반응이 활성화되고(inside), 면역학적 염증 반응은 다시 표피 투과 장벽 장애(outside)를 초래한다는 개념이다. 아토피 피부염에서 표피 투과 장벽의 일차적인 기능과 구조적인 결함에 의해 serine protease/antiprotease 발현 부전이 유발된다. 병변에서 trypsin-like KLKs과 chymotrypsin-like KLKs가 증가되어 있으며, PAR-2는 과립층 뿐 아니라 표피 하부까지 발현된다. 중증의 아토피 피부염이 동반되는 Netherton 증후군은 serine protease 억제제[lympho-epithelial Kazal-type related inhibitor(LEKTI)]를 발현시키는 유전자(SPINK5)의 기능 소실에 의해 serine protease 활성화가 나타난다.

환자에서 SPINK5 SNP(Glu420Lys) 빈도가 정상인 보다 높다. 아토피 피부염 환자에서 3' region of KLK7의 gain-of-function polymorphism(AACCAACC vs AACC)이 알려져 있다. 다양한 요인에 의해 내인성 단백분해효소 활성이 증가하면, PAR-2가 활성화된다. 아토피 피부염 유발 및 악화시키는 알레르겐(집먼지 진드기, 바퀴벌레 유래물질) 등도 PAR-2를 활성화시킨다. 아토피 피부염에서 PAR-2의 활성화에 의하여 피부 장벽 기능의 회복이 저해되며, 신경성 염증과 가려움증을 유발한다. Netherton 증후군에서 활성화된 KLK5가 염증 반응 및 피부 장벽 손상 이외에 PAR-2를 활성화함으로써 thymic stromal lymphopoietin(TSLP) 발현이 증가되므로 아토피 피부염과 유사한 피부 증상을 유발한다.

건선은 표피 증식과 염증을 특징으로 하는 만성 피부 질환이다. 병변에서 KLK5, -6, -7, -8, -10, -11, -13, -14 및 PAR-2가 과립층에서 기저층 상부 표피까지 발현

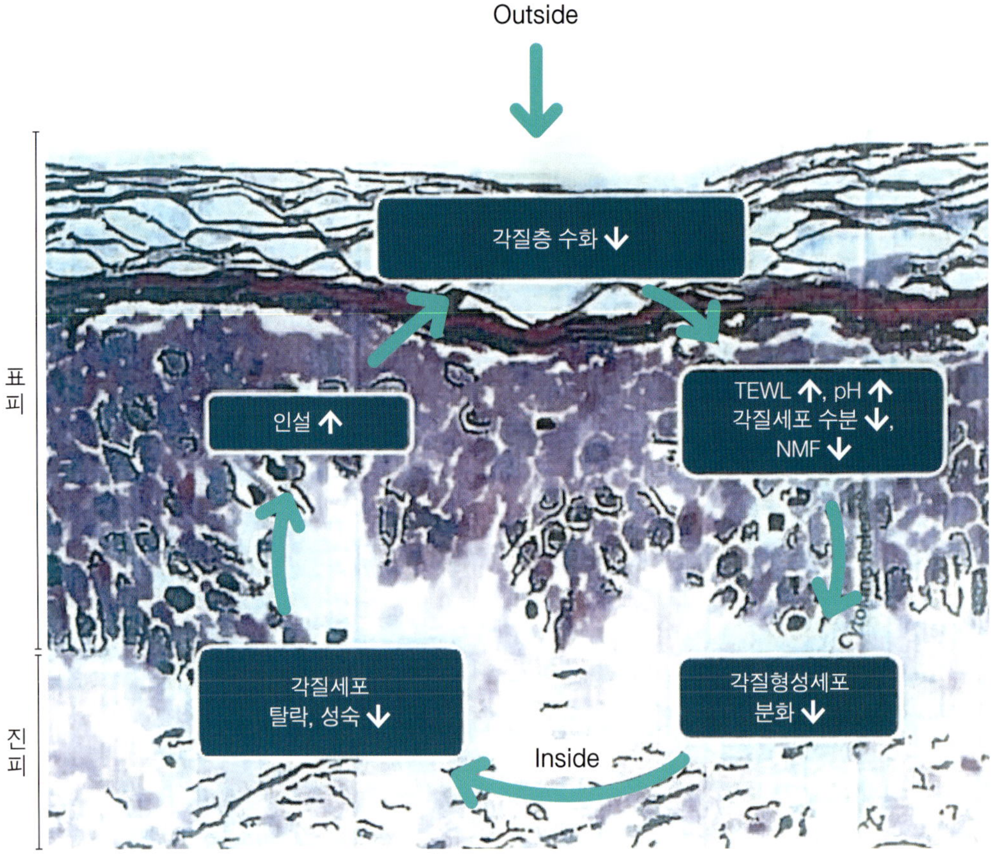

그림 8-1. Outside-inside-outside 개념

된다. 건선에서 증가된 KLKs은 각질형성세포 증식과 T 림프구의 활성화에 관여하며, PAR-2를 통하여 염증 반응을 유발한다.

멜라닌세포에서 각질형성세포로 멜라닌 소체가 이동하면 색소 침착이 유발된다. 이동 기전은 다양한 가설이 제시되고 있다. 멜라닌 소체의 세포 포식(cytophagocytosis)와 PAR-2가 연관된다. 자외선 노출, 피부 질환에 의한 염증성 색소 침착을 억제하기 위해 trypsin inhibitor가 포함된 soymilk를 화장품에 이용한다.

염증에 의해 피부에서 백혈구의 elastase, 비만세포가 분비하는 tryptase, 각질형성세포에 생산되는 trypsin-family의 단백분해효소(trypsinogen-4), fibrinolysis cascade의 단백분해효소(factor VII/Xa)와 같은 PAR-2를 활성화시키는 단백분해효소가 증가한다. PAR-2는 혈관 내피세포, 호산구, 호중구, 단핵세포, 포식세포, 수지상 세포, 비만세포, T 림프구 등의 면역 및 염증 반응에 관여하는 세포에 분포하며, 구심성 신경세포 말단에 존재한다. 그러므로 염증 반응에 의해 PAR-2가 활성화되면 다양한 염증성 사이토카인, 케모카인, 부착 인자를 비롯한 염증 매개 물질은 염증 반응을 증폭시킨다. 구심성 체신경, 내장에 분포하는 신경 섬유의 활성화 및 감작에 PAR-2가 관여하므로 신경성 염증 및 통증과 연관이 있다. 그 외에 여드름, 상처 치유, 소양증에 관여한다.

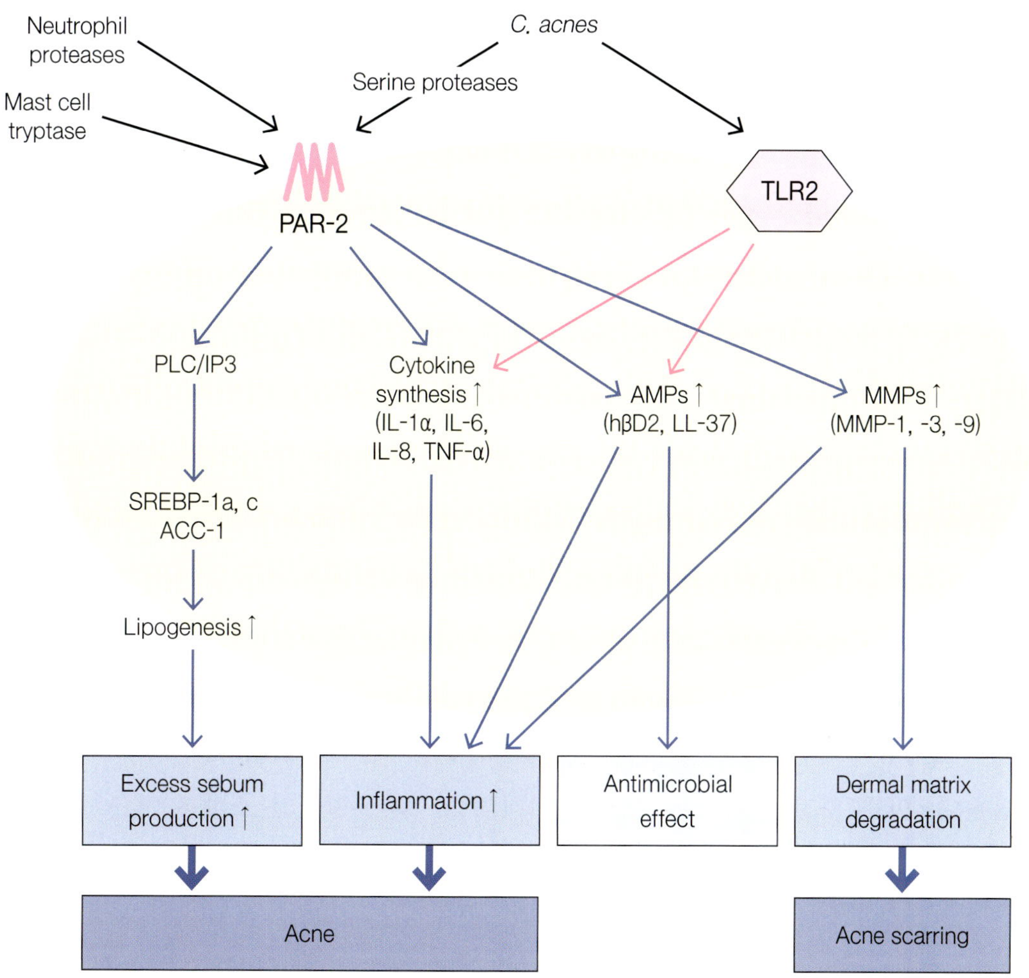

그림 8-2. PAR-2가 표피 투과 장벽에 미치는 영향(여드름)

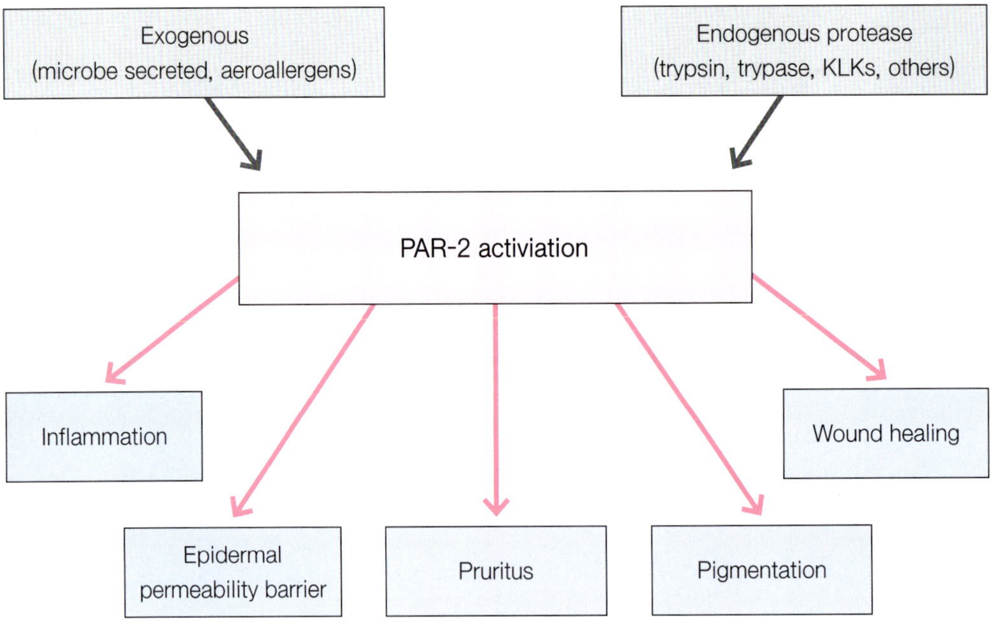

그림 8-3. PAR-2의 다양한 기능

2) 핵 수용체(핵 호르몬 수용체)

핵 수용체(nuclear receptor, nuclear hormone receptor)는 내부로 이동된 리간드(ligand) 호르몬과 결합 및 활성화되면 유전자 발현에 관여한다.

48 종류의 핵 수용체가 규명되었으며, 수용체와 결합하는 리간드 및 호르몬에 따라 분류한다. 대사 증후군, 노화 기전에 중요한 역할 외에 피부 장벽과 연관된 핵 수용체는 2종류가 있다. PPAR(peroxisome proliferator-activated receptor)는 PPAR α, PPAR β/δ, PPARγ 아형이 있으며, 기능 및 역할에 다소 차이가 있다. LXR(liver x receptor)은 LXRα, LXRβ가 있으나, 기능 및 역할은 차이가 없다.

PPAR/LXR이 활성화되면 cholesterol sulfotransferase에 의해 cholesterol sulfate 합성이 증가된다. 쥐 피부에 PPAR/LXR 리간드를 국소 도포하면 급성 장벽 손상에 의한 회복이 촉진된다. 기전은 표피의 cholesterol·fatty acid·sphingolipid 합성 증

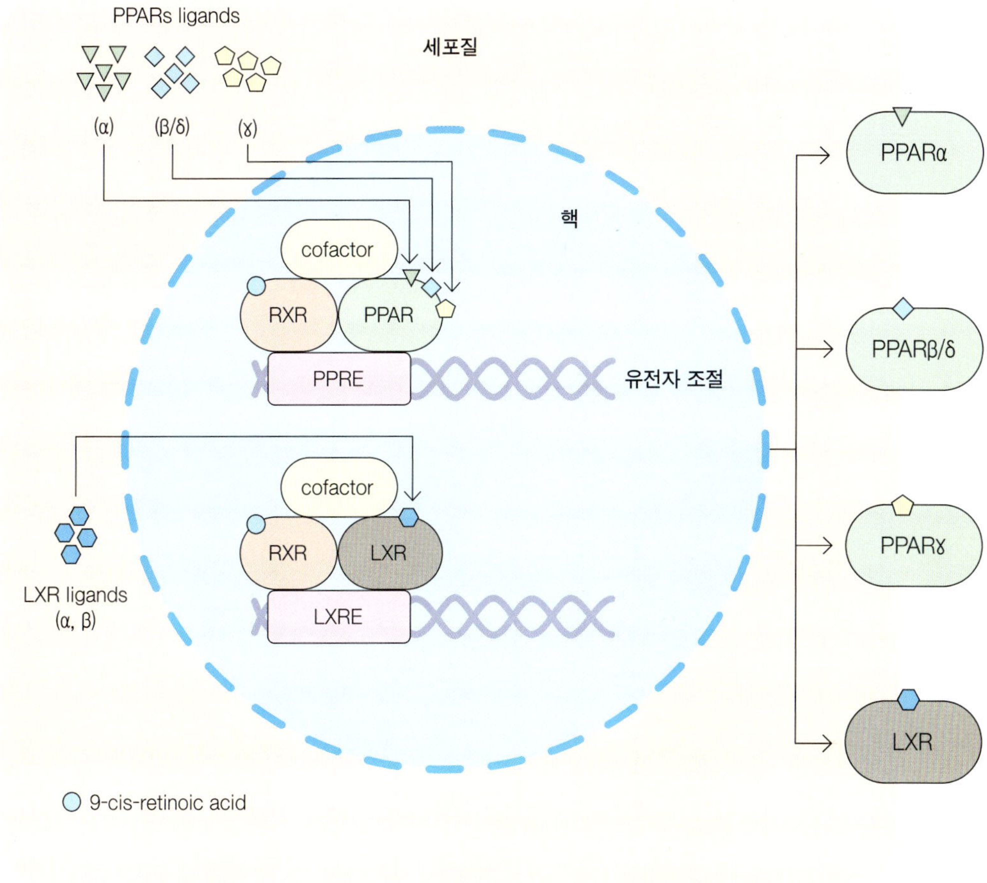

그림 8-4. 핵 수용체

가, 층판소체 숫자 및 분비 증가, β-glucocerebrosidase 활성화에 기인한다. 지질을 층판소체로 이동시키는 데 중요한 역할을 하는 것으로 알려진 ABC transporter family(ABCA12) 발현은 PPAR/LXR의 활성화에 의해 증가된다. 그러므로 PPAR/LXR은 피부 장벽 회복의 조절 인자이다. PPAR/LXR은 표피 분화와 표피 지질 합성을 촉진함으로써 각질세포 및 각질세포간 지질막 형성이라는 두 가지 기전을 통해 피부 장벽 회복에 중요한 역할을 한다.

표 8-1. PPAR·LXR 기능 및 구분

구분 / 기능	PPARα	PPAR β/δ	PPARγ	LXR
	각질형성세포 분화↑	각질형성세포 분화↑	각질형성세포 분화↑	각질형성세포 분화↑
	각질형성세포 증식↓	각질형성세포 증식↓	각질형성세포 증식↓	각질형성세포 증식↓
	피부 장벽 회복↑	피부 장벽 회복↑	피부 장벽 회복↑	피부 장벽 형성/회복↑
	표피 지질 합성↑	표피 지질 합성↑	표피 지질 합성↑	표피 지질 합성↑
	피지세포 성숙↑	피지세포 성숙↑	피지세포 성숙↑	피지세포 성숙↑
	lipogenesis↑ (피지세포)	lipogenesis↑ (피지세포)	lipogenesis↑ (피지세포)	lipogenesis↑ (피지세포)
	자외선에 의한 염증↓	항염증↑	자외선에 의한 염증↓	자외선에 의한 염증↓
	항염증↑		항염증↑	항염증↑
	태아 표피 발달↑			
	각질층 형성↑			

3) Transglutaminase

트란스글루타미나제(Tgm)는 lysine(doner), glutamine(acceptor) 단백질 교차 결합을 유도한다. 분화 과정 중에 칼슘 농도가 증가하면 envoplakin, periplakin 발현 및 involucrin은 각질세포막 주변에 분포한다. Tgm-1에 의해 involucrin 또는 envoplakin·periplakin과 결합체를 이루며, 막 내부 표면을 둘러싸면서 층을 형성한다. 또한 loricrin, samll rich protein(SPR)이 케라틴 섬유와 결합되어 외막 단백질과 연결된다. Loricrin은 Tgm-3에 의해 SPR과 결합되며, 각질세포막의 80%를 차지한다. w-hydroxyceramide의 지방산 탄소 고리는 세포막을 통과하여 단백질 골격(involucrin-envoplakin-periplakin)과 연결되며, Tgm-1에 의해 공유 결합된다. 상기 과정을 거친 지질막은 층판소체에서 배출된 지질층과 함께 효율적인 배열 구조 형성에 관여한다.

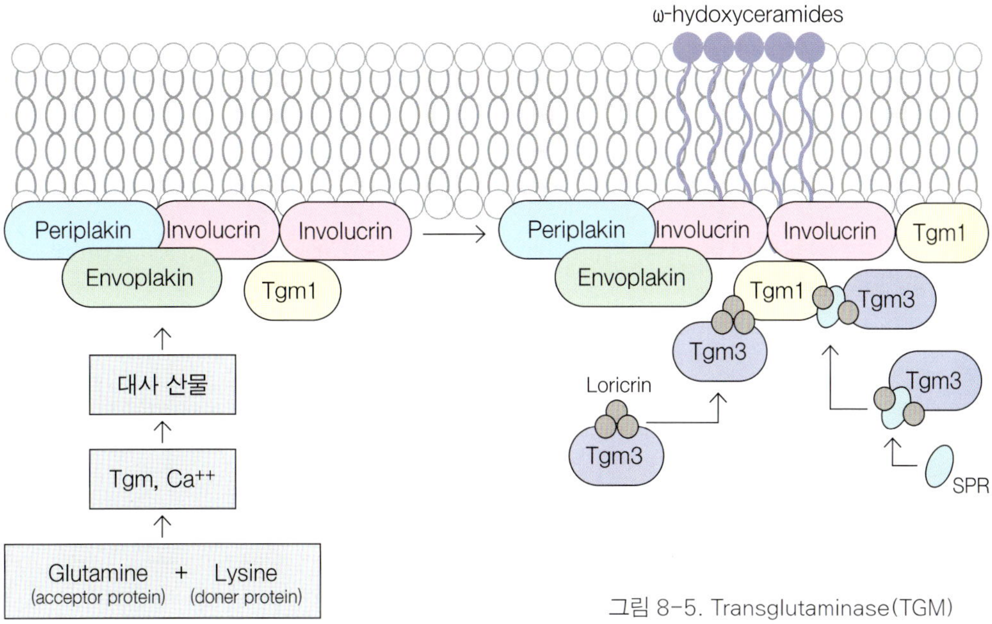

그림 8-5. Transglutaminase(TGM)

4) 표피 성장 인자

표피 성장 인자(epidermal growth factor, EGF)는 표피 성장 인자 수용체(EGFR)에 친화성이 높은 amphiregulin(AREG), heparin-biding-EGF-like growth factor, epiregulin 등이 있다. 각질형성세포는 EGFR ligand를 발현한다. 기저층에서 높게, 상층부로 갈수록 낮게 나타난다. EGFR 신호 전달은 EGFR ligand의 상호 작용에 의하며, 세포 증식·분화·이동·생존 등을 조절하는 기능이 있다. 막 결합 전구 EGFR ligand(TGF-α, HB-EGF, AREG)는 ADAM 17(a disintegrin and metalloproteinase 17)에 의해 세포막에서 유리되면서 활성화된다. 이후에 protein kinase c(PKC), phospholipase c-r(PLCr) 경로에 의해 transglutaminase(TGase) 활성화를 촉진하므로 각질형성세포의 최종 분화에 관여한다. AKT, P13K 경로는 세포 생존과 연관된다. RAF, MEK, ERK 신호 전달 경로 활성화는 각질형성세포 증식, 세포 운동·이동에 의한 상처 치유에 관여한다. ERK 신호 전달 경로는 TNF-α에 의한 chemokine mRNA 발현을 감소시키므로 피부 염증 반응에 관여한다. 히알루론산 합성 효소(hyaluronan synthase, HAS 2/3) 증가는 수용체 CD44 증가를 유도하며, 세포 분화에 관여한다.

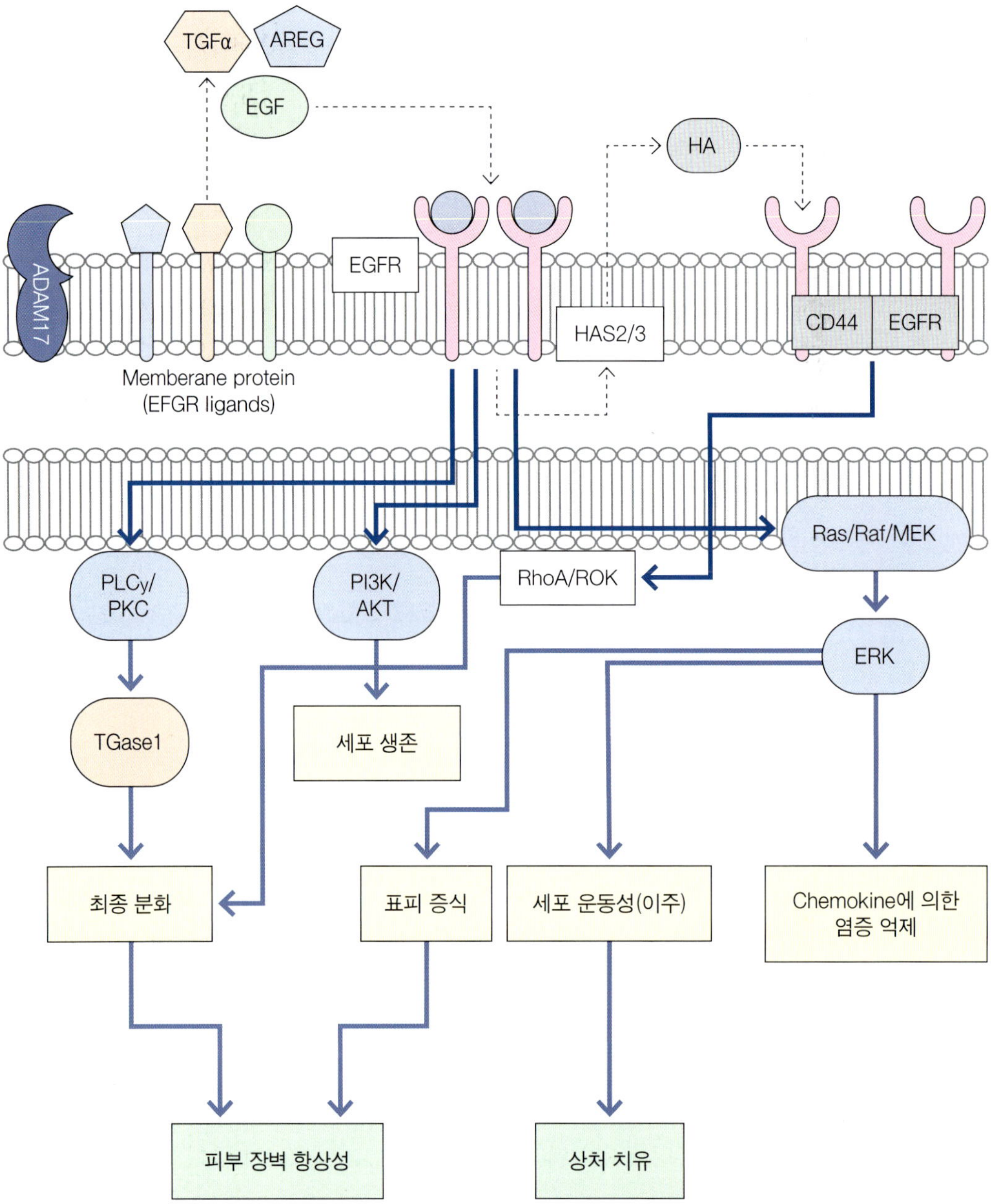
TGFα
AREG
EGF
HA
ADAM17
EGFR
HAS2/3
CD44
EGFR
Memberane protein
(EFGR ligands)
Ras/Raf/MEK
PLCγ/
PKC
PI3K/
AKT
RhoA/ROK
ERK
TGase1
세포 생존
최종 분화
표피 증식
세포 운동성(이주)
Chemokine에 의한
염증 억제
피부 장벽 항상성
상처 치유

그림 8-6. 표피 성장 인자

참고: Acid mantle

각질층의 산성 pH는 투과 장벽 뿐만 아니라 병원성 미생물 성장을 억제하는 항균 장벽 기능을 담당한다. 피지에서 유래된 자유 지방산, 땀의 젖산 뿐만 아니라 표피 인지질(phospholipid)이 secretory phospholipase A2에 의해 생성된 각질층의 자유 지방산, 과립세포 표면에 존재하는 Na+/H+ antiporter(NHE-1) 등이 관여한다.

각질층 pH가 상승하면 2가지 효소[산성 스핑고마이엘린네이즈(acidic sphingomyelinase), 베타-글로코세레브로시데이즈(β-glucocerebrosidase)] 작용이 낮아지므로 세라마이드가 감소한다. 또한 단백 분해효소(serine protease) 및 PAR-2 활성 증가에 의해 층판소체 분비가 감소하므로 피부 장벽 기능이 손상된다. 자유 지방산에 의해 pH가 산성을 유지하면 인지질 분해효소가 인지질에 작용하며 glycerol을 생성한다. 글리세롤은 각질층에서 수분을 유지시키므로 피부 수화가 지속된다.

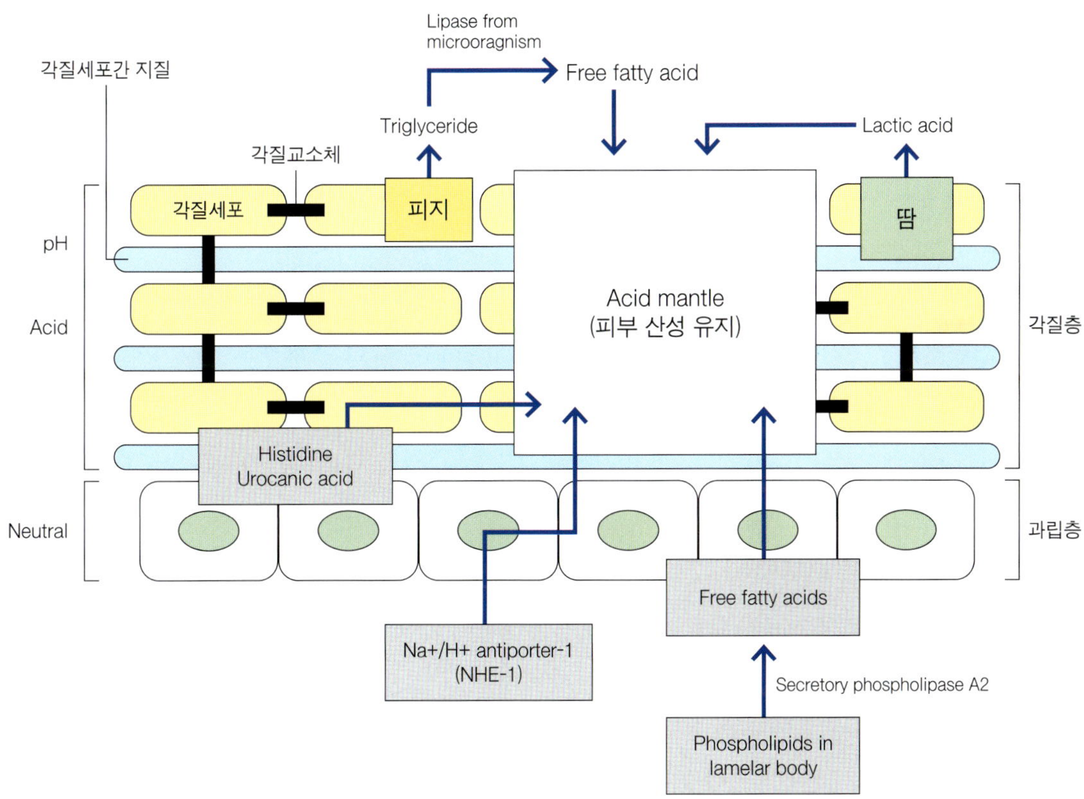

그림 8-7. Acid mantle

5) 항균 펩티드

표피와 피부 부속기(한선, 피지선)에서 항균력이 있는 단백질을 생성하고 분비한다. 자체적으로 항균력이 있는 항균 펩티드(antimicrobial peptide) 및 항균력은 없지만 미생물이 피부 침투를 위해 분비하는 각종 가수분해 효소 작용을 억제하는 단백분해 효소 억제제가 있다. 피부 항균 장벽과 연관된 중요한 항균 펩티드는 '천연 항생제'로 알려진 cathelicidin(LL-3), human beta defensins(hBD 1-4) 외에 RNase7, psoriasin, lysozyme, dermcidin, 자유 지방산 등이 있다. LL-37, hBD2는 표피에서 가장 먼저 발견된 항균 펩티드이다. 저분자량의 cystein이 풍부한 양 이온성 및 소수성 펩티드이다. LL-37은 α-helix 구조, hBD 2는 β-sheet구조를 갖는다. hBD-2, hBD-3, cathelicidin 등은 정상 피부에서 낮게 발현되지만, 감염·손상·자외선·상처 치유 등에 의해 급격히 증가되는 특성이 있다(inducible AMPs).

① 기능

항균 펩티드는 3가지의 중요한 역할을 담당한다.

첫째, 광범위한 항균 작용이 있다. 분자량이 작고 소수성을 갖기 때문에 미생물의 소수성 지질막에 pore를 형성하므로 미생물을 사멸시킨다. hBD 2는 그람 음성 세균에 효과가 뚜렷하지만, 항균 스펙트럼은 광범위하다. 특히 LL-37은 그람 양성/음성 박테리아, 진균, 바이러스까지 작용한다. 둘째, 각종 염증 및 치유 반응에 관여하는 신호전달 분자(signaling molecules)로 작용한다. 세균에서 생성된 독성 물질 중화 및 호중구, T 림프구 등의 적응 면역(adaptive immunity)에 관여하는 세포의 화학주성 인자로 작용한다. 항원 전달에 관여하는 수지상 세포를 활성화한다. 선천 면역과 적응 면역을 이어주는 매개체이며, 감염이 되면 각질형성세포에서 급속히 발현되어 적응 면역을 유도하는 경보성 활성(alarming activity)에 관여한다. 셋째, 투과 장벽의 완전성 유지에 관여한다. 항균 펩티드는 미생물의 세포막에 'pore'를 형성하여 미생물을 파괴시킨다. 항균 펩티드는 다양한 아미노산 배열과 단백질 접힘을 나타낸다. 공통적으로 작은 분자량과 양이온의 친수성 및 소수성을 띄는 양쪽 친매성 구조(amphiphilic structure)를 갖고 있다. 이러한 구조는 음전하를 띄는 미생물의 세포막에 양전하를 띄는 친수성 부위가 접근하여 부착하고, 소수성 부위가 세포막 지질로 삽입되어 안쪽을 둘러싸면서 작은 구멍을 형성한다. 이러한 구멍을 통해 세포 내외의 물질이 급격히 이동하여 세포 사멸을 유도한다. 인체의 각질형성세포 또는 다른 염증 세포에 대해서 외부 미생물과 같은 세포 독성이 없다.

미생물은 항균 펩티드에 저항할 수 있는 방어 기전이 존재한다. 상피세포 또는 염증세포에서 항균 펩티드 발현을 억제하는 plasmid DNA와 같은 유전 물질을 분비하거나, 항균 펩티드를 파괴하는 단백효소를 분비한다.

② 종류

Cathelicidin(LL-37)은 포유동물 피부에서 처음 발견된 항균 펩티드이다. hBD 2와 함께 각질형성세포의 층판소체에 존재한다. 전구 단백질은 비활성형의 hCAP18이며, serine protease[stratum corneum tryptic enzyme(SCTE)]에 의해 절단되어 N-terminal의 cathelin-like domain과 C-terminal의 AMP domain으로 구분한다.

AMP domain은 두 개의 leucine으로 시작되는 37개의 아미노산으로 조합되기 때문에 LL-37이라고 명명한다. 그람 양성/음성 박테리아, 진균, 바이러스를 포함하는 매우 광범위한 항균 스펙트럼이 있다. 항균 작용 외에 다양한 기전에 의해 개체의 면역 및 염증 반응을 유도 혹은 증폭시키는 'alarming'으로 작용하는 대표적 항균 펩티드이다. 면역학적 작용은 세포 표면 수용체 또는 분자에 직접 LL-37이 결합한다. G protein-coupled receptor, EGF-receptor, Toll like receptor(TLR), 세포내 칼슘 이온 수송의 증가 등을 통해 매개된다.

hBD 2 분자량은 4.3 kDa이며, *Pseudomonas aeruginosa, E. coli*와 같은 그람 음성 박테리아에 살균력이 있다. 그람 양성 박테리아는 고농도에서 정균력을 나타낸다. hBD3의 분자량은 5 kDa이며, 각질형성세포에서 생성된다. LL-37과 유사하게 항바이러스 효과 및 광범위한 살균력이 있으며, 염증 및 면역 반응에 관여한다.

Psoriasin(S100A7)은 칼슘 결합형 S100 단백질군의 일종이며, 건선(psoriasis)에서 매우 증가되므로 'psoriasin' 으로 명명되었다. 분자량은 11 kDa이며, acyl 말단기를 갖고 있으므로 항균 펩티드 중에서 소수성이 강한 펩티드이다. LL-37, hBD2처럼 장벽지질과 혼합되어 각질층의 세포외 공간으로 분비된다, 모낭, 피지선, 점막 접경부 및 수화된 피부에서 특히 증가되어 있다. *E. coli*에 대한 항균력은 뛰어나지만, 다른 그람 음성균, *S. aureus*와 같은 그람 양성균에는 항균력이 미약하다. 미생물의 세포 지질막에 pore 형성 외에 Zn^{2+}/Cu^{2+} sequestration에 의해 세균을 손상시킨다. 이러한 항균 기전은 pH의 영향을 받는다.

RNase7은 정상 각질층에서 발현되므로 정상 피부의 항균 펩티드로 사료된다. 외부 미생물의 침입 또는 염증성 사이토카인(IFN-γ TNF-α, IL-1)에 의해 증가된다. 광범위한 항균력이 있다. 특히 *Streptococcus(Enterococcus) faecalis*에 높은 항균성이 있으므로 장내 세균을 방어하는 역할이 고려되고 있으나, 정확한 항균 기전은 미상이다.

Dermcidin은 에크린 한선에서 생성되는 항균 펩티드이며, 땀에 섞여서 피부로 배출된다. 9.3 kDa의 전구체로 발현되며, 단백 분해 과정을 거쳐 47개의 아미노산으로 구성된 펩티드이다. 그람 양성/음성 박테리아, 진균에 광범위한 살균력을 나타낸다.

참고: 건선·아토피 피부염 vs 항균 펩티드

항균 펩티드는 항균 효과와 염증을 매개하는 면역 조절 기능이 있으므로 각종 피부 질환의 병인 및 경과와 연관되어 있다(표 8-2). 만성 피부 장벽 손상이 동반되는 피부 질환(아토피 피부염, 건선)은 항균 펩티드에 의한 반응에 차이를 보인다. 아토피 피부염은 항균 펩티드의 발현 감소에 의한 항균력 저하가 문제가 된다. 그러나 건선은 항균 펩티드의 과발현에 의해 피부 감염은 예방되지만, 조절 이상에 의해 염증이 유발된다.

표 8-2. 피부 질환과 항균 펩티드

질환	변화	연관된 AMPs	특징
건선	↑↓	LL-37, hBD-2,-3, psoriasin	Autoantigen: self-DNA/LL-37 complex
아토피 피부염	↓	LL-37 hBD-2,-3, dermcidin	Decreased inducibility Prevent *E.coli* infection
급성 손상/화상	↑	LL-37	Due to lack of epidermis
주사	↑	LL-37	Abnormal processing

9. 피부 장벽과 연관된 인자

매우 다양한 내·외적(환경, 생리 등) 인자가 피부 장벽에 관여한다.

표 9-1. 피부 장벽 기능에 관여하는 내·외적 인자

환경 인자	장벽 회복	생리 인자	장벽 회복
저온	억제(↓)	나이(노화)	억제(↓)
저습도	촉진(↑)	스트레스	억제(↓)
고습도	억제(↓)	스테로이드	억제(↓)
피부 건조증	억제(↓)	테스토스테론	억제(↓)
수화·침수	억제(↓)	Ca, Mg, Potassium	억제(↓)·촉진(↑)
자외선	억제(↓)·촉진(↑)	에스트로겐/갑상선 호르몬	촉진(↑)

1)온도(temprature)

정상인의 피부 온도는 환경에 따라 변한다. 피부는 감각을 인지하는 기관이므로 온도, 습도, 물리·화학적 자극을 감지하는 수용체가 존재한다. 저온, 고온은 피부에 어떤 영향을 줄까? 매서운 겨울철에 야외에서 일하는 근로자, 빙상 선수 그리고 레포츠를 즐기면 어떨까? 장시간 추위에 노출되면 피부는 동상, 동창이 발생하며, 피부 장벽이 손상되면 회복은 지연된다.

표 9-2. 체온 변화에 따른 결과

체온(°C)	결과	체온(°C)	결과
43~45	생존 상한선(단백질 변성)	41~43	의식 상실(체온 조절 불완전)
38~41	열성 질환 발생	35.5	수면 장애, 호흡 곤란
35	암세포 활성	34.5	한계 체온, 조난 난파(사망 50%)
30~33	의식 상실 (체온 조절 불완전)	30이하	심부 정맥 기능 손실 (체온 조절 능력 상실)

표 9-3. 한냉 노출에 의한 결과

물 노출			
수온 15.6°C	2~5시간 내에 사망	4.4°C	1시간 내에 사망
공기 노출(안정 상태)			
기온 -12.2°C	6시간 내에 사망	-23.3°C	4시간 내에 사망
-40°C	1.5시간 내에 사망	-56.7°C	25분 내에 사망

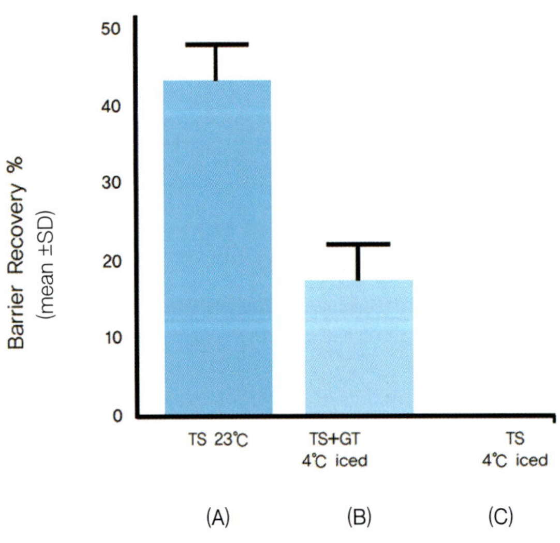

그림 9-1. 피부의 온도에 따른 피부 장벽의 회복. Tape stripping(TS) 후 4℃의 얼음을 접촉시키면 장벽 회복이 거의 되지 않으나(C), Goretex(GT)를 덮으면 어느 정도 장벽이 회복된다(B). 23℃ 실내 온도에 방치하면 장벽 회복이 빨라진다(A).

한랭(cold)이 피부 장벽에 미치는 영향에 관한 연구는 Halkier-Sorensen 등이 냉동 창고 근로자에게 건조 피부와 습진이 많이 발생하는 현상을 착안하여 시작되었다. 한랭 노출 및 작업 환경에서 벗어난 후 상온에 피부가 노출되면 균열과 건조 증상 등의 직업성 피부 질환이 호발한다. 한랭이 피부 장벽을 손상시킨다고 가정하여 무모 생쥐를 이용한 연구를 시행하였다. 아세톤으로 급성 피부 장벽 손상시킨 후 한랭에 5시간 노출시키면 피부 장벽 회복이 감소하였다.

Elias 교수와 필자는 무모 생쥐를 이용하여 피부 장벽을 테이프 스트리핑으로 인위적 손상을 시킨 후에 얼음 조각을 피부에 3~6시간 접촉시켰다. 피부 온도를 저온(28~32°C)로 유지시키면 장벽 기능은 회복 불능! 실내 온도에 방치하면 회복! Gore-Tex 또는 밀폐제(petrolatum)를 도포하고 얼음 조각을 접촉시키면 20~40% 회복되었다. 테이프 스트리핑 후에 실내 온도에 노출시키면 30% 회복되었다. 피부 장벽을 손상시킨 후에 43°C 이상의 고온에 노출시키면 장벽 회복이 늦어진다. 그러나 32~36°C의 온도는 회복을 촉진시켰다.

한랭은 층판소체 감소에 의한 표피 지질 합성 저하와 칼슘 기울기 소실에 의해 피부 장벽을 손상시킨다고 보고하였다. 장벽 손상 후의 한랭 노출은 칼슘 기울기 회복과 각질세포 외막 형성을 억제하여 피부 장벽 회복이 낮았다. 그러나 수분 투과성의 Gore-Tex 밀폐 및 petrolatum과 같은 밀폐제는 칼슘 기울기 회복과 각질세포외막 형성에 효과적으로 작용하여 피부 장벽 회복을 촉진하였다. 그러므로 한랭에 노출되는 근로자에게 보호 장구나 장벽 크림을 도포하는 방법은 유용하다. (JID 2002:119;1128 / 대피지 2008:46;437)

2050을 아시나요? 20은 온도, 50은 습도이며, 가장 이상적인 환경입니다!

2)습도(humidity)

피부 장벽의 원산지는 미국 샌프란시스코이다. 금문교가 보이는 UCSF의 보훈 병원에 Elias 교수가 근무하고 있다. 그곳은 온도, 습도 변화가 거의 없는 봄·가을 날씨이다. 한국의 여름은 고습도, 겨울은 저습도 및 온도 차이가 변화 무쌍하다. 그래서 민족성이 '다이나믹' 또는 '냄비'일까?

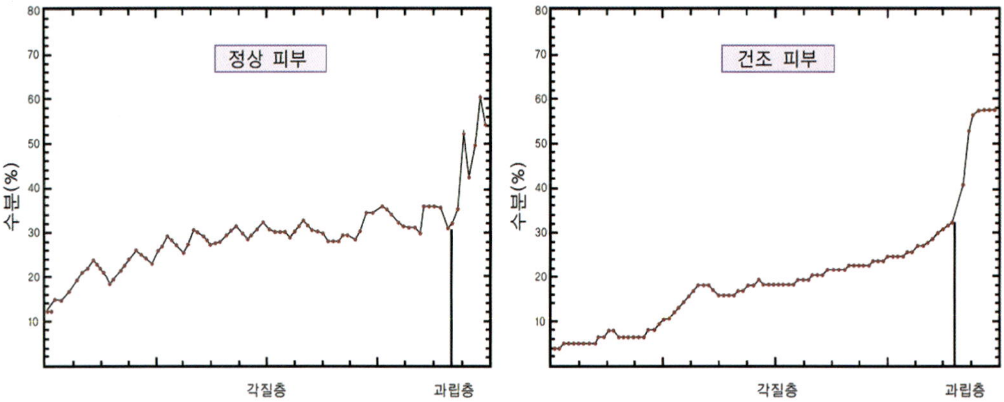

그림 9-2. 각질층에서 10% 이하의 수분이 존재하면 건조증이 발생한다.

무모 생쥐를 건조한 환경(상대 습도 10% 이하)에 2주간 노출시키면 경표피 수분 손실이 감소(30%)하며, 층판소체의 합성·분비가 증가되므로 지질이 증가한다. 높은 습도(상대 습도 80% 이상)에서 사육한 무모 생쥐를 낮은 습도(상대 습도 10% 이하)에 노출하면 경표피 수분 손실이 6~7배 증가하며, 지질 감소 및 형태가 변형된다. 늙은 생쥐를 낮은 습도에 노출시키면 표피가 증식되고 염증, 인설이 증가한다.

연구 결과를 요약하면 다음과 같다. 건조한 환경에서 피부가 장기간 노출되면 피부 장벽 기능이 향상되지만, 습한 환경에서 건조한 환경으로 이동하면 피부 장벽 기능 이상이 나타난다. 건조한 환경에서 피부 장벽 기능이 손상되고, 동일한 환경에서 회복되면 정상적인 회복 양상을 나타낸다. 그러나 장벽 기능을 손상시킨 후에 건조한 환경으로 이동하거나, 건조한 환경에 적응하기 전에 장벽 기능을 손상시키면 표피 과증식, 비만세포의 비후, 염증이 동반된다.

피부 건조증이 동반된 아토피 피부염, 건선과 같은 피부 질환은 겨울철과 같이 건조한 계절에 악화된다. 건조한 환경은 장벽 기능이 더욱 악화된다. 보습제 등을 이용하여 피부에 수분을 보충해야 한다.

참고: 상대 습도 vs 절대 습도

스위스 물리학자 호라스 베테딕트 소쉬르(HB de Saussure)는 최초의 모발 습도계를 소개하였다. 모발 수분 흡수는 기기의 도르래 및 눈금의 변화를 측정하여 습도를 계산하였다. 그는 비가 내리면 곱슬 머리카락이 말려들고 퍼머 머리카락이 풀리는 현상을 발견하였다.

상대 습도는 공기가 최대로 흡수하는 수증기 량 vs 현재의 수증기 량을 의미한다. 최대 수증기 량이 100이며, 현재의 수증기 량이 50이면 상대 습도=50%이다.

절대 습도는 대기 1m^2에 포함된 수증기 양(gm)을 의미한다. 100%는 현재의 기온

그림 9-3. 건조한 토양에서 꽃을 피우는 노력은 피부 장벽 연구자의 꿈일까?

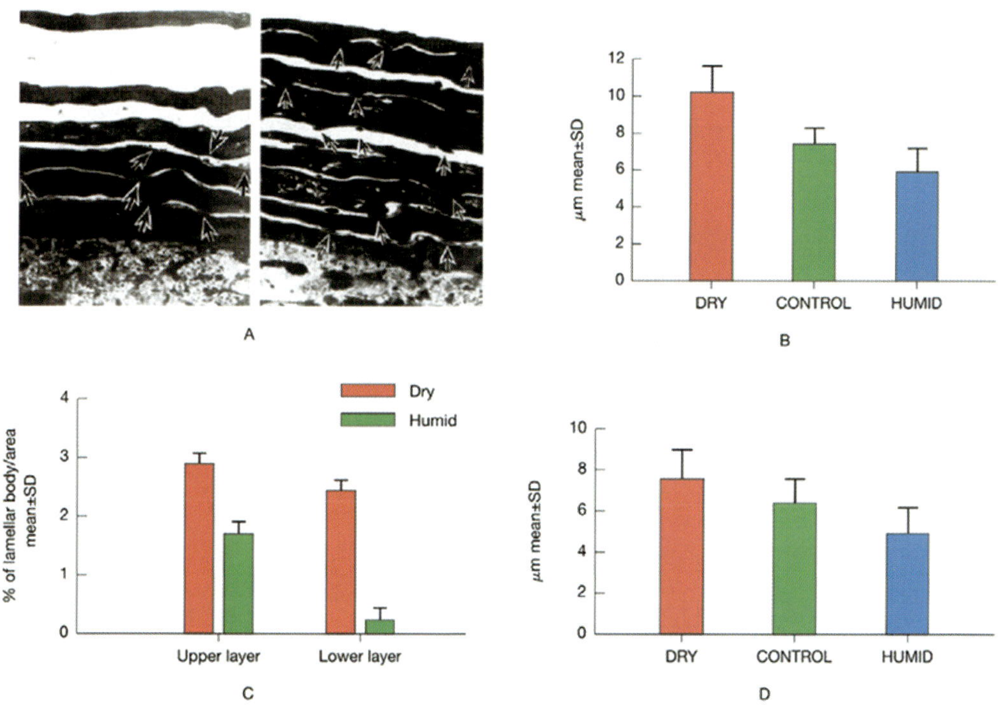

그림 9-4. 건조한 환경에 노출된 피부는 정상 습도(좌측)에 비해 교소체(↑, A), 표피의 두께(B), 층판소체의 갯수(C), 각질층의 층수(D)가 증가한다.

에서 공기 중의 수증기가 포화된 상태이다. 100%를 초과하면 수증기는 공기를 더 이상 머금지 못하므로 물로 응결된다. 사우나 실의 바닥·벽면에 물이 흥건하거나 물방울이 맺혀진다.

2050을 아시나요? 최적의 온도는 20℃(18°~22°), 상대 습도는 50%(50~55)입니다!

3)수화/침수(hydration/immersion)

지속적인 물 접촉(침수)는 각질층 구조를 변형시키므로 정상적인 각질세포와 각질세포간 지질 구조에 이상을 초래한다. 정상적인 각질층은 수용성 물질(lanthanum nitrate)이 투과될 수 없다. 각질층의 lanthanum 침투는 투과 장벽의 결함을 의미한다. Lanthanum을 추적자로 이용하여 전자현미경으로 관찰하면 수화 24시간 이후부터 하부 각질층에 추적자가 관찰되었고, 시간 경과에 따라서 추적자가 각질세포 사이 공간에 광범위하게 존재하였다. 장기간 수화에 의한 표피 투과 장벽 손상 및 수분 침투 경로를 확인할 수 있다.

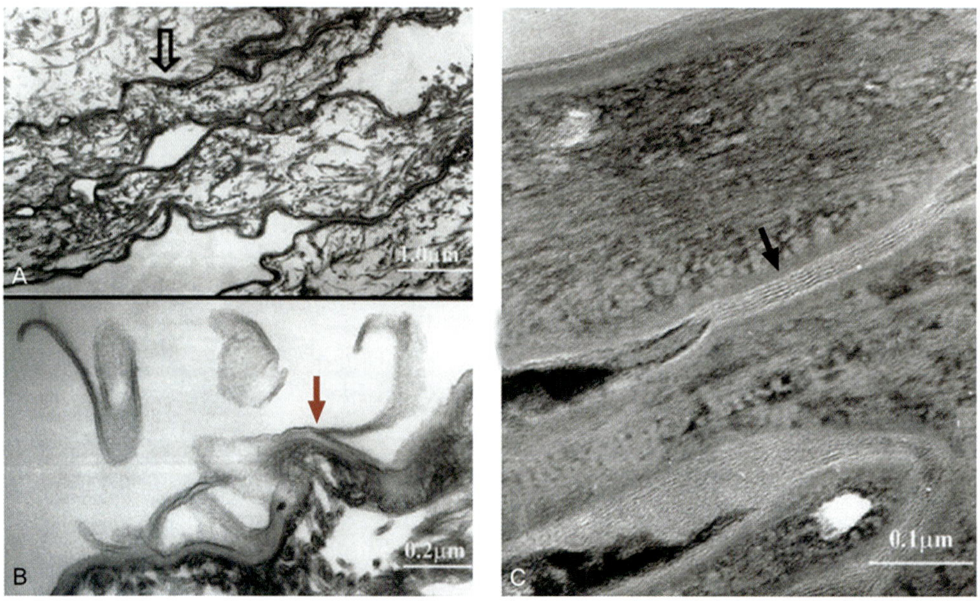

그림 9-5. 지속적인 수화에 의한 각질층의 변화. 24시간의 수화에 의해 손상된 각질층(A), 손상된 각질세포간 지질(B), 정상 소견(C).

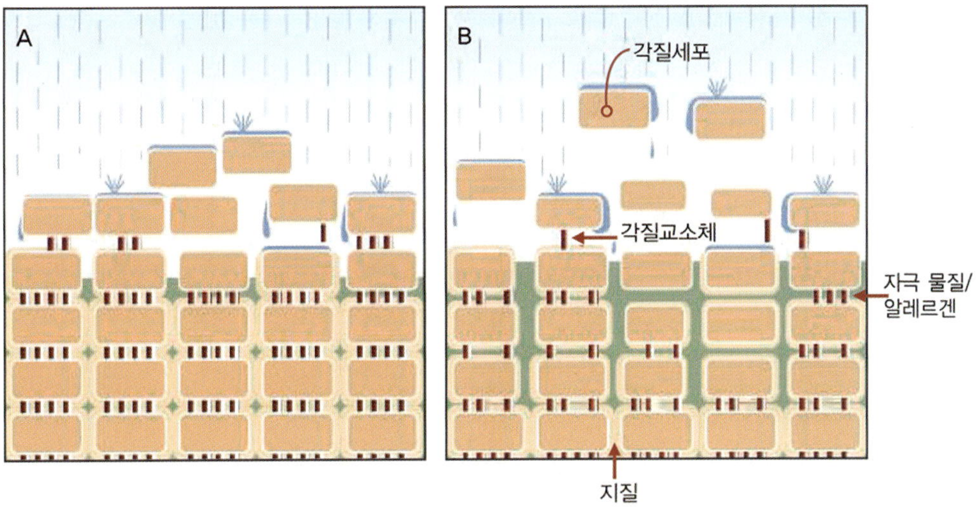

그림 9-6. 정상 피부(A)에 비하여 손상된 피부(B)는 각질교소체 소실 및 과도한 각질세포의 탈락에 의해 자극 물질이 쉽게 침투된다.

과도한 수화 또는 지속적인 침수에 의한 피부 장벽 손상 및 회복 억제는 주부 습진의 원인이다. 그러므로 손상된 피부 장벽의 회복을 위해서 물 또는 각종 용제에 반복 또는 지속적인 노출을 피해야 한다.

장시간 물 접촉은 다양한 화학 물질 투과를 촉진시키므로 자극성 접촉 피부염의 중요 원인 인자이다. 수화에 의해 팽창된 각질층과 변형된 지질막 구조·성분 변화는 장벽 기능 장애를 초래한다.

과수화에 의해 형태학적 변화가 나타난다. 각질세포 팽창과 각질세포간 지질 구조 변형이 발생한다. Warner 등의 연구에 의하면 4시간 수화는 정상 각질층에 비해 3배(4시간)~4배(24시간)까지 팽창한다.

수화에 의한 각질세포 팽창은 삼투압 차이에 의해 각질세포막을 투과하여 세포 내 수분이 증가하여 발생한다. 각질층 팽창은 피부 표면으로부터 수직 방향으로 나타난다. 각질세포 외막과 공유 결합된 지질막에 둘러싸여 있는 각질세포는 피부면과 동일한 방향으로 배열되어 있는 케라틴 섬유가 있으므로 세포 골격을 안정시킨다. 수화가 지속되면 케라틴에 의해 세포막의 신축성이 감소되어 길이 팽창은 제한되고 두께가 증가한다. 표피를 분리하여 순수한 물에 침수하면 각질층 팽창이 25~30%가 증가하였고, 표피 길이는 3~5%가 증가하였다. 각질세포의 팽창 현상은 기계적인 안정성과 모양을 유지하는 케라틴 세섬유의 고분자 조합에 기인한다.

24시간 수화된 표피는 각질층의 각질세포간 지질 구조 변형 및 열공(lacunae)이 관찰된다. 열공은 수화 시간에 비례하여 크기와 수가 증가한다. 각질세포간 공간의 열공 발생 기전은 정확히 알려져 있지 않다. 물이 스며들기 위해서 삼투압을 가진 용질이 존재해야 한다. 각질세포 교소체 분해에 의한 물질이 용질로 작동하므로 공간에 물이 모여 열공이 유발된다는 가설이 있다.

4)전해질(electrolyte)

칼슘(calcium) 이온은 표피 층에 따라 농도의 차이가 있다. 기저층·유극층은 낮으나, 과립층에서 가장 높게 분포하므로 칼슘 기울기(calcium gradient)가 존재한다. 칼슘 이온 캡쳐 방법을 이용한 전자현미경 소견에 의하면 과립층 세포의 내·외부 및 층판소체에 칼슘 이온 침착물이 존재한다. 기저층의 낮은 농도는 각질형성세포 증식·분열, 과립층의 높은 농도는 분화·성숙을 유도한다. 높은 칼슘 농도에 의해 층판소체가 과립층 상부로 이동하면 형질막과 융합한다. 이후에 지질의 세포외 유출 과정을 거쳐 세포 사이 공간으로 분비된다(세포외 변환 → 재배열 → 다중 층상 구조). 그러므로 칼슘 기울기는 피부 투과 장벽의 항상성 뿐만 아니라 표피 증식과 분화, 각질세포외막 형성, 표피 지질 합성 등에 매우 중요한 역할을 한다.

물리(테이프 스트리핑)·화학(아세톤, SLS)적 방법으로 급성 피부 장벽 손상을 유도하면 TEWL 증가와 함께 과립층에서 칼슘 농도가 매우 감소한다. 이후에 층판소체 분비·지질 합성이 증가되며, 사이토카인(IL1-α) 합성·분비가 촉진된다. 4가지 단계를 거쳐 피부 장벽 기능이 회복된다. 자세한 내용은 10장을 참조하라. 각질형성세포 표면에 calcium sensing receptor가 존재하므로 과립층의 칼슘 이온 농도가 증가하면 피부 장벽 기능이 회복된다.

참고: 초음파 영동/이온 영동 vs 칼슘

이온 영동(iontophoresis)은 물리적으로 방법으로 경피 약물을 전달한다. 극성 물질 또는 이온을 전극에서 발생하는 electro repulsive force를 이용하여 피부 내부로 침투시킨다. 초음파 영동(sonophoresis)은 저주파 초음파를 물리적 방법으로 각질층의

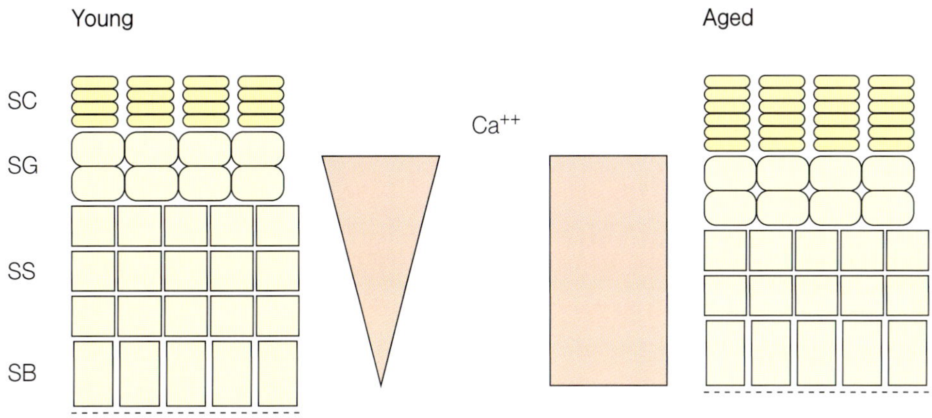

그림 9-7. 칼슘 기울기(청년 vs 노인)

지질 이중막 내부의 공동(cavitation) 발생에 의해 lacunae(열공)을 유도한다. 상기의 2가지 기기는 피부 장벽에 손상을 일으키지 않고 칼슘 기울기를 변화를 유도한다. 그러므로 층판소체 분비, 표피 지질 합성, 사이토카인 발현을 증가시킨다. 그 외에 히알루론산 합성 효소(HAS2/3), 수용체(CD44)를 유도한다. 상기 기전을 이용한 피부 미용기기가 시판되고 있다. 재주는 곰, 돈은 뙈놈이 번다는 속담이 생각난다!

칼륨(potassium)은 칼슘과 밀접한 관계가 있다. 각질형성세포의 최종 분화와 장벽 기능에 중요한 역할을 담당한다. 유극층에 가장 많이 분포하지만, 표피 상부·각질층에 가장 낮게 존재한다. 세포 내부에 칼륨이 감소하면 층판소체 분비를 증가시키지만, 칼륨이 증가하면 층판소체 분비는 억제된다.

마그네슘(magnesium)은 표피에서 칼슘과 유사한 분포와 기울기를 나타낸다. 기능은 명확하지 않으나, 층판소체의 세포외 유출에 영향을 끼친다. 각질형성세포 분화, 피부 장벽 항상성에 부분적으로 관여한다.

나트륨(sodium)은 표피 전층에 균일하게 분포한다. 장벽 손상에 의한 나트륨 이온 분포는 영향이 없다. 장벽 손상 후에 나트륨을 도포하여도 피부 장벽 항상성과 무관하다.

염화물(chloride)이 각질형성세포 내부로 유입되면 층판소체 분비가 증가하므로 장벽 회복력을 가속화시킨다.

표 9-4. pH/이온이 피부 장벽에 미치는 영향

Calcium	억제/촉진
Potassium	억제/촉진
Sodium	무관
Magnesium	촉진/억제
Acidic pH	촉진
Neutral/alkalic pH	억제

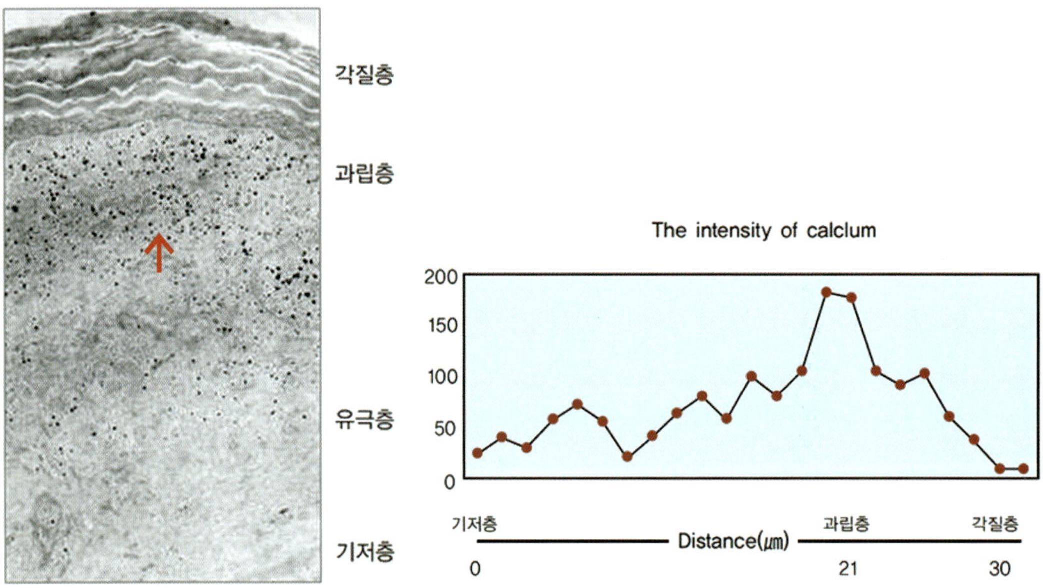

그림 9-8. 정상 표피에서 칼슘 이온(←) 분포

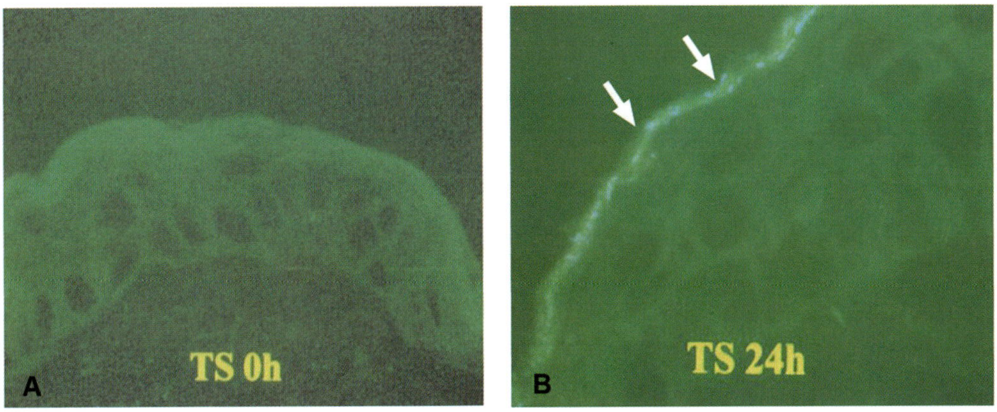

그림 9-9. Tape stripping(TS) 후의 칼슘 이온 변화; tape stripping 직후에는 칼슘이 소실되지만(A), 6시간 후에 점차 칼슘이 침착되며, 24시간에는 거의 정상분포(←)를 나타낸다(B).

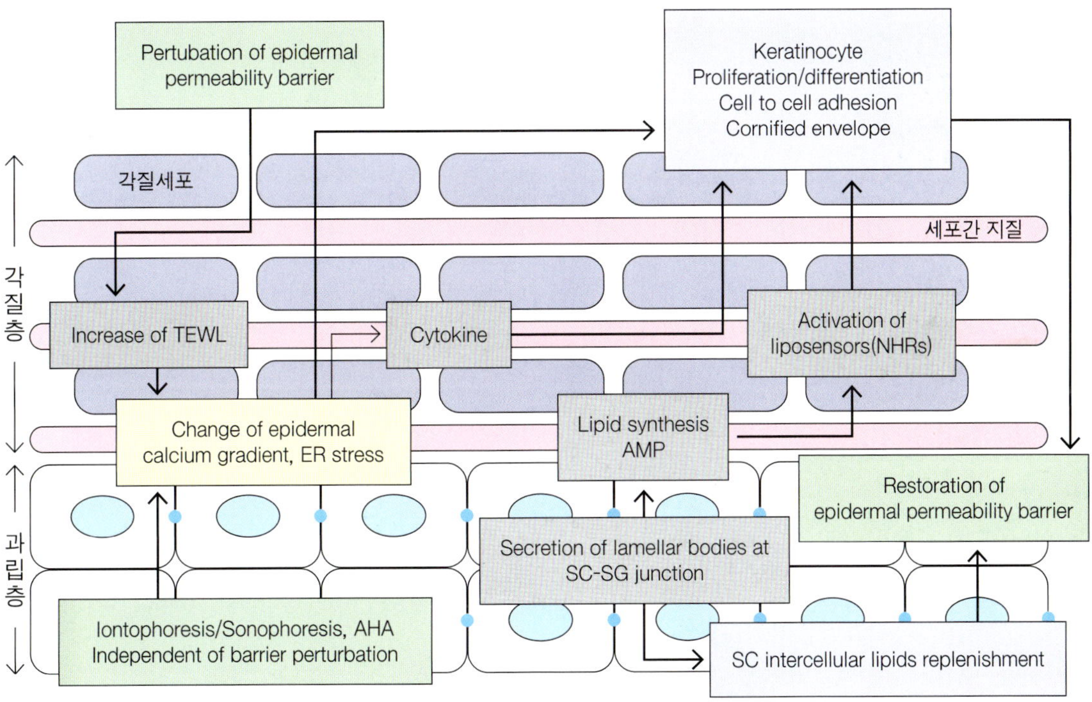

그림 9-10. 표피 칼슘 농도 변화 vs 피부 장벽

5)수소 이온 농도(pH)

pH는 'power of hydrogen ions 또는 potential of hydrogen ions'를 의미한다 $pH=-log_{10}[H^+]=log_{10}(\frac{1}{[H^+]})$. 특정한 물질이 용액에 용해되어 있는 수소 이온 농도이다. 땀, 피지, 지질 등의 물질이 피부 표면에 유화되어 존재하는 수용액 상태이다. pH는 7을 기준으로 산/알칼리로 구분한다. 피부의 pH는?

정상 피부(각질층 상부)의 pH=4.5~5.5이므로 약산성이다. 각질층 하부는 pH 7.0이므로 중성과 유사하다. 각질층의 약산성은 피부 장벽 유지 뿐만 아니라 미생물에 대한 항균 작용이 있다. 약산성 pH는 땀(젖산, 아미노산, 유로칸산), 피지의 자유 지방산 등과 연관이 있다. 지성 피부는 pH가 산성이며, 건성 피부는 지성 피부에 비하여 pH가 상승한다. 남성은 여성보다 산성이다.

그림 9-11. 인종, 나이, 피부색 vs pH

pH의 기능은?

첫째, 피부 장벽에 관여한다.

약산성은 지질 형성에 관여하는 효소 및 단백분해 효소에 영향을 끼치므로 항상성을 유지한다. 각질형성세포 분화가 촉진되며, 각질층의 보존과 접착력을 증진시킨다. 알칼리성 비누는 피부를 건조하게 하며, 피부 탈락을 유발한다. 노화 피부, 아토피 피부염, 여드름, 기저귀 피부염, 자극성 접촉 피부염은 pH 증가에 의해 악화된다. 피부의 약산성 유지는 내·외적 요인에 의해 영향을 받는다. 내적 요인은 보습 상태, 땀샘에서 분비되는 젖산, 피지선의 자유 지방산, 나이, 유전적 소인, 피부의 해부학적 위치 등이다. 외적 요인은 세정제, 비누, 화장품, 국소 항생제 등에 의해 결정된다. 약산성 피부는 피부 장벽 기능을 유지하기 위한 중요한 요소이므로 과다한 세정제, 비누 사용을 자제해야 한다. 아토피 피부염·여드름·어린선 환자는 알칼리성 비누 대신에 약산성 보습제, 세정제를 사용해야 한다.

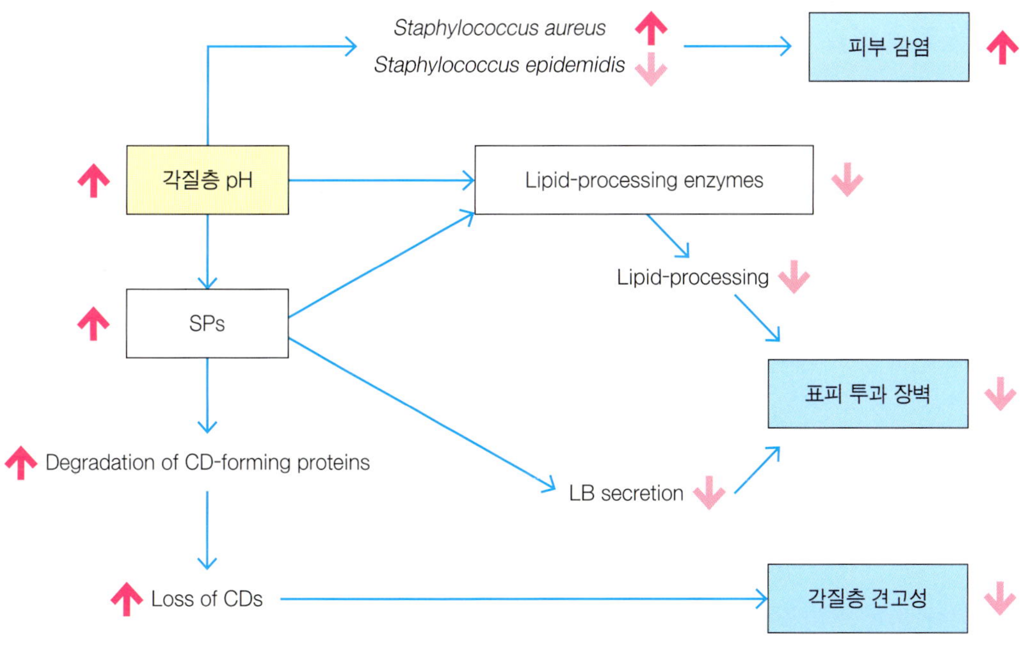

SC: stratum corneum, SP: serine protease, LB: lamellar body, CD: corneodesmosome

그림 9-12. 각질층 pH 상승에 의한 결과

둘째, 항균 기능에 참여한다.

약산성 피부는 외부 미생물의 침입을 막을 뿐만 아니라 피부에 상존하는 정상균을 보호하는 역할을 담당한다. pH 증가에 의해 항균 기능이 손상을 받은 대표적인 질환은 아토피 피부염, 기저귀 피부염, 신생아 피부, 노화 피부이다. 기저귀 피부염은 배설물에 의해 피부 pH가 증성 또는 알카리성으로 변한다. 높은 pH에서 성장하는 미생물이 증가한다. 겨드랑이는 다른 피부보다 pH가 높으므로 알카리를 좋아하는 균이 쉽게 번식한다. 방취제(deodorant)는 pH를 낮추는 성분(citrate 등)을 추가하여 산성을 유도하므로 균 증식을 억제한다.

참고: 피부는 외부 물질에 의해 pH가 변하면 원래의 상태로 복귀하려는 경향이 있다. 피부의 완충 능력(skin buffer capacity)이라고 명명한다. 외부 자극에 의한 생리적 보호 작용이다! 알칼리성 비누 세정제를 사용한 후에 피부 자극 증상이 지속되는 사람은 완충 능력이 낮은 상태이다. 그러므로 약산성 제품을 사용해야 한다!
피부는 약산성을 유지하면 피부 건강에 이롭다. 그러나 산성 제품을 장기가 사용하면 해롭다. 항노화 제품, 홈케어 제품, 필링 제품은 피부 유형 및 피부과 의사의 경험과 지식에 근거해야 한다.

산성 pH는 피부 미생물 군집(microbiome)을 유지시킨다. pH가 증가하면 유해한 세균의 성장을 촉진하는 반면, 약산성 (pH 5 정도)의 산도는 피부 건강에 중요한 미생물 *Staphylococcus epidermidis* 및 유익한 미생물의 성장을 지원한다. *S. aureus, Escherichia, Pseudomonas spp.*와 같은 잠재적으로 유해한 세균 성장을 억제한다. 아토피 피부염은 *S. aureus*가 증가하므로 감염에 취약하다.

피부 pH는 다양한 내적·외적 요인이 관여한다. 표피는 pH 기울기(gradient)가 존재한다. 각질층 상부로 갈수록 pH가 감소한다. 각질층의 산성 맨틀(acid mantle) 유지는 피지 유래 자유 지방산, 땀 유래 젖산 외에 3 종류의 내인성 경로에 의한다.

첫째, 층판소체의 인지질은 secretory phospholipase A2에 의해 자유 지방산이 생성된다. 자유 지방산은 투과 장벽 및 항균 장벽에 관여한다. 자유 지방산에 의해 산

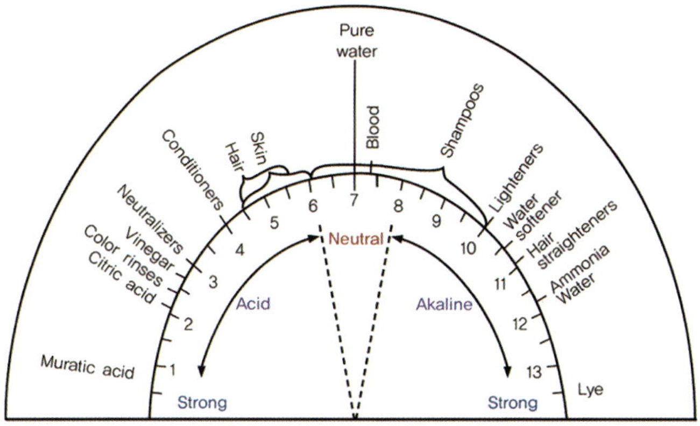

신생아	남	5.5-6.8	여	6.0-7.0
소년기	남	4.8-6.0	여	4.8-6.2
성 년	남	4.8-5.8	여	5.2-6.5
노년기	남	5.2-5.8	여	5.2-6.6

그림 9-13. pH 분포 및 나이 vs 성별

성이 유지되면 인지질 분해효소가 인지질에 작용하여 글리세롤을 생성한다. 글리세롤은 각질층에서 수분 보유 능력이 있다.

둘째, histidase에 의해 histidine에서 생성된 urocanic acid이다. Trans-urocanic acid는 필라그린 분해 생성물이다. 자외선에 의해 trans → cis 형태로 변환되면 각질층 pH 유지 외에 면역 반응을 조절한다. 필라그린 유전자 변이에 의한 아토피 피부염 환자는 trans-urocanic acid가 감소되므로 pH가 증가한다.

셋째, 비에너지 의존성 sodium-proton exchanger Ⅰ(NHE-1)이 관여한다. 각질층의 견고함, 항균 기능, 층판소체 기능 조절을 담당하므로 피부 장벽 항상성에 기여한다. 그러나 다양한 내·외적 환경(온도·습도·아토피 피부염, 스트레스 등)에 의해 각질층 pH가 상승하면 serine protease 활성 증가, 층판소체 기능 저하에 의한 지질 형성 장애 및 IL-1α, β 활성화는 피부 염증을 가속화시킨다. 각질층에 상주하는 미생물 분포가 변하므로 장벽 기능이 약화된다.

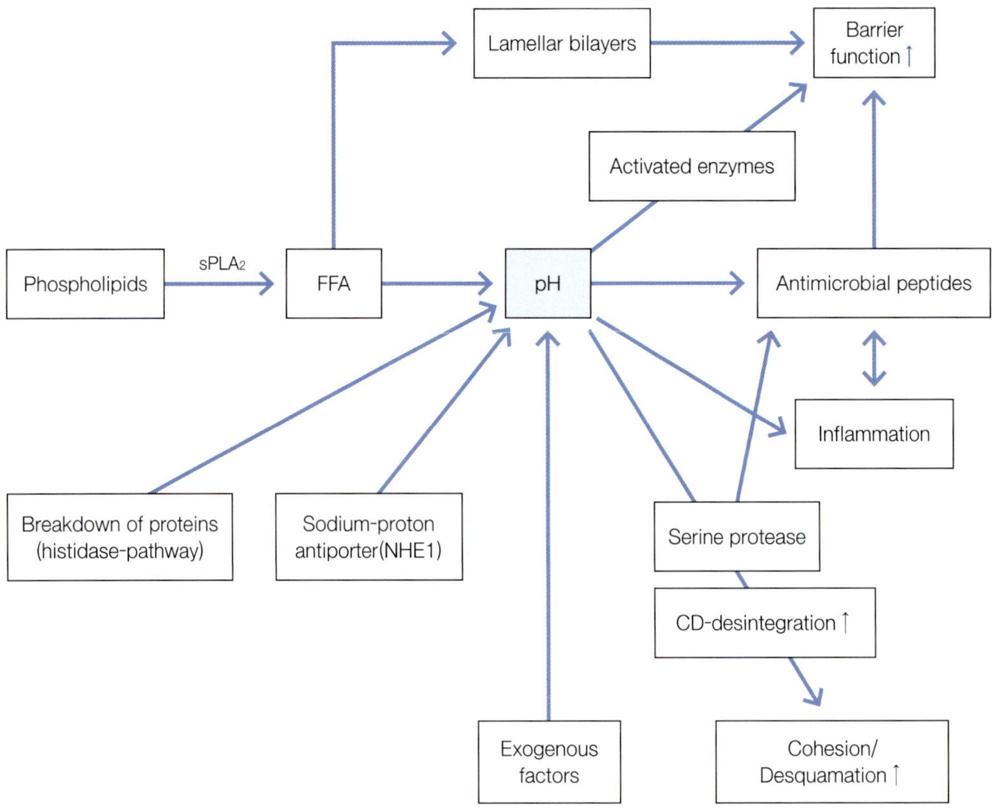

그림 9-14. 각질층 pH vs 피부 장벽

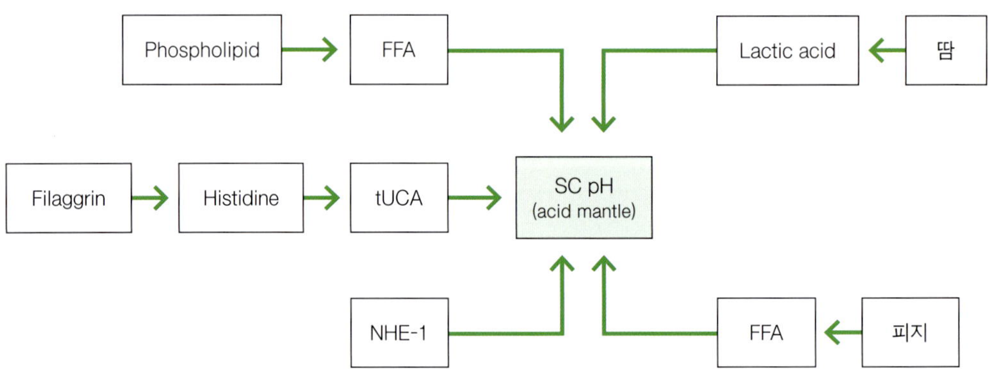

그림 9-15. pH 유지 경로

표 9-5. 피부 표면 pH에 영향을 끼치는 요인

내적 요인	외적 요인	기타
나이 해부학적 위치 성별 유전 피지(피부) 피부 질환 피부 수분 땀(운동) 인종 일일주기 리듬 당뇨병	밀폐 피부 자극 피부 세척 피부관리 제품 피부 미생물	계절 온도(?)

표 9-6. 위치에 따른 pH

위치	피부 표면 pH
Forehead / cheek	4.0-5.5
Nose	4.0-7.0
Volar forearm	4.4-5.1
Ventral forearm	5.0-5.5
Back of the wrist	5.56-5.96
Lower arm	5.4-5.9
Axilla	5.8-6.0
Inguinal region	6.2-6.5
Vagina	4.72±0.12
Vulva (labia minora)	5.41±0.16
Vulva (labia majora)	5.80±0.08
Introitus area	5.40±0.12

Values are mean ± SE

참고: NHE1

Sodium-proton antiporter 1[sodium-proton exchanger 1(Na+/H+ exchanger; NHE-1)]은 막 단백질이다. 세포 내부로 sodium 이온(Na+)을 운반하고 동시에 수소 이온(H+)을 세포 외부로 운반한다(antiport; 반전). 다양한 세포 막에서 발견된다. 신장의 네프론(nephron) 세포[collecting duct의 intercalated 세포 및 proximal convoluted tubule]의 상피 세포에 존재한다. 막 펌프는 pH와 sodium 이온의 화학적 균형 및 항상성을 유지시킨다. NHE1 결함은 심장 또는 신장 부전(failure)를 초래한다. Angiotensin Ⅱ는 proximal convoluted tubule에 있는 NHE1 발현을 증가시켜서 sodium 재흡수와 수소 이온 분비를 촉진한다.

NHE은 9가지의 Isoform이 존재한다. NHE1은 그 중의 첫 번째이다.

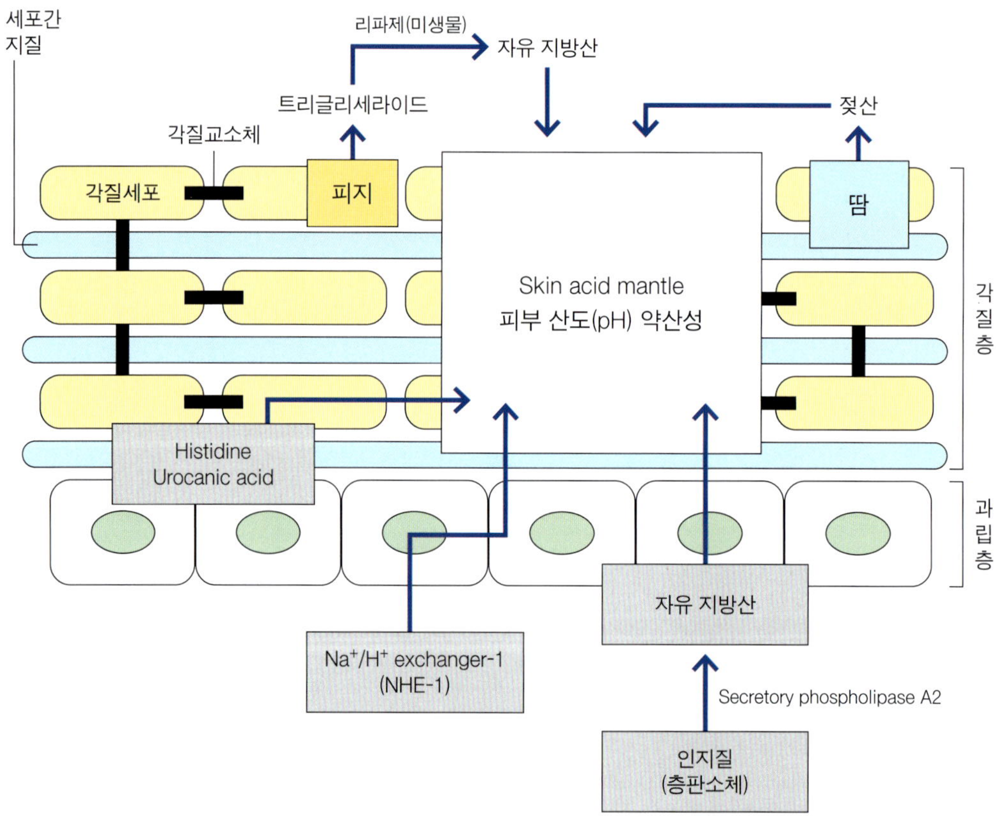

그림 9-16. NHE-1 vs pH

피부 장벽 기능에 중요한 산도와 관련한 최초의 NHE1 연구에 의하면 NHE1 유전자를 삭제(depletion)하거나 약리학적으로 억제하면 각질층 pH가 상승하고, 각질 세포간 지질막 형성이 감소하므로 피부 장벽 회복을 방해한다. Fluorescence lifetime imaging(FLIM) 관찰에 의하면 각질층의 pH 기울기가 일률적이지 않다는 점, NHE1이 과립층-각질층 사이 및 바로 위의 세포 밖 공간(extracellular domain)을 산성화시킨다는 사실, 표피의 바깥쪽에서 꼭대기로 갈수록 발현이 증가되어 각질층에서 성숙한 세포외 지질 이중막을 형성하는데 필요한 산성 환경을 제공한다고 보고하였다.

신생아의 각질층은 출생 직후 중성에 가까운 pH이지만, 수주~수개월에 걸쳐서 성인과 비슷한 정도로 감소한다. 신생아에서 pH가 높은 원인을 규명한 연구에 의하면 NHE1과 각질층에서 secretory phospholipase A2가 상대적으로 서서히 활성화되었다. 신생아 피부에서 일정한 기간에 나타나는 중성 pH는 투과 장벽 회복을 지연하고 각질층의 견고함에 장애를 초래한다. pH 상승에 의해 활성화되는 serine protease 효소가 작용하기 때문이다. 노화 피부(moderately aged skin)는 표피 지질 감소(콜레스테롤)뿐만 아니라 표피에서 NHE-1 발현 감소에 의한 각질층 pH 상승이 유발된다.

참고: Serine protease(SP)

SP는 pH 7.0에서 최대의 활성을 나타내며, 다양한 경로에 의해 피부 장벽을 손상시킨다. 첫째, 표피 지질 대사 효소(beta-glucocerebrosidase, acidic sphingomyelinase)를 억제하므로 표피 지질 감소(세라마이드)를 유발한다. 둘째, 각질교소체(corneodesmosome)의 구성 성분(corneodesmosin)을 분해함으로써 각질층의 응집력 및 유지를 억제한다. 셋째, SP는 PAR2(protease activated receptor-2)를 통해 층판소체 분비 및 각질형성세포 분화를 억제한다. SP는 일차 사이토카인(interleukin 1)을 활성화하여 염증 반응을 유도하므로 장벽 기능을 손상시킨다.

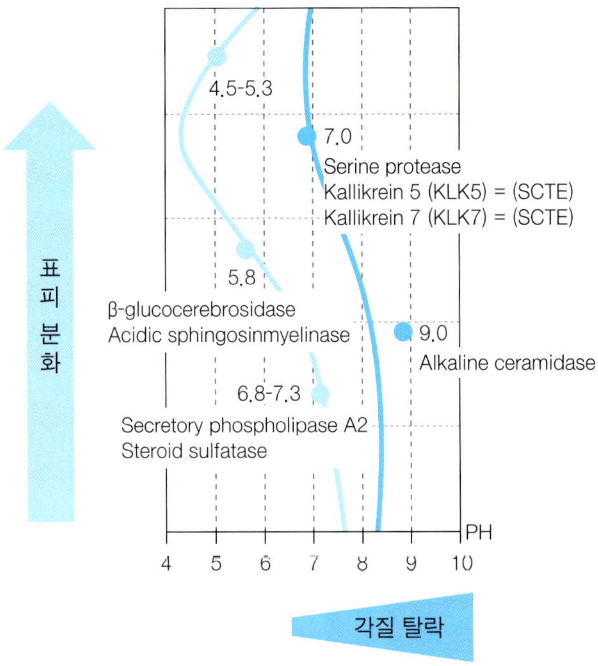

그림 9-17. 피부 pH vs 연관된 효소

표 9-7. 부위별 pH(남 vs 여)

부위	여자	남자
Forehead	5.4-5.8	5.1-5.5
Axilla	6.58-6.67	5.80-5.94
Volar forearm	4.8-6.09	4.3-6.16
Back of wrist	5.84	5.56
Back	5.43-5.73	4.96-5.12

표 9-8. 정상 피부 세균총(부위별)

종류	부위
Staphylococcus epidermidis	Upper trunk
Staphylococcus hominis	Glabrous skin
Staphylococcus capitis	Head
Staphylococcus saccharolyticus	Forehead/antecubital
Staphylococcus saprophyticus	Perineum
Micrococcus luteus	Forearm
Corynebacterium xerosis	Axilla, conjunctiva
Corynebacterium minutissimum	Intertriginous (e.g., axilla)
Corynebacterium jeikeium	Intertriginous (e.g., axilla)
Cutibacterium acnes	forehead (sebaceous gland)
Cutibacterium granulosum	forehead, axilla (sebaceous gland)
Cutibacterium avidum	Axilla
Brevibacterium spp.	Axilla, toe webs
Dermabacter spp.	Dry area
Pityrosporum spp.	Uppermost part of sebaceous gland follicle

안성구 교수의 피부 장벽 관련 책자

표 9-9. 피부 세균총 vs pH

- Acidic pH(4.5~5.5) keeps the resident flora attached to the skin.
- Alkaline pH(8~9) promotes dispersal of bacteria from the skin.
- Less acidic pH promotes bacterial growth, especially Gram-negative bacteria and propionibacteria.
- Candida infection is more inflammatory when the SC was buffered to pH 6.0 versus 4.5, indicating that pH may mediate immune reaction to infections.
- High pH in the axilla promotes high bacterial growth and malodor.
- Acidic pH boosts the activity of antibacterial lipids and peptides.
- Acidic pH facilitates production of natural antimicrobial peptides, wound healing, regulating keratinization and desquamation processes.

6)인종(race)

황·백·흑인 피부는 색조에 따라 구분한다. 서양인에 비하여 한민족은 나이가 듦에 따라 주름이 덜 생긴다. 피부 유형에 차이가 있기 때문이다. 저자가 번역 출판한 피부 혈액형을 참조하라. 그러나 피부 장벽 측면에서 인종 차이는 있을까? 보고자에 따라 차이가 있다. Sugino 등은 백인, 히스패닉 피부에 비하여 흑인의 세라마이드는 50% 낮게 존재한다고 보고하였다. 정상 피부에서 경표피 수분 손실은 백인이 가장 높으며, 동양인·흑인의 순이라는 보고가 있다. 그러나 다른 문헌에 의하면 흑인과 동양인이 백인에 비하여 정상 상태에서 경표피 수분 손실이 높다는 보고가 있으므로 논란의 여지가 있다. 레이저 도플러를 이용하여 피부 투과도를 측정한 결과에 의하면 동양인과 백인은 흑인에 비하여 투과도가 높지만, 피부 장벽 기능 손상에 의한 감수성은 동양인이 가장 높다는 보고가 있다.

Berardesca 등은 젊은 흑인 15명, 백인 12명의 전박부에서 0.5%의 sodium lauryl sulfate(SLS) 도포 후의 경표피 수분 손실(transepidermal water loss, TEWL)은 백인 피부보다 흑인에서 2.7배 정도 높았다고 보고하였다. 동일한 방법으로 히스패닉과 백인을 대상으로 비교하였다. 아무것도 처치하지 않은 상태에서 히스패닉 12명과 백인 12명의 수분량, TEWL, laser Doppler velocity(LDV) 값에서 통계적으로 특별한 차이는 없었다. 그러나 SLS를 처리하여 피부 자극을 유발하면 백인에 비해 히스패닉에서 더 높은 TEWL 수치를 나타냈다. 또한 10명의 백인(피부 타입 I/II)과 8명의 흑인 아프리카계 미국인(피부 타입 VI)의 여성을 대상으로 기본 값과 테이프 스트리핑 후의 TEWL, pH를 측정하였다. 흑인 여성의 기본 TEWL 수치는 백인 여성 피부에 비해 높은 값을 보였으며, 테이프 스트리핑을 시행한 이후의 수치는 통계적으로 유의한 차이가 있었다. 대부분의 보고에 의하면 다리, 등, 종아리 안쪽은 흑인 피부가 백인 피부에 비하여 높은 TEWL을 나타내었다. 동양인의 TEWL은 흑인 피부와 유사하지만, 백인 피부보다 높았다.

7)자외선(ultraviolet)

태양 광선은 생명 유지에 필수적인 에너지이다. 파장에 따라 자외선, 가시광선, 적외선 등으로 분류한다. 짧은 파장(200~400nm)의 자외선은 강한 광자 에너지가 존재하므로 피부에 광생물학적 반응을 유발한다. 400~800nm 파장의 가시광선은 사물을 볼 수 있도록 망막을 자극하며, 포르피린증을 유발하는 광생물학적 영향 외에는 특별한 기능이 없다. 적외선은 800~100,000nm의 파장이며, 피부에 열을 발생하지만 광생물학적 반응이 없다.

자외선은 오존층에 의해 제거되는 제일 짧은 파장의 자외선 C(200~290nm), 유리창에 의해 제거되는 자외선 B(290~320nm), 가장 긴 파장의 자외선 A(320~400nm)로 구분한다. 지표면에 도달하는 자외선의 90%는 자외선 A이며, 자외선 B는 10% 미만이다. 광선의 파장은 에너지와 반비례한다. 자외선 B는 절대량이 적지만 강한 에너지 때문에 유전자에 영향을 미친다. 파장이 길면 진피로 깊숙하게 침투한다. 자외선 B는 표피와 상부 진피까지 침범하지만, 자외선 A는 하부 진피까지 도달한다. 자외선 C는 오존층에 의해 제거되므로 거의 도달하지 않는다. 그러나 오존층 파괴가 문제이다. 3종류의 자외선에 의한 피부의 영향은? 장, 단기적인 측면에서 다양한 피부 문제를 유발한다.

피부 장벽에 어떤 영향을 줄까? 자외선의 종류, 용량, 노출 기간, 연령에 따라 차이가 있다. 최소 홍반량 이하의 저용량(UVB)을 쥐에게 단기간(3~5일) 조사하면 장벽 기능이 상승한다. 자외선 조사는 각질층의 장벽 기능 유지에 필수적인 지질을 생성하

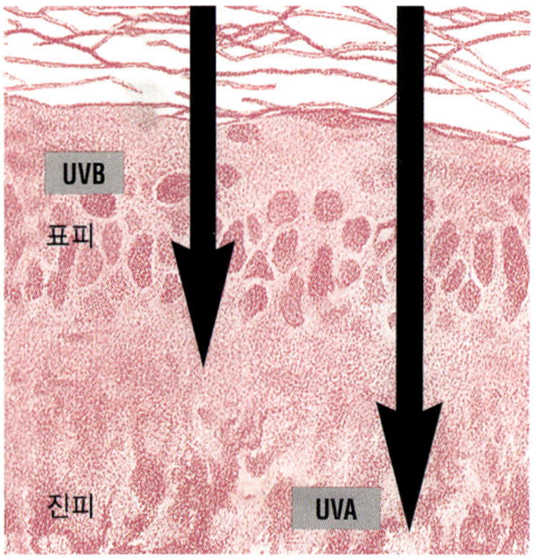

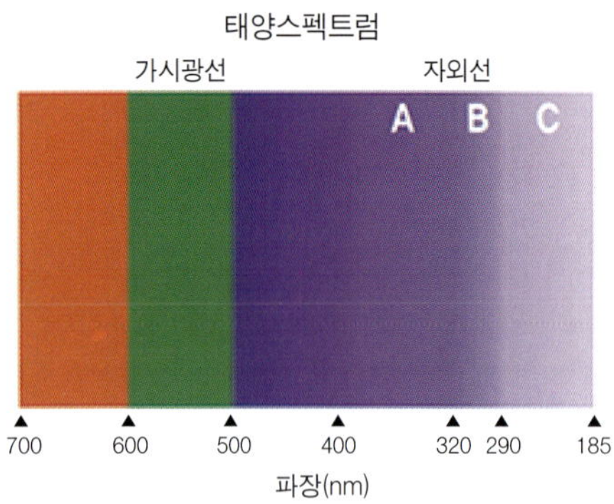

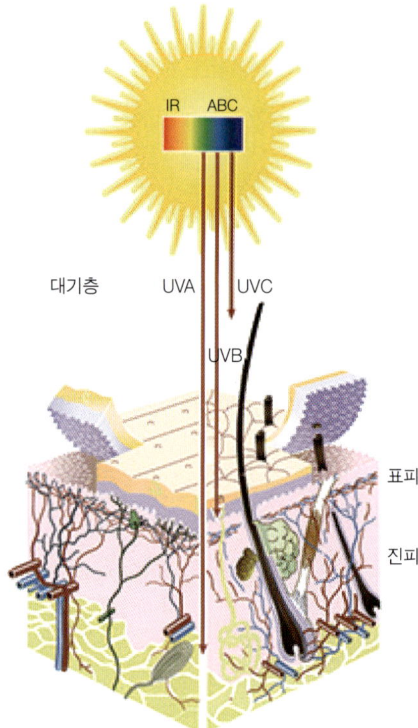

그림 9-18. 자외선의 종류와 투과

표 9-10. 파장에 따른 광선 분류

종류	파장(nm)	생물학적 효과
자외선 C	200~290	살균 작용
자외선 B	290~320	일광 화상, 광노화, 피부암
자외선 A	320~400	광과민 물질의 작용 파장, 색소 침착, 광노화
가시광선	400~800	포르피린증 유발
적외선	800~100,000	열 전달

므로 피부 투과 장벽 기능이 강화된다. 최소 홍반량 이하의 자외선은 각질층 지질의 양을 증가시키며, 특히 세라마이드의 비율이 높아진다. 자외선 B는 비타민 D_3 합성을 증가시키고, 장벽 기능 유지에 필요한 사이토카인 발현 및 표피 분화와 각질층 지질 합성을 촉진시킴으로써 표피 투과 장벽 기능을 강화한다.

저용량의 자외선 B (1/2 minimal erythema dose, 40 mJ/cm^2)를 3일간 노출시킨 결과에 의하면 대조군에 비하여 TEWL 감소 및 장벽 회복율·비타민 D_3 합성·antimicrobial peptide, β-defensin·1-α hydroxylase·표피 분화 표지자(involucrin, filaggrin), fatty acid synthase·HMG-CoA reductase·serine-palmitoyl transferase가 증가되었다. 그러므로 아토피 피부염의 치료에 적용할 수 있다.

과유불급(過猶不及)이다!

저용량(최소 홍반량의 1/2) 자외선 B를 5일 이상 연속으로 조사하면 쥐(rat)에서 장벽 기능 손상이 나타난다. 15일간 저용량을 조사하면 피부는 건조해지고 각질과 경미한 홍반이 발생한다. 각질세포간 지질의 변화가 나타난다. 또한 과립층과 각질층 경계부에서 분비되지 못한 층판소체의 잔존물이 각질층에 존재하므로 층판상 지질 구조에 결함이 유발된다. 최소 홍반량 이하의 저용량을 장기간 조사하면 광노화 현상과 함께 장벽 기능 손상이 현저하다. 무모 생쥐에게 저용량(suberythemal dose)의 자외선 B를 장기간(15주) 노출시키면 12주 이후에 TEWL이 유의하게 증가하였다. 세라마이드, 콜레스테롤, 자유 지방산 생성이 정상 또는 대조군에 비하여 매우 감소하였다.

고용량(2 minimal erythema dose) 자외선 B를 노출시키면 일광 화상(급성 반응)이 유발된다. TEWL은 3일경에 최고 수치를 나타내며, 각질교소체·각질세포간 지질 손상 및 염증 반응이 발생한다.

참고: 최소 홍반량 (minimal erythema dose)

피부에 홍반을 유발하는 최소 광량을 의미한다. 동양인의 최소 홍반량은 50~70J/cm^2(자외선 A)이며, 50~70mJ/cm^2(자외선 B)이다. 피부 장벽 연구에 흔히 사용하는 hairless 마우스에서 자외선 B의 최소 홍반량은 20~80mJ/cm^2 정도이다.

피부의 홍반 발생은 자외선이 혈관벽에 작용하여 prostaglandin, histamine, serotonin, interleukin과 같은 혈관 확장성 물질이 각질형성세포에서 분비되어 일시적

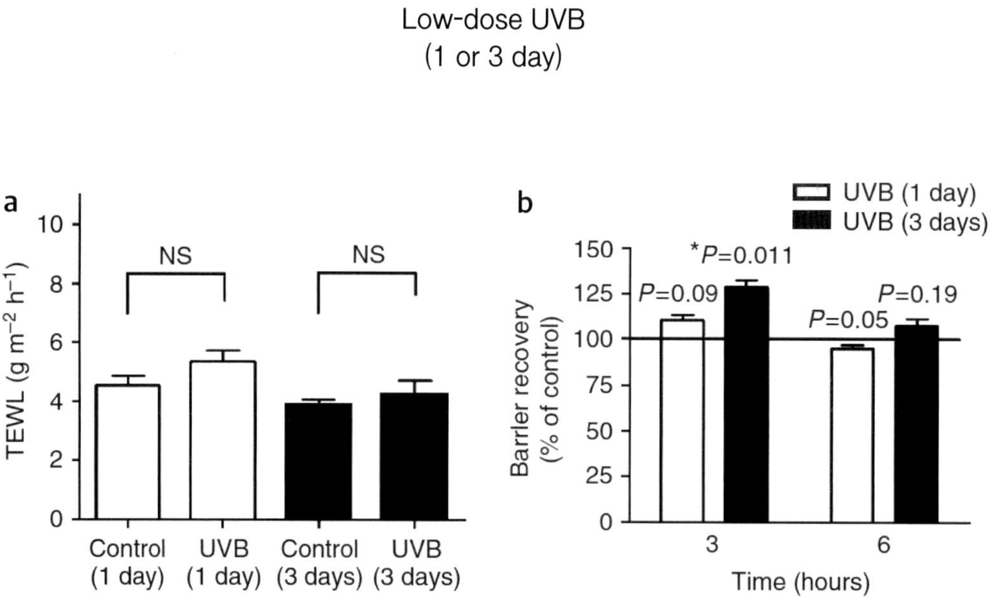

그림 9-19. 급성 장벽 손상 후에 저용량(40mJ/cm^2) 자외선 B를 단기간(1, 3일) 노출시키면 경미한 TEWL 증가(a) 및 장벽 회복이 촉진(b)됨(Hong SP et al. JID 2008).

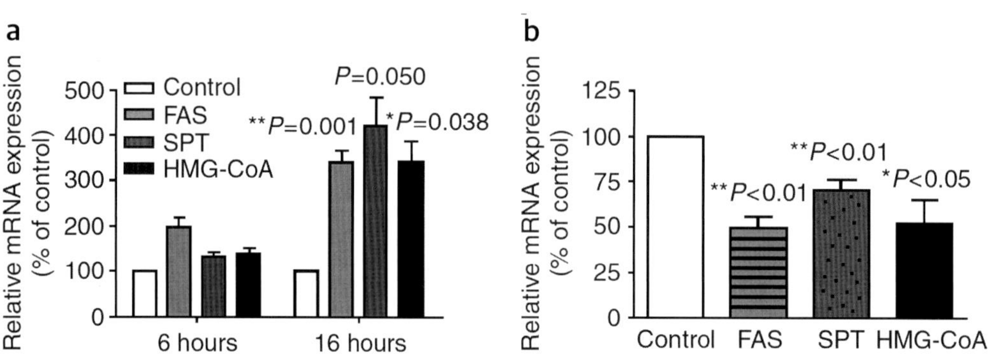

그림 9-20. 저용량 자외선 B를 단기간 노출시키면 지질 생성 효소가 증가(6, 16시간 후)하지만 ketoconazole 크림(2%)을 도포하면 mRNA는 감소함(b).

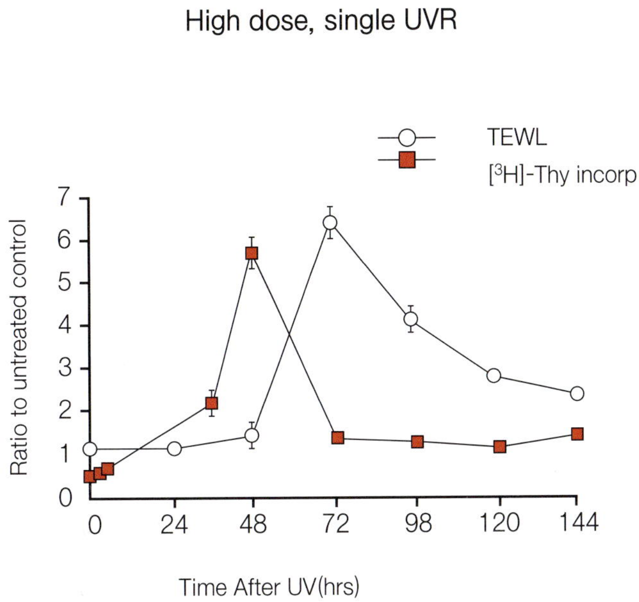

그림 9-21. 2MED(고용량 자외선 B)를 1회 노출시키면 TEWL은 72시간에 최고조에 도달한다(Holleran WM et al, PPP 1997).

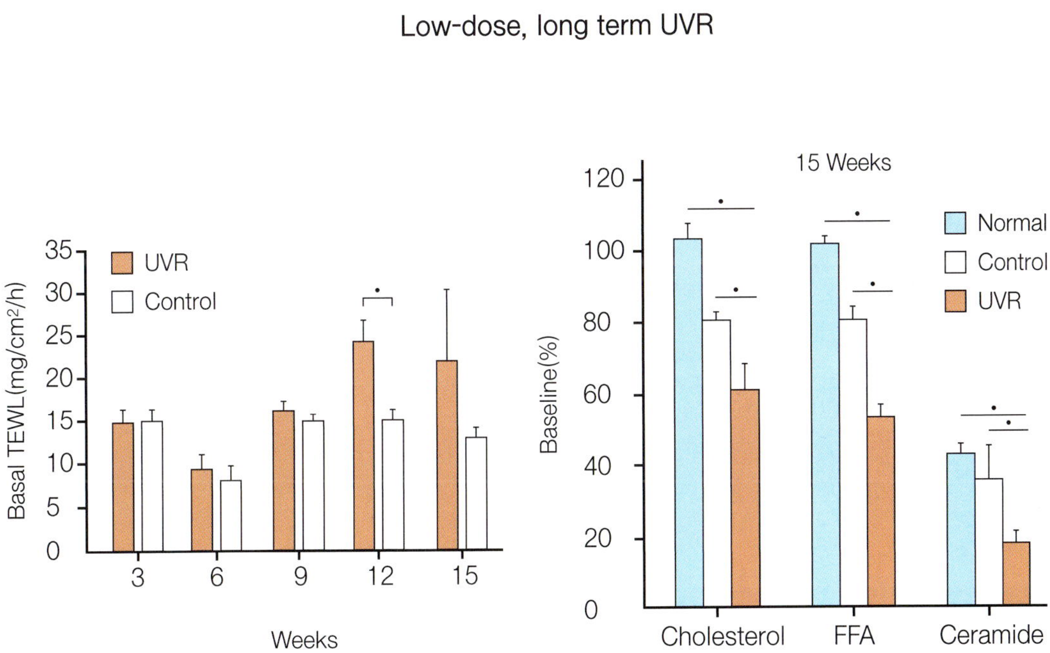

그림 9-22. 저용량(suberythemal dose) UVB를 15주간 무모 마우스에 노출시키면 TEWL 증가 및 각질층 지질이 감소하였다(Bak H et al, Int J Dermatol 2011).

으로 나타났다가 소실되는 반응이다. 좀 더 강한 자외선에 장기간 노출되면 홍반과 함께 통증, 소양증 등의 염증 반응이 나타나는 일광 화상이 유발된다. 자외선 B에 의해 발생하며, 기전은 홍반 반응과 유사하며, 각질형성세포 괴사(sun burn cell)가 나타난다. 그 외에 자외선에 의해 과색소 침착이 유발된다.

장기간의 자외선에 노출되면 광노화(photoaging)과 나타난다. 임상적으로 피부가 건조해지면서 굵고 깊은 주름이 나타나며, 조직학적으로 초기에는 각질층이 두꺼워져서 피부 두께가 증가하나 더 진행되면 오히려 피부가 위축된다. 자세한 내용은 9장 노화 피부를 참조하라.

표 9-11. 자외선 노출에 의한 장, 단점

단점	장점
일광 화상	비타민 D 생성 면역 억제(일부의 광피부염을 억제)
태닝/색소 침착	
피부가 두꺼워짐	
주근깨/노인성 흑자	
면역 억제(암 유발)	
folate 감소	
광피부염 유발	
포르피린증	
조갑박리증	
광노화	
피부암	

참고: 대기권(atmosphere)은 지표면에서 지구를 둘러싸는 약 1,000km 높이의 공기층이다. 대기권은 4층(대류권·성층권·중간권·열권)으로 구분한다.

• 대류권

지표면에서 약 10km까지 위치하며, 대기 질량의 80%, 수증기의 98%가 존재하므로 구름·비·안개·바람 등이 생성된다. 인간이 호흡하면서 생존 가능한 공간이다. 상층으로 갈수록 기온이 낮아진다(예: 8km=영하 35°C). 태양에 의한 지표면의 복사열에 의하므로 지표 부근은 기온이 가장 높다.

• 성층권

대류권의 상층에 존재하며, 지상에서 10~50km까지 존재한다. 오존층(25~30km)이 태양 에너지를 상층부에서 흡수하므로 고도가 높을수록 기온이 올라간다. 유해한 자외선을 막아준다. 오존층(ozone layer)은 두 종류의 방어막이 존재한다.

첫째, 지구 자기축(지구 자기장과 가장 가까운 자기장의 축)에 고리 모양으로 지구를 둘러싸고 있는 'Van Allen radiation belt'라는 보호막이 있다. 우주로부터 날아오는 방사선, 태양풍을 막는다.

둘째, 성층권에 존재하는 오존층이다. 태양으로부터 지구로 들어오는 강력한 자외선을 막아준다. 오존층은 자외선이 성층권에 있는 산소 분자와 산소 원자를 분해하여 생성된다. 자외선이 산소 분자 하나를 두 개의 산소 원자로 분리시키므로 다른 산소 분자와 합쳐져 오존(O_3)이 된다. 오존은 또다시 자외선에 의해 산소 분자와 산소 원자로 분해되고, 합쳐지는 과정을 되풀이하며 오존층을 형성한다. 오존을 만들고 분해하는 과정에 자외선이 작용하므로 오존층을 통과하면 자외선이 매우 감소한다. 오존층은 자외선 A는 5%, 자외선 B는 90%, 자외선 C는 100% 차단한다. 가장 해로운 파장은 자외선 C이다. 미 항공우주국(NASA) 연구에 따르면, 오존이 10% 줄어들면 지표에 도달하는 자외선은 20% 증가한다. 오존층이 얇아지면 피부암이나 백내장 등이 발생하며 나무가 말라 죽는다. 노벨화학상 수상자 마리아 몰리나 등은 1970년대 초 오존층이 점차 얇아지고 있다는 사실을 발견했다. 영국 탐사단은 남극 대륙 상공의 오존층에 구멍이 생겼다는 현상을 발견했다. 프레온 가스(염화불화탄소/냉매제)를 사용했기 때문으로 밝혀졌다. 프레온가스 사용을 금지하는 몬트리올 의정서가 1987년에 체결됐다. 이후에 오존층에 뚫렸던 구멍은 감소되고 있다. 염화불화탄소는 자외선에 의해 분해된 염소 원자가 오존과 반응하면 오존층이 손상된다. 그외에 화산 폭발, 로켓 발사, 제트기류(극소용돌이, 극성층권 구름) 등에 의해 오존층이 파괴된다.

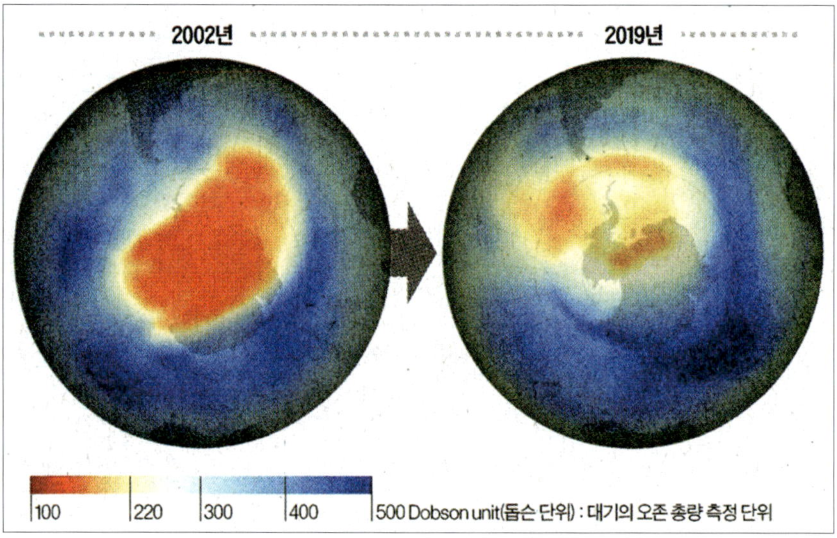

그림 9-23. 줄어들고 있는 남극 오존층 구멍(붉은색 감소)

• 중간권

고도 50~85km 사이에 위치하며, 높이 올라갈수록 기온이 낮아진다. 대기를 가열시키는 열원이 없기 때문이다. 지면에서 멀기 때문에 가열되지 않으며, 태양 복사 에너지는 대부분 흡수되므로 중간권이 가열되지 않는다.

• 열권

고도 1000km 까지 존재하며, 높이 올라갈수록 기온이 상상한다. 열권에 존재하는 입자가 태양열을 흡수하기 때문이다.

8)비타민 D(vitamin D)

80~90%의 비타민 D는 피부에 노출된 자외선 B에 의해 생성된다. 전구 물질 Provitamin D_3(7-dehydrocholesterol)는 자외선에 의해 비타민 D_3(cholecalciferol)로 변한다. 이후에 2가지 경로를 경유하여 대사된다.

첫째, 비타민 D_3는 CYP27A1에 의해 Calcidiol(25-hydroxyvitamin

D_3/25(OH)$_2$$D_3$) → Carcitriol(1,25-dihydroxyvitamin D_3/1,25(OH)$_2$$D_3$)로 대사된다. 표피에서 생성된 Calcitriol은 피부에만 작용하며, 타 기관 이송 또는 혈중 농도 상승을 초래하지 않는다. 또한 비타민 D 수용체(receptor) 및 2 종류의 coactivator(steroid receptor coactivator, vitamin D receptor-interacting protein)와 결합하여 다양한 작용(각질형성세포 분화 촉진 및 증식 억제, 항균 작용, 종양 억제, 모발 분화 유도 등)을 나타낸다.

둘째, 비타민 D_3(cholecalciferol)은 비타민 D 결합 단백질과 결합하여 간으로 이동하면 CYP27A1에 의해 calcidiol로 변한다. 이후에 신장으로 이동하며, CYP27A1에 의해 생리적 활성이 높은 calcitriol(1,25(OH)$_2$$D_3$)로 변한다.

참고

• 섭취한 음식에 의해서 비타민 D가 생성(10~20%)된다. 활성 비타민 D_3 (calcitriol)은 뼈, 소장, 신장에 작용하므로 칼슘과 인 대사에 관여한다. 예전에는 비타민 D 결핍에 의한 구루병, 골연화증 환자가 많았다. 칼슘 대사 외에 면역 조절, 항암 작용, 세포 분화 및 성장에 관여한다. 혈장에 존재하는 calcidiol, calcitriol은 비타민 D 수용체와 결합되므로 각질형성세포의 비타민 D_3 경로에 관여하지 않는다. 표피에서 생성된 calcitriol은 혈중 농도와 무관하며, 피부에만 국소적인 영향을 준다. Calcitriol은 negative feedback의 의해 provitamin D_3와 비타민 D_3 생성을 억제한다. 또한 CYP24A1에 의해 비활성 상태의 calcitriol acid로 대사된다.

• 어떠한 자외선과 연관성이 있을까? 자외선 B(290~320nm)에 의해 각질형성세포는 프로비타민을 생성한다. 각질형성세포는 칼슘과 비타민 D 수용체가 존재한다. 최적의 파장은 300nm이며, 315nm 이상의 파장은 무관하다. 생성된 물질 1,25(OH)$_2$$D_3$ (calcitriol)는 일정 수준을 넘으면 더 이상 증가하지 않는다.

• 과량의 자외선에 노출되면 생물학적 활성이 없는 성분(sterol, provitamin D_3)으로 변한다. 최소 홍반량 이하의 저용량으로도 비타민 D를 생성하므로 장시간 햇빛 노출은 백해무익(百害無益)하다. 실험에 의하면 하루에 15~20분 햇빛에 노출하면

OK! 백인은 18mJ/cm²의 자외선 B가 최소 용량이다.

비타민 D_3의 다양한 기능이 규명되었다.

첫째, 활성 비타민 D_3는 농도에 따라 차이가 있다. 칼슘과 상호작용에 의해 각질형성세포 증식은 억제하지만, 분화는 촉진시킨다. 분화는 칼슘 농도와 밀접한 연관성이 있다. 생리적 농도에서 자외선, TNF 등으로부터 세포를 보호한다. Calcitriol은 증가된 세포 내 칼슘과 PKC 자극에 의해 활성화된 AP-1 전사 인자와 함께 involucrin, loricrin, transglutaminase 발현을 유도하여 표피 분화를 가속화하고 각질세포 외막 형성을 촉진시킨다.

둘째, 투과 장벽에 관여한다. 비타민 D receptor는 steroid receptor coactivator와 함께 각질형성세포 내에서 지질을 층판소체로 수송해주는 ABCA12(ATP-binding cassette transporter protein 12)와 ceramides 합성 효소 ELOVL4(elongation of very long chain fatty acid 4), UGCG(UDP-glucose ceramide glucosyltransferase)를 조절함으로써 투과 장벽 형성에 중요한 acylceramide/acylglucosylceramide 합성에 관여한다. 그러므로 비타민 D_3는 피부 장벽 기능 형성과 항상성 유지에 매우 중요하다.

셋째, calcitriol은 선천 면역 기능을 담당하는 항균 펩티드 생성을 촉진한다. 표피에서 발현되는 항균 펩티드(hBD2, LL-37)는 표피 투과 장벽의 형성에 중요한 층판소체에 존재하며, 피부 장벽 항상성 유지에 관여한다. 그 외에 논란이 있으나 피부암 치료 및 예방 효과, 피지 생성 억제, 모발 각질 분화에 관여한다는 보고가 있다.

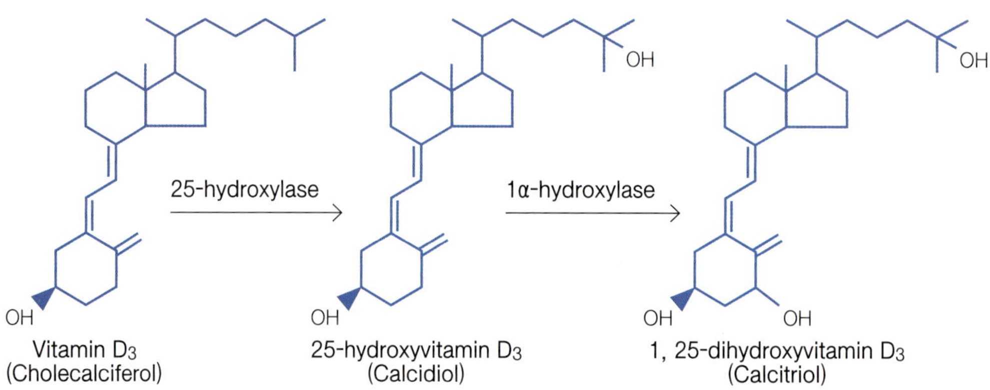

그림 9-24. Vitamin D_3의 분자 구조식·대사

9) 건조 피부(피부 마름증, dry skin/xerosis)

건조 피부(xerosis)는 습도와 온도가 낮은 겨울철에 호발하며, 병인은 명확하지 않다. 건조 피부는 피부에 수분이 부족하거나 없는 상태(10% 이하)를 의미한다. 건조 피부의 임상 양상은 경미한 홍반과 균열이 존재하며, 인설 및 거친 피부 상태를 나타낸다. 생화학적 및 생리적인 변화를 내포하고 있으므로 다양한 기전이 제시되고 있다.

각질층의 중요한 기능은 수분과 전해질 손실을 막고, 외부의 물리적 · 화학적 손상으로부터 보호한다. 건강한 피부 상태를 유지하기 위해 각질층은 30% 정도의 수분, 각질세포간 지질, 아미노산·요소·유기산 등의 자연 보습 인자(natural moisturizing factor, NMF) 및 피지가 존재한다. 이러한 구성 인자의 균형이 깨지거나 결핍되면 건조 피부가 유발된다. 건조 피부는 표피와 진피를 포함한 피부의 전층에 변화가 나타난다. 그러나 표피의 상층부 중에서 피부 장벽의 역할을 하는 각질층의 변화는 건조 피부의 중요한 원인이다.

건조 피부의 원인은 내적 요인과 외적 요인으로 구분한다.

내적 요인과 연관된 질환은 피부 질환과 전신 질환으로 구분한다. 피부 질환은 아토피 피부염·어린선·건선·만성 습진 등이 대표적이다. 전신 질환은 만성 신부전증과 당뇨병이다. 이외에도 림프종, 간 질환, 갑상선 질환, 중추신경 경색증 등과 연관된다.

65세 이상의 노인층에서 뚜렷한 연관 질환이 없지만, 건조 피부가 발생한다(75% 이상). 여성은 폐경 이후의 호르몬 변화에 의해 유발된다.

외적 원인은 건조한 환경이다. 실내 난방기는 상대 습도를 낮게 만들기 때문에 겨울 및 차고 건조한 공기에 노출되면 피부는 건조해진다. 잦은 세안은 건조 피부를 억제하는 피부 표면의 지질과 자연 보습 인자를 손상시킨다. 일부의 비누는 세정력이 강하고 보습 효과가 낮으므로 피부가 쉽게 건조해진다. 장기간 햇빛 노출, 약물, 계면활성제·용매에 노출되면 피부를 보호하는 피부 장벽이 손상을 받으므로 피부가 건조해진다. 일부의 약물(여드름, 고지혈증 등)은 피부 건조증을 유발한다.

피부 장벽 관점에 의하면 건조 피부 유발 인자는 자연 보습 인자, 각질층 지질, pH, 각질 교소체, 피지, 아쿠아포린 등이 관여한다. 자연 보습 인자(NMF)는 필라그린 분해 산물이며, 아토피 피부염·어린선·건선·건조 피부에서 감소되어 있다. NMF는 함습 작용이 매우 강하므로 60% 상대 습도에서도 수분을 유지시킨다. 각질세포막 형성

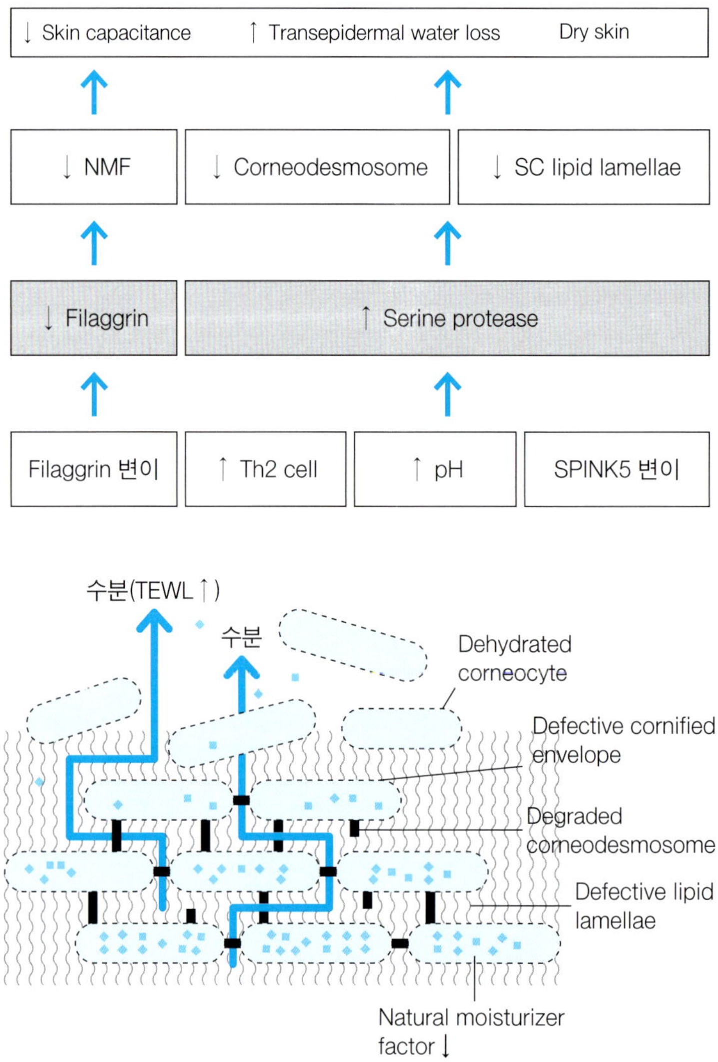

그림 9-25. 건조 피부

표 9-12. 건조 피부 유발 질환

피부 질환	전신 질환
아토피 피부염	만성 신부전증, 간 질환
어린선	당뇨병, 갑상선 질환
만성 습진	림프종
건선	중추신경 경색증

표 9-13. 피부 수분 유지 요소

종류	성분	무게(%)
피지	Triglyceride	41.0
	Diglyceride	2.2
	Fatty acid	16.4
	Squalene	12.0
	Wax ester	25.0
	Cholesterol	1.4
	Cholesterol ester	2.1
자연 보습 인자	Amino acid	40.0
	Sodium pyrrolidone carboxylic acid	12.0
	Lactate	12.0
	Urea	7.0
	Ions (Cl^-, Na^+, K^+, Ca^{2+}, Mg^{2+}, PO_4^{3-})	18.5
	Sugar	8.5
	Ammonia, uric acid, glucosamine, creatine	1.5
	Citrate and formate	0.5
표피 지질	Ceramide	50.0
	Fatty acid	30.0
	Cholesterol	15.0
	Cholesterol sulfate	5.0

약화, 각질세포 접착력 감소, 층판소체 내용물 부실, TEWL 증가는 건조증을 유발한다. 각질층 지질(세라마이드, 콜레스테롤, 자유 지방산 등)이 현저하게 감소한다.

각질층 pH 증가는 LEKTI 1(lympho-epithelial Kazal-type related inhibitor 1) 감소에 의해 serine protease가 활성화된다. 또한 각질교소체 분해를 촉진시킨다. β-glucocerebrosidase, acidic sphingomyelinase 기능 감소는 세라마이드 생성 감소로 이어진다. PAR-2가 활성화되므로 피부 장벽 회복을 지연시킨다. Th2 면역 반응은 염

증 반응을 유도한다. 아토피 피부염에서 LEKTI 발현을 조절하는 유전자 돌연변이가 나타난다(SPINK5). 노화에 의한 아쿠아포린 기능·피지·콜레스테롤·히알루론산 감소는 건조증, 소양증을 야기한다.

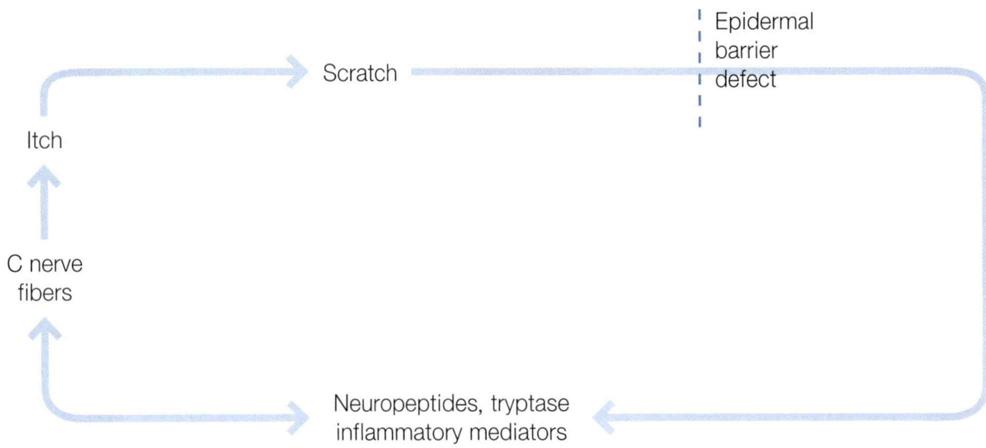

그림 9-26. 소양증 발생 기전

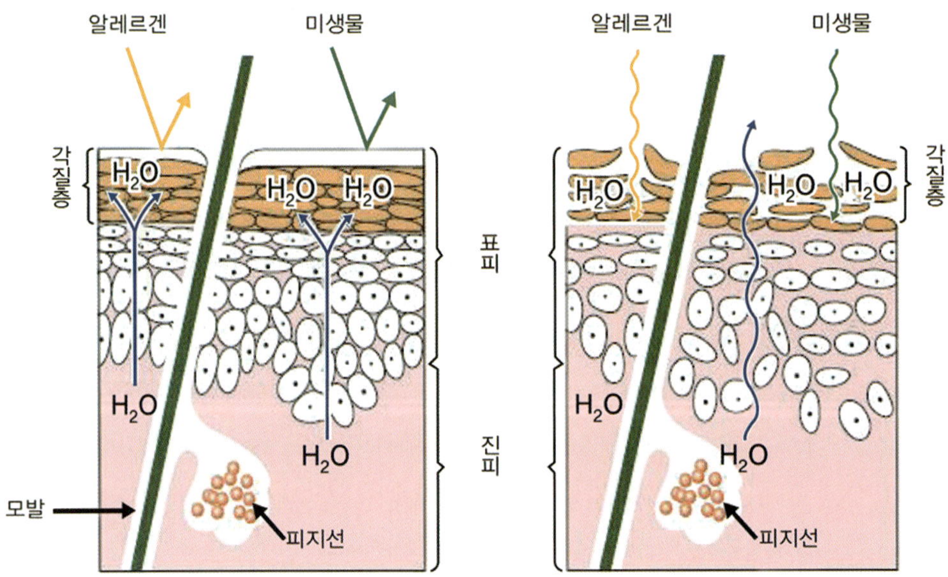

그림 9-27. 피부가 건조하면 소양증이 동반된다[정상(좌측) vs 아토피 피부염(우측)].

10) 아토피 피부염(atopic dermatitis)

영·유아(생후 2개월~2세 미만)·소아기(2~12세 미만)·청소년기(12~20세 미만)·성인기(20세 이후)에 호발하는 만성·재발성 피부 질환이다. 원인은 불명이지만, 유전·알레르기·면역·약리생리·감염·환경·위생 가설 및 피부 장벽 기능 등의 다양한 가설이 제시되고 있다

선천성 또는 후천성 피부 장벽 손상에 의해 병변이 나타난다.

첫째, 알레르겐(집먼지 진드기 등)이 손상된 피부 장벽을 통과하면 TEWL 증가, 수분 감소, 지질 성분 변화 및 피부 pH가 상승하므로 serine protease가 활성화된다. 지질 형성에 관여하는 효소(β-glucocerebrosidase, acidic sphingomyelinase 등)가 감소된다. 또한 각질교소체 분해에 의해 세포간 결합이 억제된다. 이후에 protease activated receptor-2(PAR-2) 활성 및 TSLP 발현 증가는 표피 랑게르한스 세포를 자극한다. Th2 세포에 의해 장벽 기능이 억제되므로 알레르기성 염증 반응, 소양증 등이 나타난다. Th2 세포에 의한 사이토카인 IL-4, 13은 피부 장벽, 항균 장벽 기능을 억제한다.

둘째, 선청성 filaggrin 유전자 변이에 의한 기전이 작용한다. Filaggrin 생성 장애에 의해 pH 조절에 관여하는 urocanic acid, amino acid가 감소하므로 pH가 상승한다. KLK 및 SPINK5 유전자 변이에 의한 serine protease 활성화는 PAR-2 또는 층판소체 분비가 억제되므로 염증 반응이 가속화된다.

참고: 국내 아토피 피부염 환자는 KLK7, SPINK5 유전자 변이가 흔하지만, 북서 유럽인은 filaggrin 유전자 변이와 연관성이 있다.

환자의 병변·비병변 부위에서 claundin-1 발현 감소는 tight junction 기능 억제를 의미한다.

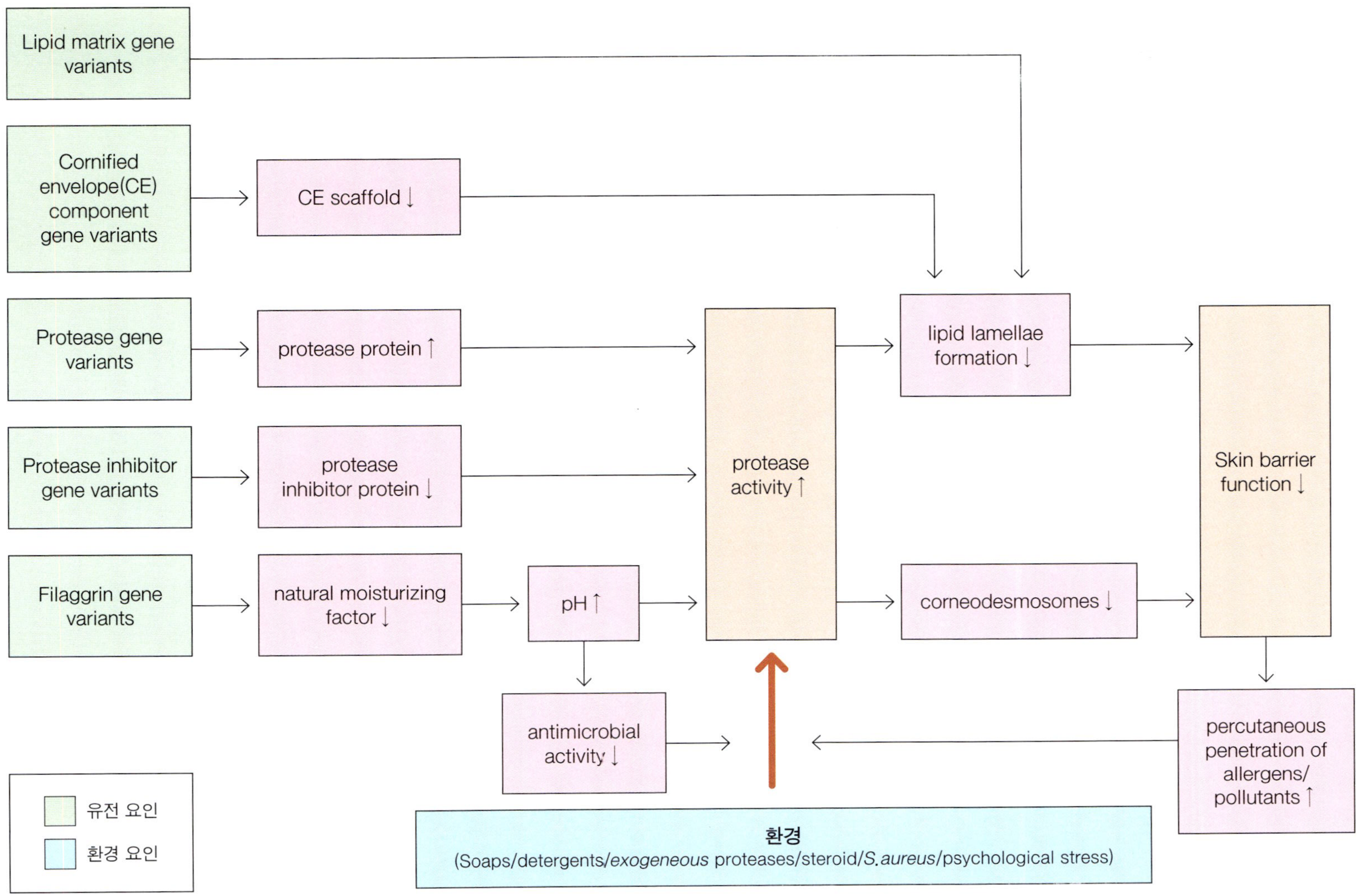

그림 9-28. 아토피 피부염 vs 내·외적 요인

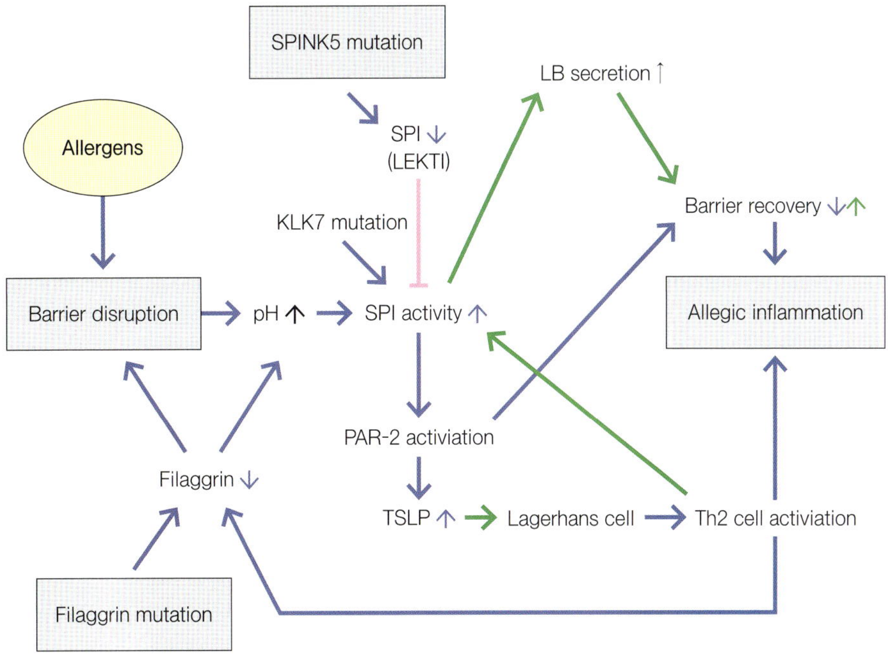

그림 9-29. 아토피 피부염 환자의 피부 장벽

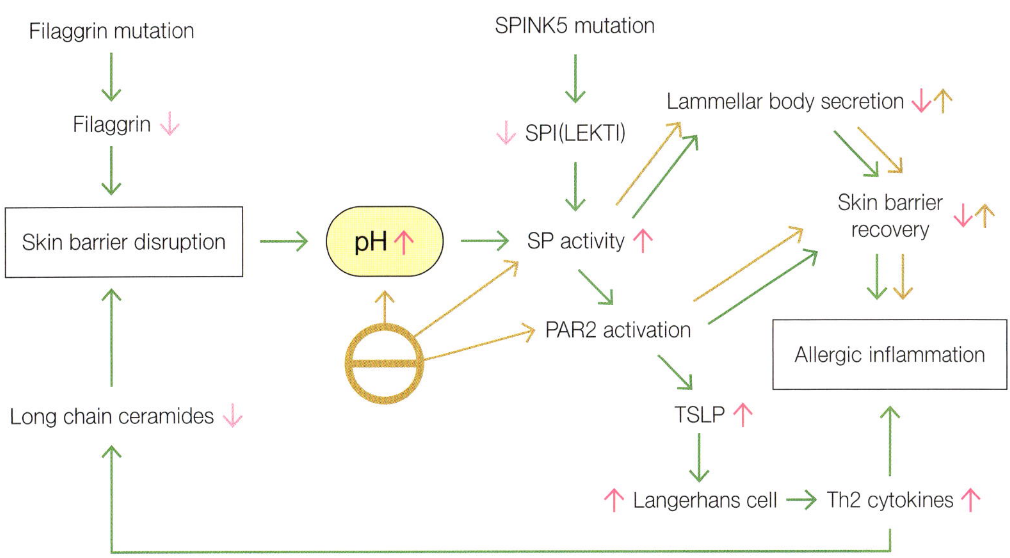

SP: serine protease, SPI: serine protease inhibitor, SPINK5: serine protease inhibitor Kazal type 5, PAR-2: protease-activated receptor-2, TSLP: thymic stromal lymphopoietin, LEKTI: Lympho-epithelial Kazal-type-related inhibitor

그림 9-30. pH 상승에 의한 피부 장벽 손상(아토피 피부염)

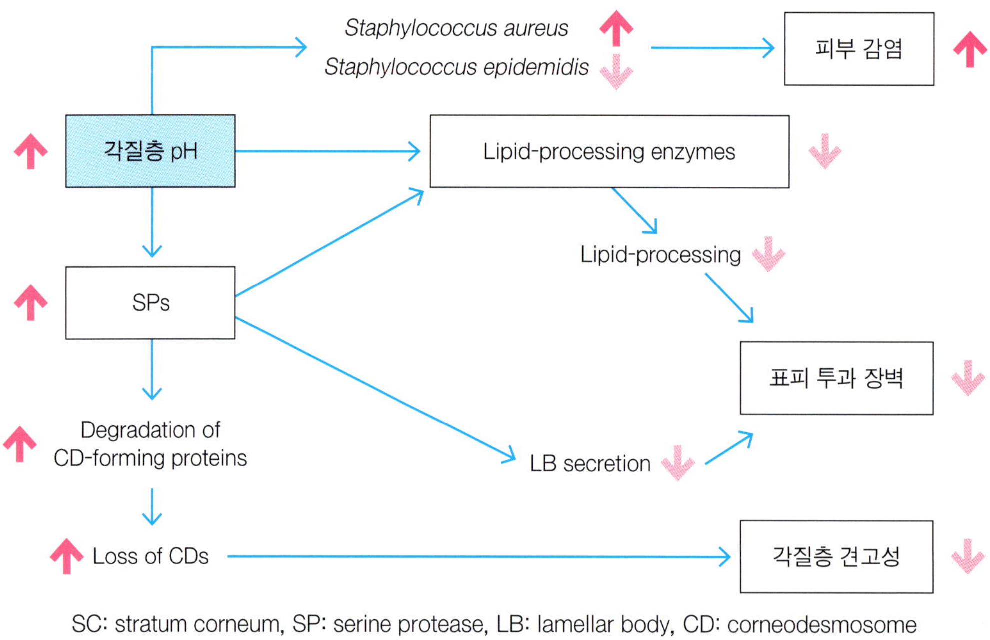

그림 9-31. 각질층 pH 상승에 의한 결과

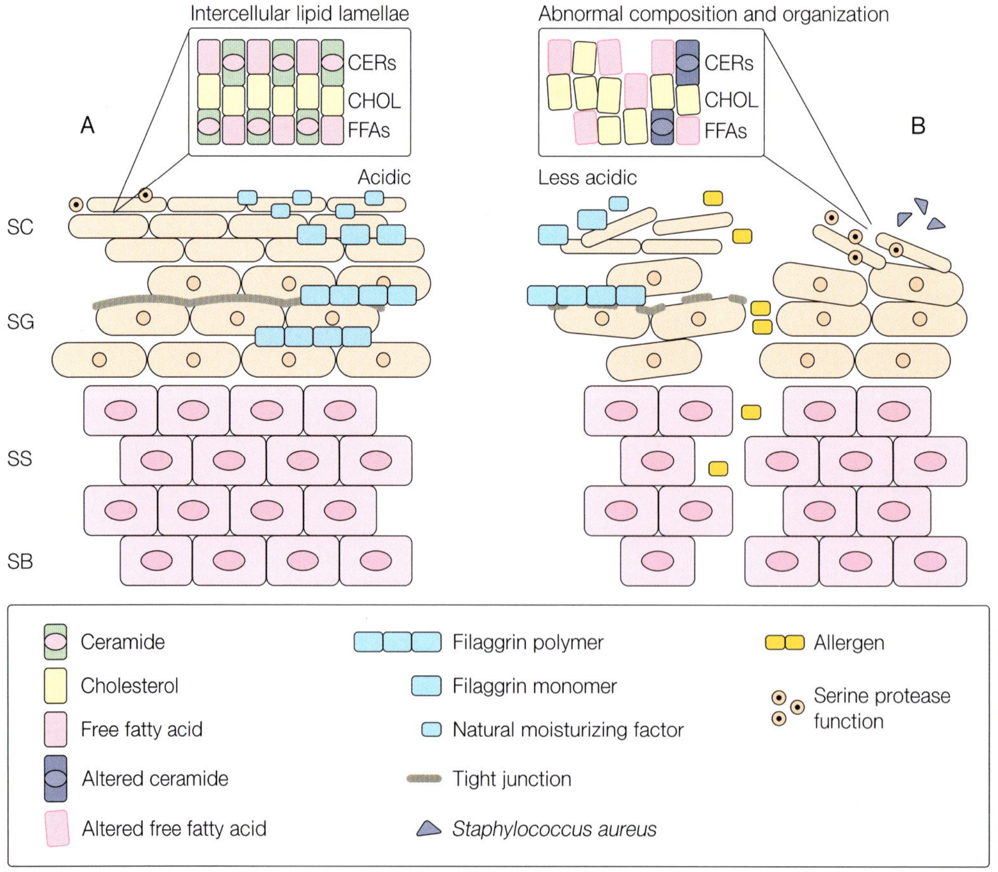

그림 9-32. 정상인(A) vs 이토피 피부염(B)

참고

• 선천성 면역학적 원인

- 면역학적 병인에 관여하는 선천성 면역 세포는 호산구, 비만세포, 호염구, 자연살해 T세포(NKT), 선천성 림프구양 세포(ILC) 등이 있다.
- 패턴 인식 수용체는 톨-유사 수용체(TLR), NOD-유사 수용체 등이 있다.
- 항균 펩티드는 defensin, cathelicidin, RNase7, dermcidin, S100A7 등이 있다.

• 후천성 면역학적 원인

- 급성기에 Th2 세포가 주된 역할을 하고, 만성기에 Th1 반응이 관여한다.
- 급성기에 Th2 세포와 사이토카인(IL-4, IL-13 등)이 증가한다.
- 랑게르한스세포가 아토피 피부염의 급성기를 매개한다.
- 만성기에 Th1 세포와 사이토카인(IFN-γ, IL-12, IL-18) 등이 증가한다.
- 염증가지 돌기 표피세포가 아토피 피부염의 만성기를 매개한다.
- Th2 세포는 성인 아토피 피부염에서 관찰되는 표피 과증식과 연관된다.

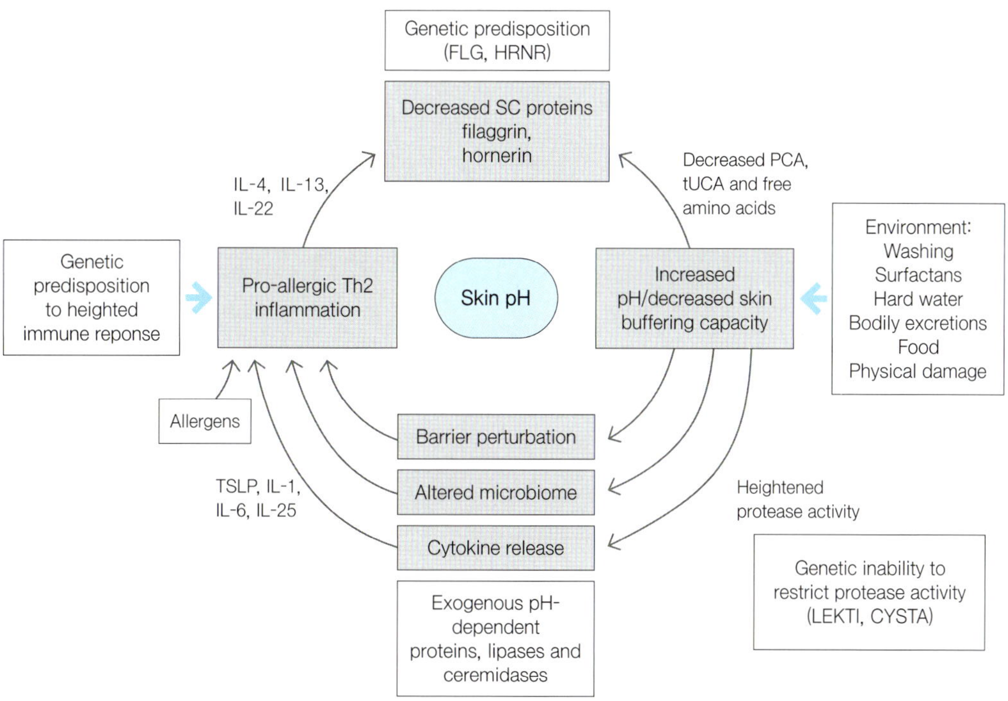

그림 9-33. 아토피 피부염(pH vs 피부 장벽)

11) 여드름(acne)

모피지선의 만성·염증성 질환이며, 면포·홍반·구진·농포·결절 등이 안면부에 호발한다. 원인 및 병태생리는 매우 다양하다. 호르몬(dehydroepiandrosterone), 박테리아(*C.acnes*), 피지, 스트레스, 화장품, 약제(steroid), 유전, 월경 등이 관여한다.

피부 장벽학적 관점에 의한 접근이다. 호르몬(androgen, stress hormone 등)에 의한 피지 분비 증가는 모공 누두부 각질층의 ceramide·free fatty acid 감소, TEWL 증가, 수분 감소가 유발된다. 피지의 희석에 의한 linoleic acid 감소 등에 의해 모낭 벽의 과각화증이 증가하면 미세 면포가 유발된다. pH 증가에 의한 protease, PAR2 signaling 및 피부 microbiome 변화는 염증을 가속화시킨다. 피지 증가는 *C.acnes*에 의해 염증성 효소(MMPs, lipase) 및 사이토카인 발현이 현저해진다. 그러므로 모낭 벽이 파열되며, 피지 및 조직 파편(debris)가 진피에서 염증 반응을 일으켜 다양한 임상 양상을 나타낸다. 스트레스는 말초신경계에서 substance P 분비를 유발하므로 피지선·피지세포의 크기를 증가시켜 여드름을 악화시킨다.

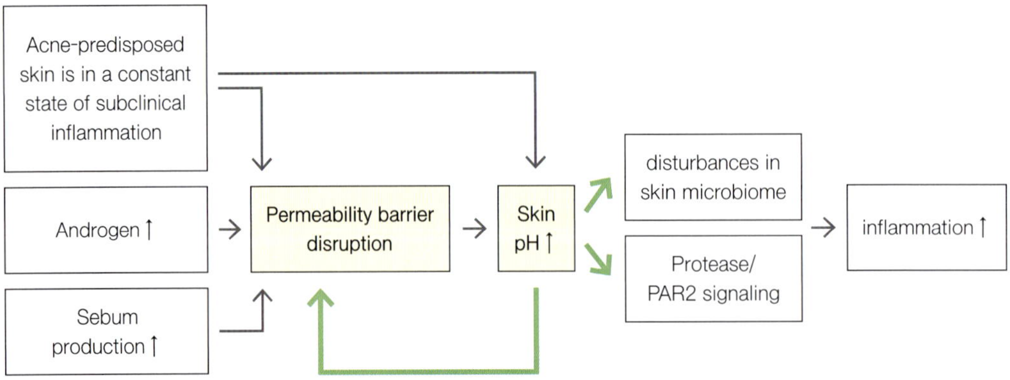

그림 9-34. 여드름

12)주사(rosacea)

안면부에 지속적인 홍반이 발생하는 만성·염증성·충혈성 질환이다. 그 외에 모세혈관 확장증, 구진, 농포, 피지선 비후, 안구 증상 등이 동반된다.

병인은 혈관 조절 기능 장애, 혈관 주변의 교원질·탄력 섬유 손상, *Demodex*, *H. pylori*, 지루 피부염, 음식물, 외부 환경(햇빛, 온도, 목욕 등), 피부 장벽 손상 등이 제시되고 있다.

대부분의 환자는 민감성 피부 및 자극 물질에 대한 낮은 역치에 의해 경표피 수분 손실(TEWL) 증가, 각질층 수화 감소를 나타낸다.

pH가 상승(알칼리화)되면 Kallikrein(KLK)-5,6,7,12가 활성화된다. KLK-5는 LL-37을 활성화 시킨다. LL-37은 홍반, 사이토카인 유리, 혈관 생성에 관여한다. KLK-5,7은 PAR-2 활성화 및 염증 반응을 유도한다. 염증, cathelicidin은 각질층·지질 생성을 손상하므로 소양증 및 따가운 증상을 유발한다.

선천성 면역과 관련된 Toll-like receptor-2 (TLR2)가 활성화되면 serine protease(KLK 5) 생성이 증가하므로 LL-37은 염증 증가, 혈관 생성, 장벽 손상 등을 일으킨다. STAT 3 발현 증가는 피부 장벽 기능 저하 및 염증을 유발한다.

참고: 민감성 피부(sensitive skin)

Frosch 및 Kligman에 의해 처음으로 제시되었고, 1978년에 cosmetic intolerance syndrome으로 기술되었다.

피부 장벽 손상, 유전적인 요인, 환경적 요인 등의 다양한 원인에 의해 유발된다. 2017년 International forum for the study of itch (IFSI)에서 피부 민감성은 “일반적인 이상 감각을 유발하지 않는 자극에 대하여 불편한 감각이 발생하는 증후군이며, 피부 병변은 정상이거나 홍반을 동반할 수 있고, 신체 어느 부위에서나 발생할 수 있다”라고 기술하였다. 피부 장벽 손상과 신경병증이라는 두 가지 요소가 관여한다.

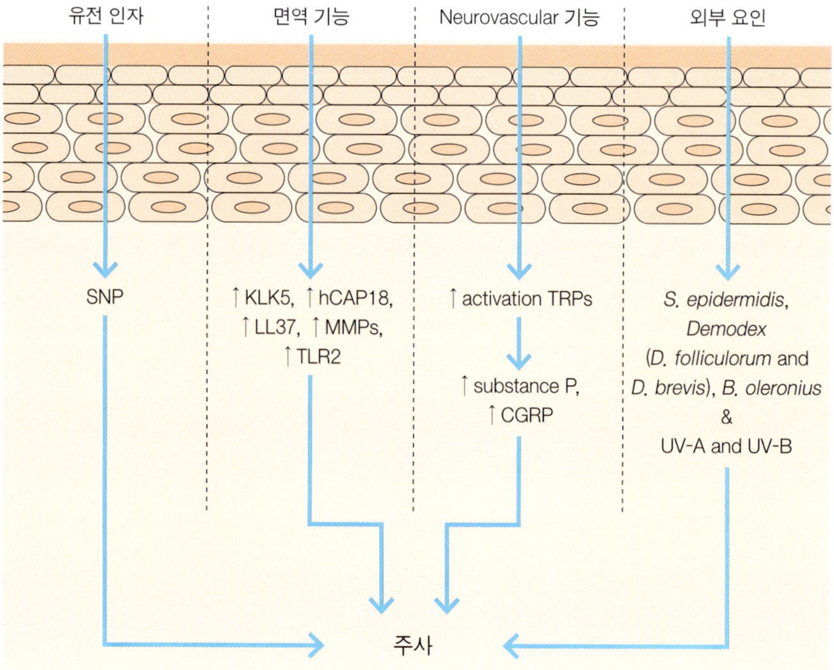

그림 9-35. 주사의 병태생리

① 장벽 손상(barrier dysfunction)

세라마이드, NMF(PCA), transglutaminase 활성 및 KLK5 발현 감소에 의해 유발된 피부 장벽 손상은 다양한 환경 요인(예: 자외선, 날씨, 화학 물질), 부적절한 스킨케어 제품, 과도한 세정 등에 의해 발생한다. 장벽 손상에 의한 주요 증상은 가려움증, 홍조, 건조함, 피부 발진 등이다. 중성 지질의 현저한 감소 및 장벽 안정성 감소, 스핑고지질 합성 증가가 나타난다. 손상된 표피 장벽 기능에 의해 자극제 또는 알레르겐 침투가 용이해지고, 신경 말단을 적절하게 보호하지 못하며, 경표피 수분 손실(TEWL)이 증가한다. 일부 연구에서 민감성 피부를 가진 사람은 아토피 발생률이 증가하고, 또한 대조군에 비해 민감성 피부를 가진 사람은 알레르기 발생 위험이 5배 증가하였다.

② 신경병증(neurogenic factors)

피부에 수많은 뉴런(신경 섬유)이 존재하며, 뉴런은 자극에 반응하여 가려움증과 통증을 유발한다. 피부의 뉴런이 과민하게 반응하여 일상적인 자극에도 고통을 느

낄 수 있다. 가려움증, 따가움, 홍조, 저림 현상과 같은 증상을 유발한다. 정신적 스트레스 등은 민감성 피부의 신경병증을 악화시킨다. Peptidergic C-fiber 수가 감소되어 있다. 민감성 피부를 소섬유 신경병증(small fiber neuropathy)의 일환으로 보는 견해가 있다. 소섬유 신경병증은 직경이 작은 신경섬유가 선택적으로 손상되는 말초 신경병증의 아형이며, 신경병성 통증과 자율신경 기능 이상이 특징이다. 소섬유 신경병증은 신경학적 검사나 신경전도 검사에서 이상 소견이 나타나지 않는 경우가 흔하므로 진단에 어려움이 있다.

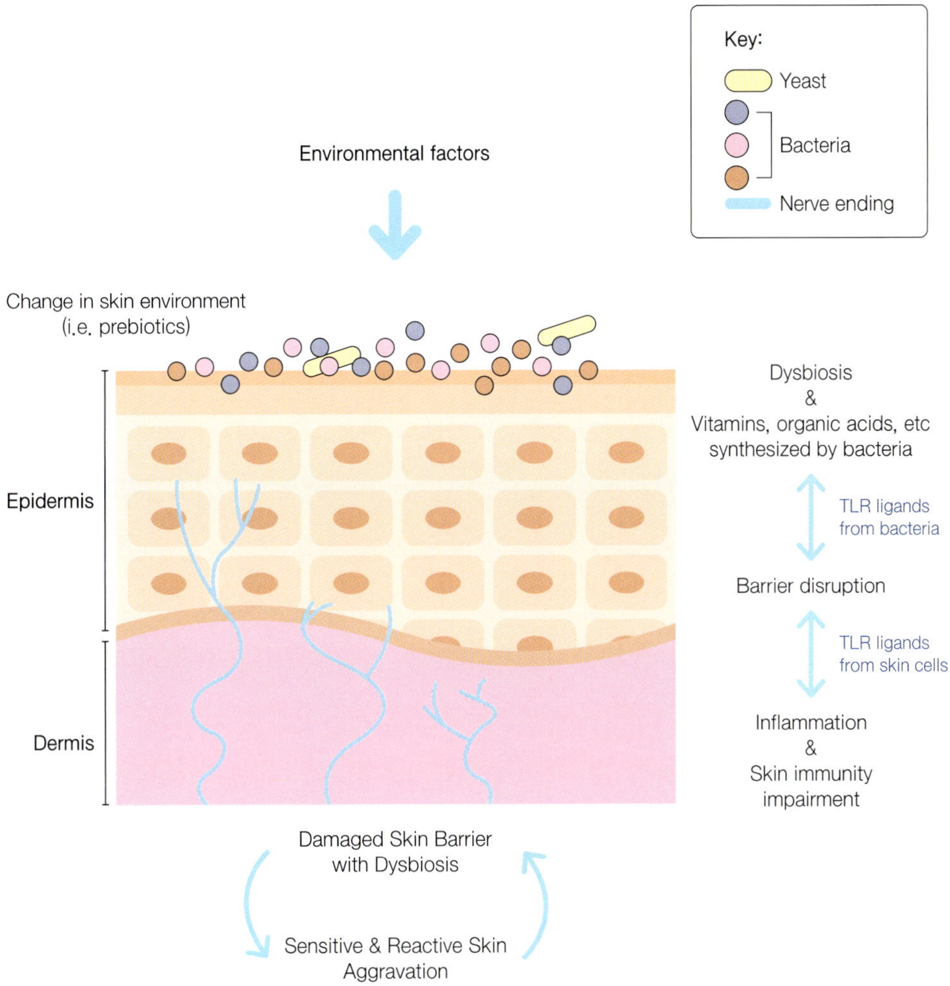

그림 9-36. 피부 민감성 vs microbiota

표 9-14. 민감성 피부의 증상/징후

Symptoms	Signs
Burning	Excoriation
Itching	Hyperkeratosis
Pain	Lichenification
Prickling	Papules
Smarting	Redness/erythema
Stinging	Scaling
Tickling	Vesicles
Tightening	Xerosis/dryness

표 9-15. 민감성 피부의 원인

Specific Contact Exposures	Environmental and Internal
Deodorants/antiperspirant powder/talcs	Cold
Fabrics	Dry air
Facial cosmetics	Heat
Facial moisturizers, cleansers, astringents	Hormonal fluctuation
Hair products (e.g., shampoo, conditioners, colorants)	Humidity
Household cleansers and dishwashing liquids	Pollution
Laundry products: detergent and fabric softners	Spicy food
Pantiliners and menstrual pads	Stress
Perfuems/fragrances	Sun
Soaps	Temperature changes
Sunscreens	Wind

표 9-16. 민감성 피부 분류(Umbrella term)

보고자	Group 1	Group 2	Group 3
Muizzuddin	Delicate Easily disrupted barrier function not accompanied by rapid or intense inflammatory response	Reactive Strong inflammatory response without a significant increase in permeability	Stingers Heightened neurosensory perception to minor cutaneous stimulation
Pons-Guiraud	Very Sensitive Reactive to a wide variety of both endogenous and exogenous factors with both accute and chronic symptoms and a strong psychological component	Environmentally Sensitive Clear, dry, thin skin with a tendency to blush or flush and primarily reactive to environmental factors	Cosmetically Sensitive Transiently reactive to specific and definable cosmetic products
Löffler	Very Sensitive Subjects who claim heightened sensitivity of skin	Irritable Subjects who develop a stronger objective skin reaction to irritant or allergen	Stingers Individuals who consistently perceive pain response to sensory inducing chemicals

참고: 피부 민감성 vs 피부 microbiota vs 중성 지질

- 각질세포 미성숙·소형화는 수분 손실, 외부 물질의 투과를 증가시킨다. 각질층 두께 감소는 외부 물질 투과가 증가하므로 사이토카인, leukotriens, prostaglandins 방출 및 neurotransmitter 형성 유도에 의해 신경 말단부를 자극시키므로 피부 민감성이 높아진다.
- 중성 지질 감소는 피부 장벽 기능을 손상시킨다.
- 피부 표면의 미생물 균총의 다양성이 감소되며, *staphylocuccus aureus*가 증식한다. 그러므로 항균 펩타이드 감소, allergen 또는 자극성 물질의 투과 증가에 의해 피부 장벽 기능이 억제된다.

13) 당뇨병(diabetes mellitus)

당뇨병은 인슐린의 상대적 또는 절대량의 결핍 및 항인슐린 인자의 과잉에 의해 유발되는 만성 질환이다. 고혈압 및 당질, 지질, 단백질의 전반적인 대사 장애를 동반한다. 당뇨병을 일으키는 원인과 병태생리학적 기전은 불명확하다. 1형 당뇨병은 전체 당뇨병의 95%를 차지하며, 정확한 원인이 대부분 알려져 있지 않다. 2형 당뇨병은 5%를 차지하며, 원인은 췌장의 파괴·항인슐린 인자의 증가에 의한다

	당뇨병/노화 피부
Basal TEWL	subnormal
SC hydration	↓
SC integrity	↓
Barrier recovery rate	↓
Epidermal lipid synthesis	↓
Epidermal AMP	↓
Dermal collagen density	↓
Serum AGE	↑

	Young man	Diabetes mellitus
기초 경표피 수분 손실	++	+~++
각질층 수화	++	+
각질층 접착력/견고성	++	+
각질층 pH	++	+++
장벽 회복	++	+
총 표피 지질	++	+
표피 지질 생성	++	+
표피 콜레스테롤 생성	++	+
각질 세포간 지질 이중막	++	+
IL-Iα	++	+

표 9-17. 청년 vs 노인 vs 당뇨병

당뇨병은 신체의 모든 장기에 영향을 끼친다. 특히 신장, 눈, 신경, 심혈관을 침범하며, 피부에 다양한 변화가 유발된다. 당뇨병 발생에 관여하는 인슐린은 피부 대사 과정에 의해 다양한 피부(건조증, 경화부종, 감염증, 흑색 극세포증. 당뇨병성 궤양·수포, 황색종 등) 병변이 유발된다.

당뇨병 환자에게 호발하는 피부 건조증, 감염증, 상처 지연 등은 피부 장벽 손상과 연관된다. 당뇨병 환자의 피부는 건강한 피부에 비하여 경표피 수분 손실은 약간 감소된다. 말초 혈행 장애에 기인한다. 각질층 수분·견고함, 피부 장벽 회복율, 표피 지질 합성, 항균펩타이드, 진피 교원 섬유 밀도 등이 저하된다. 그러나 혈청 advanced glycation end product(AGE)는 증가된다. 만성·지속성 고혈당은 당화 혈색소(hemoglobin A1c, HbA1c) 상승, AGE 수용체(receptor for AGE, RAGE) 발현을 증가시킨다. 그러므로 표피 세포 증식·표피 지질 합성·층판소체 생성 및 분비를 억제하므로 피부 장벽 기능 뿐만 아니라 항균 기능이 저하된다.

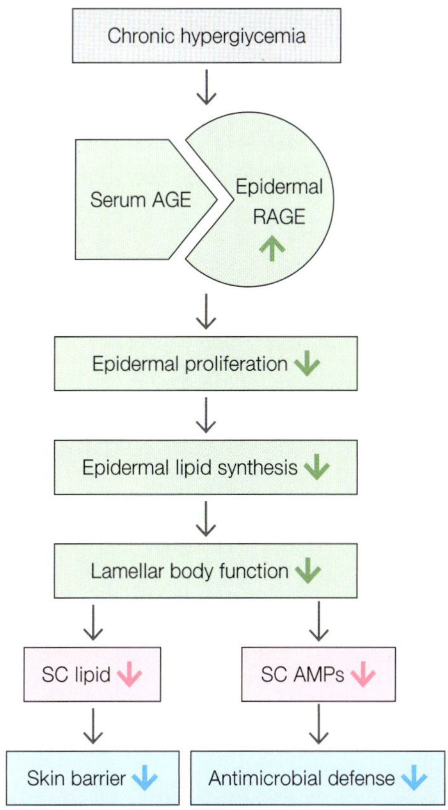

그림 9-37. 당뇨병 피부 장벽

14) 건선(psoriasis)

은백색의 구진 인설이 존재하는 만성·재발성 질환이며, 발생 빈도는 1~3%이다. 다양한 병인이 제시되었다. 각질형성세포 증식 및 분화 이상설, 생화학적 결합설(cyclic nucleotide), T 세포 매개에 의한 자가면역 기전설, 신경 펩티드 생성 부조화설, 다인성 유전설 등이 있다.

피부 장벽과 관련된 가설에 의하면 과거에는 Th1 염증 반응 이후에 2차적인 피부 장벽 기능의 손상에 의한다고 주장하였다. 그러나 Genome-wide association study는 염색체 1q21 epidermal differentiation complex에 존재하는 각질세포막 유전자 클러스터 변이에 기인한다고 보고하였다. LCE(Late cornified envelope) 3B, 3C deletion에 의해 선천성 피부 장벽 기능 이상이 유발된다. 건선 병변의 악화는 면역 반응에 의한 2차적인 피부 장벽 손상에 기인된다. Occludin, ZO-1, Cldn-1, 4, 5 를 이용한 tight junction과 연관된 실험 결과에 의하면 Cldn-1은 정상 피부에 비하여 감소하였다. Cldn-5는 정상 피부에 비하여 판상형 건선에서 상부 표피에 현저하게 증가하였다. 그러나 병변 주위와 치료된 병변은 과립층에 국한되어 존재하였다. Occludin도 유사한 양상이었다. *In vitro*에서 저농도의 IL-1β(1μg/ml)을 이용한 배양 결과에 의하면 Cldn을 현저하게 감소시켰다. *In vivo*에서 TNF-α는 Cldn(claudin)-1 발현을 조절하지 못하였다.

표 9-18. 건선과 연관된 유전자 감수성(susceptibility) 및 기능

유전자 감수성	기능
LCE 3C, LCE 3B(LCE gene cluster), CDN	피부 장벽 기능
DEFB4	항균 기능
IL12B, IL23R, IL23A	Th1, Th17 경로
TNFAIP3, TNIP1	NF-kB 신호
HLA-CW6(PSOR1), ERAP1	항원 전달 세포, CD8/NK세포

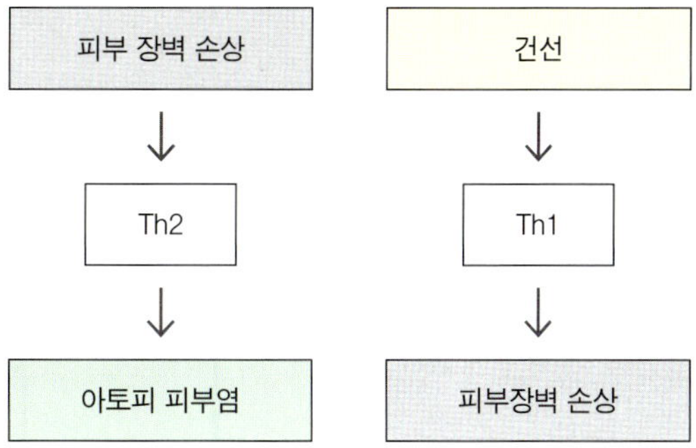

그림 9-38. 아토피 피부염(Th2) vs 건선(Th1)

15)접촉 피부염(contact dermatitis)

손상된 피부 장벽에 의해 자극 물질, 알레르겐이 표피로 침투하면 접촉 피부염(자극성/알레르기성)이 유발된다. 니켈, 코발트에 감작된 환자에서 SLS로 피부 자극을 유도하면 알레르기 반응의 threshold(문턱)를 감소시킨다. 2017년 보고(J Invest Derm 2017:137;748~750)에 의하면 알레르기성 접촉 피부염 환자의 비병변 부위에서 아토피 피부염과 유사하게 ceramide 감소 및 장벽 회복률이 정상인에 비해 유의하게 낮았다. 아토피 피부염 환자의 비병변 피부에서 알레르겐, 자극성 물질의 흡수가 2~5배 정도 높다. 그러므로 아토피 피부염 환자는 직업성 자극 피부염이 2~3배 정도 호발한다.

16)스트레스(stress)

개체의 항상성을 교란시키는 내·외부 영향을 '스트레스' 라고 명명한다. 스트레스에 의해 질환이 악화 및 재발되는 아토피 피부염, 건선, 여드름 등은 대표적인 피부 질환이다. 만병의 근원=스트레스는 피부 장벽과 연관이 있을까?

피부 장벽 대가(Elias 교수)는 의대생을 대상으로 시험 4주 전, 시험 중간, 시험 후에 피부 장벽 회복 정도를 비교한 임상 실험을 시행하였다. 스트레스가 가장 심했던 시험 기간 중에 피부 장벽 회복이 지연되었다. 면접·수면 장애에 의한 스트레스는 회복이 지연되었으나, 운동 등에 의한 물리적 스트레스는 상관이 없었다. Elias 교수는 무모 생쥐를 이용하여 유사한 실험을 하였다. 쥐를 움직이지 못하게 하거나, 환경을 자주 바꾸어서 스트레스를 유발하였다. 결과는 의대생과 동일하였다.

원인은? 뇌하수체 호르몬(corticotrophin releasing hormone, CRH)은 부신에서 당질 코르티코이드 분비를 유도한다.

혈중의 증가된 당질 코르티코이드는 표피(glucocorticoid receptor)에 작용하여 층판소체의 생성을 감소시키므로 지질 합성·항균펩타이드를 억제한다. 표피 분

그림 9-39. 웃으면 복이 온다? 과학적으로 근거가 있다! 스트레스에 의해 전두 탈모증 발생(뭉크)!

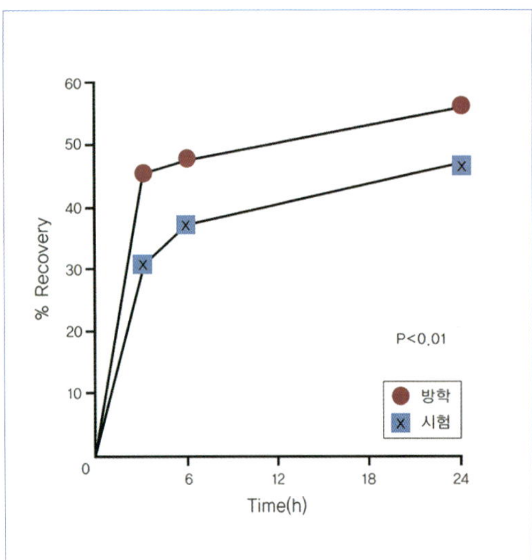

그림 9-40. 스트레스(시험)에 의한 장벽 회복력 변화

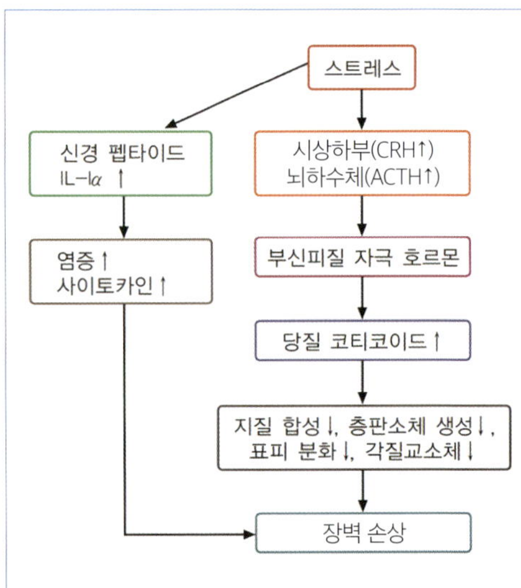

그림 9-41. 스트레스와 피부 장벽

화가 억제되면 각질 교소체 분해가 촉진되므로 각질층의 견고함이 감소된다. 11β-hydroxysteroid 발현이 증가된다. 스트레스를 완화시키는 명상, 진정제(diazepam), CRH 억제제(antalarmin), 당질코티코이드 수용체 길항체(RU-486), 보습제는 환자에게 도움을 제공한다. 장벽 손상은 항균 장벽과 연관이 있다. 스트레스에 의해 항균 펩티드 발현이 억제되므로 감염이 호발한다. 웃으면 복이 옵니다!!!

17)노화 피부(aging skin)

① 개요

피부 노화는 나이가 듦에 따라 나타나는 내인성 노화(intrinsic aging) 및 외부 환경(자외선)에 장기간 노출되어 발생하는 광노화(photoaging)로 구분한다. 내인성 노화는 광선 비노출부에 나타난다. 광노화는 얼굴, 손등, 목의 노출부에서 내인성 노화와 만성 광선 노출에 의해 발생한다. 내인성 노화는 경미한 잔주름·탄력 감소·건조증이 나타나지만, 광노화는 내인성 노화에 비해 심하고 조기에 발생한다.

노화 피부의 임상 양상은 주름, 색소 침착, 피부암 등이 유발된다. 노화 피부는 표피 두께가 감소하며, 표피-진피 경계부가 편평해져서 진피와 접촉하는 면적이 감소한

표 9-19. 임상 양상

구분 / 양상	내인성 노화	광노화
주름	잔주름	굵고 깊은 주름
건조증	경미함	심함, 거친 피부
색조	창백함	불규칙한 색소 침착
색소성 질환	드뭄	증가(흑자)
양성 종양	드뭄	증가(검버섯)
전암성/악성 종양	드뭄	증가
탄력성 감소	경미함	심함, 처진 피부
피부결	부드러우며 약간 건조	거칠고 두꺼움, 심한 건조

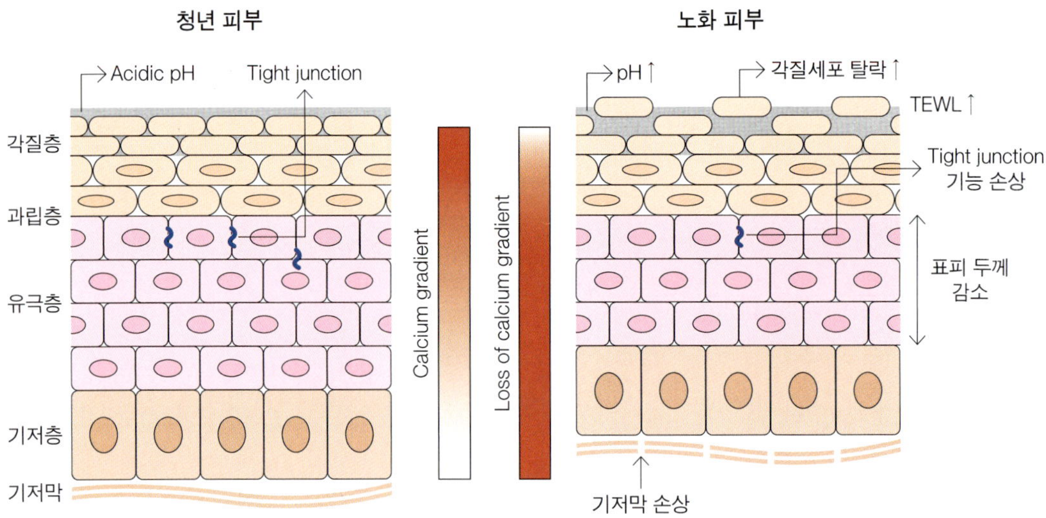

그림 9-42. 청년 vs 노화 피부

다. 광노화 표피는 내인성 노화에 비해 초기에 약간 두꺼워지는 경향을 보이지만, 노화가 진행될수록 내인성 노화 표피보다 얇아진다. 각질형성세포 배열이 불규칙해지며, 비정상적인 세포가 출현한다. 노화 피부의 진피는 아교질(collagen)과 탄력섬유(elastic fiber) 감소에 의해 두께가 감소한다. 광노화는 내인성 노화에 비해 아교질 감소가 현저하며, 비정상적인 탄력섬유성 물질이 축적된다.

노화 피부는 각질형성세포의 분화, 재생 속도가 감소된다. 50세 이후에 급격하게 감소한다. 표피 재생 속도가 낮으므로(2배 감소) 상처 치유가 늦고, 이차 세균 감염이 동반된다. 표피의 7-dehydrocholesterol이 감소하므로 비타민 D 합성이 저해된다. 그러므로 골다공증을 유발한다. 세포성 면역이 감소하므로 감염성 질환 및 피부 종양이 증가한다. 체액성 면역이 감소하므로 자가 항체의 빈도가 증가한다. 그러므로 천포창, 유천포창이 호발한다. 랑게르한스 세포 숫자 및 기능 감소에 의해 접촉성 과민 반응이 억제된다.

65세 이상의 노인에서 다양한 피부 종양(지루 각화증, 기저세포암, 광선 각화증 등)이 증가한다. 장기간의 자외선 노출, 유해한 화학 물질의 제거 능력 감소, 멜라닌세포 숫자·기능 및 염증 반응 감소와 연관이 있다.

표 9-20. 노화 피부

표피 재생/세포 분열 ↓	피부 건조증 ↑
피부 장벽 기능 ↓	pH ↑
TEWL 정상~↓	소양증 ↑
면역 기능(CMI) ↓	경피 흡수 ↑
상처 치유 능력 ↓	피부 종양 ↑
땀·피지 생성 ↓	주름 ↑
비타민 D 합성 ↓	모발 손실 ↑
온도 조절 ↓	흰 머리 ↑
항산화 방어 능력 ↓	자가면역 질환(천포창) ↑
감각 기능 ↓	이차 세균 감염 ↑
유해 화학물질 제거 ↓	화상 ↑

표 9-21. 내인성 노화 vs 외인성 노화 (성분)

	내인성 노화	외인성 노화
Epidermal hyaluronic acid	↓	↓ or ↔
Dermal hyaluronic acid	↔ reduced extractability	↑ shortened length
Glycosaminoglycan	↓	↑ clumped
Protein	Slightly altered structures	Markedly altered structures
Water	↓ or ↔	↑
Collagen fiber	Thinned Less soluble	Thickened More soluble
	Subtle fragmented Disorganized	Fragmented Disorganized
	Neo-synthesis rate ↓ Typle III to I ratio ↑ Collagen network density ↑ (loosely woven & straighter)	Neo-synthesis rate ↓ Typle III to I ratio ↑ Collagen network density ↑ (loosely woven & straighter)
Elastic(number, diameter) fiber	↓	Accumulation of damaged fiber
Matrix metalloproteinase	↑	↑

표 9-22. 내인성 vs 외인성 노화(병리조직학적 소견)

		내인성	외인성
표피	두께	감소	초기(증가), 후기(매우 감소)
	랑게르한스 세포	감소	감소
	멜라닌 세포	감소	불규칙한 분포
	mutant P53	-	증가
	증식 속도	감소	증가
	각질층	정상 두께	다양한 두께(증가 혹은 감소)
진피	두께	감소	감소
	탄력소 양	서서히 감소	비정상적인 구조의 탄력소(elastin) 증가
	콜라겐 양	감소	매우 감소
	소혈관(유두 진피)	감소	감소

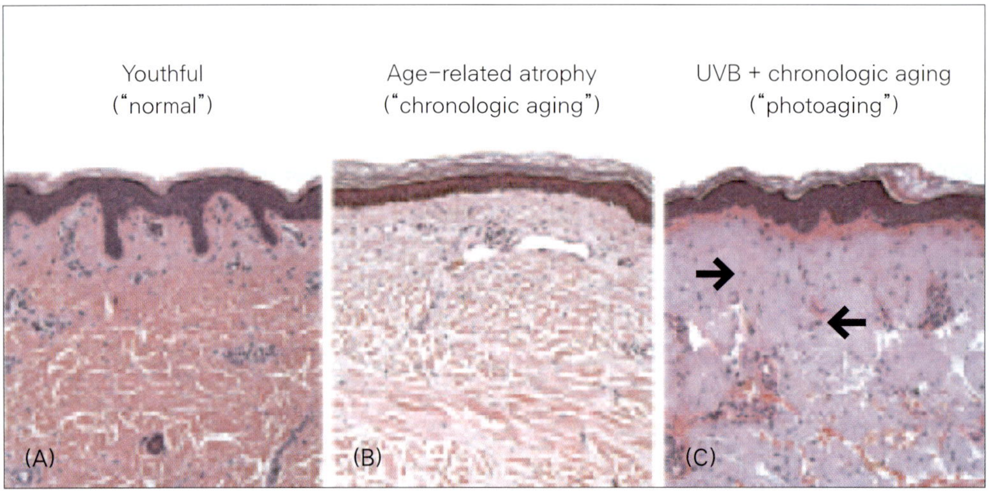

그림 9-43. 내인성 노화(B)는 청년 피부(A)에 비하여 표피가 얇아지며, rete ridges가 소실됨.
광노화 피부(C)는 진피에 탄력섬유성 물질(←)이 축적됨.

피부 두께 및 탄력성 감소와 함께 주름이 증가한다. 진피에서 세포외 기질 단백질의 결핍에 의한다. 성인 이후에 교원질은 매년 1% 감소되며, 자외선 노출에 의해 현저하게 감소한다. 다양한 신호 전달 경로에 의해 MMPs(matrix metalloproteinase) 발현이 증가한다.

그 외에 탈모 현상 및 흰 머리카락이 증가한다. 조갑판이 얇아지고, 조갑 반월이 소실되며, 조갑의 성장 속도가 감소하므로 조갑진균증 치료 기간이 길어진다.

피부 감각 기관의 기능 저하에 의해 화상 빈도가 증가하며, 섬세한 작업에 지장을 느낀다.

② 노화 피부 장벽

노화 피부 장벽은 다양한 요인에 의해 손상된다. 첫째, 표피 지질 생성이 감소하여 각질세포간 지질막 손상. 둘째, 표피 칼슘 기울기(epidermal calcium ion gradient) 소실에 의한 표피 분화 저하. 셋째, 자연보습인자 감소에 의해 수분 함유량 감소. 넷째, Sodium-hydrogen exchanger type 1(NHE-1) 발현 감소에 의한 피부 pH 증가 및 항균 펩티드 기능 장애. 다섯째, 경표피 수분 손실(TEWL)은 정상~약간 감소되어 있으나, 급성 장벽 손상에 의해 TEWL 증가, 지질 합성·각질층 견고함이 감소되므로 청년 피부에 비해 장벽 회복이 늦어진다. 피부 장벽 기능 이상은 노화 피부와 제2형 당뇨병 피부에서 유사하다.

노화 피부에서 세라마이드, 콜레스테롤, 지방산과 같은 3가지 지질 생성이 감소한다. 각질세포간 지질이 젊은 피부에 비하여 1/3 이상 감소하므로 각질세포간 지질막 손상을 초래한다. 노화 피부에서 콜레스테롤 생성 저하는 pH 상승을 초래한다. 표피 분화 유도 및 피부 장벽에 필수적인 표피 칼슘 기울기는 노화가 진행되면 소실된다. 과립층에서 증가하고 기저층에서 감소하는 정상적인 칼슘 기울기는 과립층에서 감소하고 기저층에서 증가하여 전체적으로 농도가 유사하다. 표피 칼슘 기울기 소실은 감소된 이온 펌프, 이온 채널, 이온 수용체 등이 원인이다. 노화 표피에서 필라그린 단백질 분해에 의한 저분자량의 복합체(자연보습인자)와 각질층의 글리세롤이 감소하므로 각질층 수분량이 감소한다. 노화 표피는 케라토하이알린 과립 감소에 의해 프로필라그린, 자연보습인자 감소가 나타난다. 글리세롤이 감소하는 두 가지 기전은 노화에 의한 피지 분비 감소 및 표피의 수분과 글리세롤 운반체(아쿠아포린-3)의 발현 감소이다. 노화가 진행되면서 피부 pH 증가가 뚜렸해진다. 피부 마이크로바이옴에 의해 노인 특유의 채취가 나타난다. 피부 pH 증가 기전은 다음과 같다. 첫째, NHEI 발현 감소, 둘째, 필라그린 대사 산물(trans-urocanic acid) 감소, 셋째, 인지질 감소에 의한 지방산으로 분해 감소, 다섯째, 땀 분비 저하에 의한 젖산 감소에 기인한다. pH 증가는 세린 단백질 분해효소 활성을 증가시키므로 각질교소체 분해에 의한 각질 탈락을 일으킨다. 세라마이드 생성 효소를 억제하여 각질세포간 지질막 생성을 저해하므로 피부 장벽 기능 및 구조가 손상된다. 11β-HSD1(11 beta-hydroxysteroid dehydrogenase type 1) 발현은 활성형 내인성 glucocorticoid(GC) 증가에 의해 피부 장벽 손상은 가속화된다.

피부 장벽 강화 방법: 11β-HSD1 억제제 도포, 생리적 지질 혼합물 도포, NHEI 활성제 도포, 약산성 보습제 도포

표. 청년 vs 노인(피부 장벽)

	Young	Aged
Basal TEWL	++	+ ~ ++
SC hydration	++	+
SC integrity/cohesion	++	+
SC pH	acidic	alkaline
Barrier recovery	++	+
Total epidermal lipids	++	+
Epidermal lipid synthesis	++	+
Epidermal cholesterol synthesis	++	+
LB number	++	+ ~ ++
LB secretion	++	+
SC intercellular lipid bilayer	++	+
IL-1α	++	+
Amphiregulin	++	+

++: basal, +: decreased, +++: increased

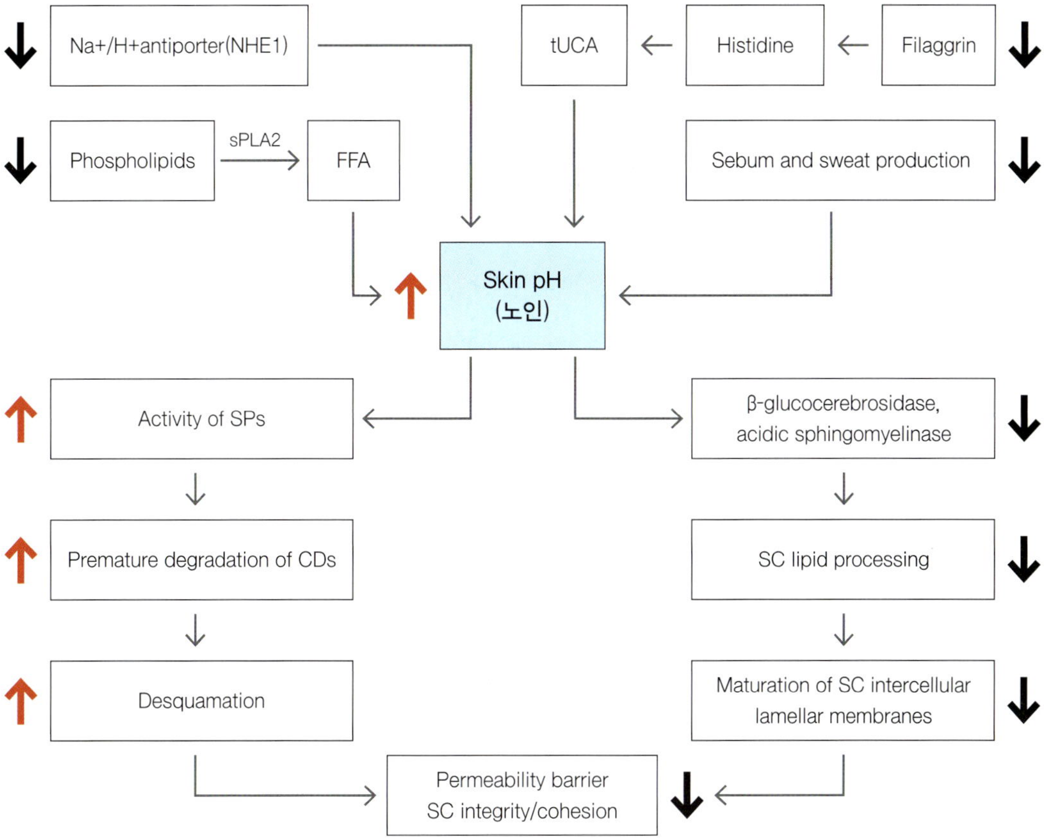

그림 9-44. 노화 피부 장벽 vs pH

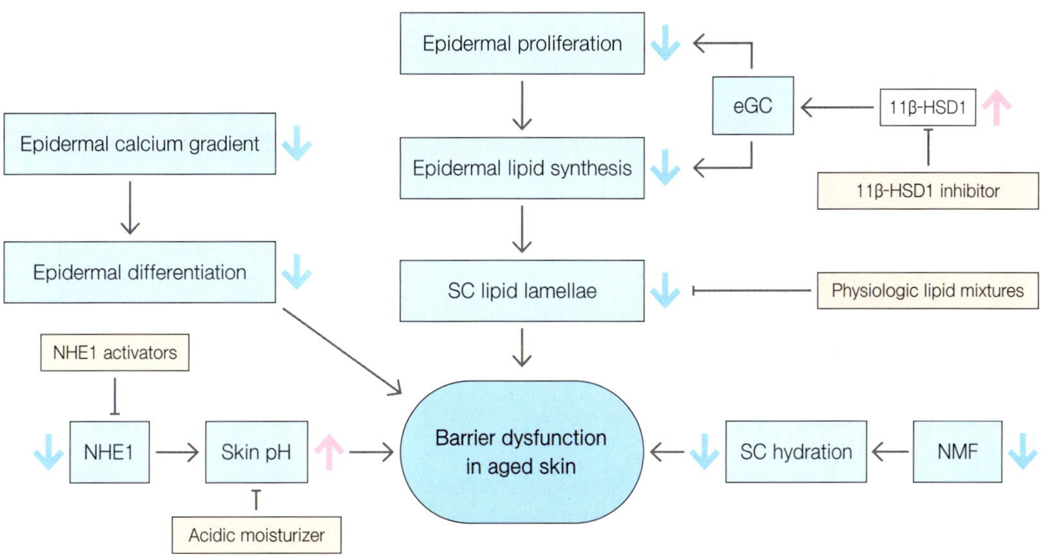

(*eGC: Endogenous glucocorticoid, 11β-HSD1: 11beta-hydroxysteroid dehydrogenase type 1,
NHE1: Sodium-hydrogen exchanger 1, NMF: Natural moisturizing factor)

그림 9-45. 노화 피부 장벽 강화 방법

참고: 노화 vs 자가포식

자가포식(autophagy)은 영양분 고갈, mTOR(Mammalian target of rapamycin) 단백질 활성 변화, 외부 자극(자외선 등)에 의해 세포내 소기관 또는 단백질·외부에서 유입된 이물질 등을 제거하고, 에너지로 변환하는 기전이다. 피부에서 각질형성세포 분화 과정에 관여하지만 항산화 시스템 활성화(antioxidant system activation), 항염증 작용(anti-inflammation), 콜라겐 합성(collagen synthesis) 조절 등에 관여한다. 자외선, 건조한 환경, 미세 먼지 등의 외부 물질에 의해 피부 건조(skin dryness)가 유발된다. 활성 산소종(reactive oxygen species: ROS) 증가에 의해 피부에서 단백질·지질의 과산화물 생성이 유발된다. 그러므로 미세한 염증반응(micro-inflammation)이 유발된다. 각질형성세포에서 염증 반응은 세포 과증식, 분화 이상을 유도한다. 섬유모세포에서 콜라겐 생성 및 분해 조절 기전 이상을 유도하여 피부 노화(skin aging)를 유발한다. 자가포식 활성화, 항염증, 표피 분화 촉진, 콜라겐 합성 촉진 등은 항노화 기능에 관여한다.

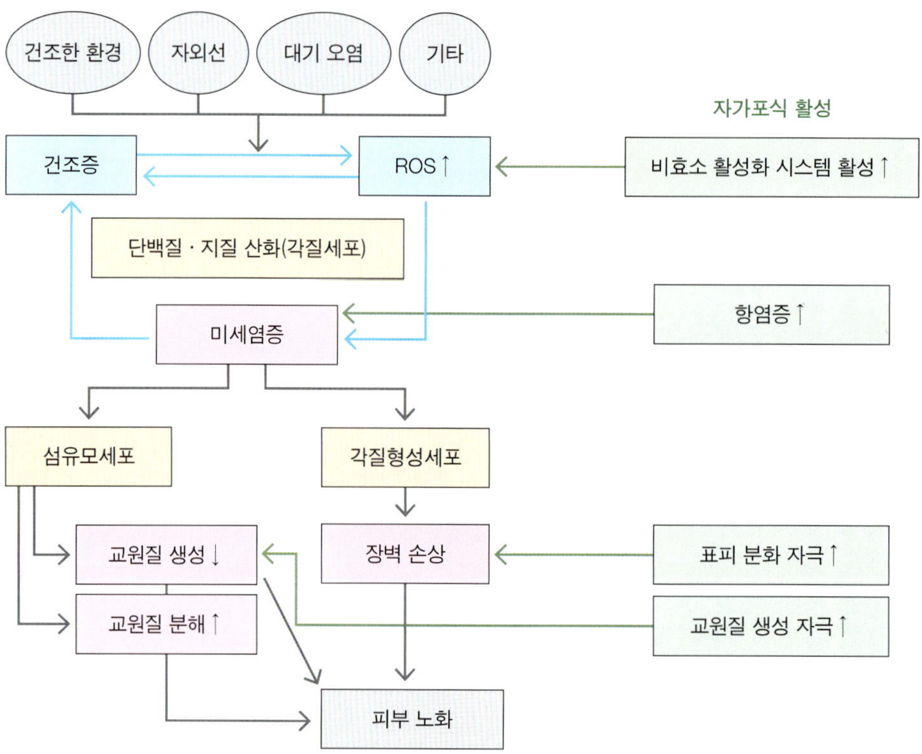

그림 9-46. 노화 vs 자가포식

18)스테로이드(steroid)

스테로이드는 '약방의 감초' 이다. 매우 유익한 약물이지만 부작용이 유발된다. 물체가 존재하면 그림자가 있듯이……… 그러나!

설탕과 소금을 잘 사용하면 유익한 음식물을 제공한다. 당뇨병·혈압 때문에 소금과 설탕을 절대로 사용하지 않는 주부는 가족의 건강을 해친다. 구더기 한두 마리 때문에 일년 먹을 된장·간장을 담그지 않는 것과 마찬가지 행위이다.

피부과 영역에서 도포용 스테로이드는 1952년부터 피부 질환 치료에 사용되었다. 코페르니쿠스적인 전환점이었으나, 예상치 못한 문제가 나타났다. 화학 구조식 변형 또는 새로운 화학 구조식이 개발되면서 효능은 우수하지만 다양한 부작용이 나타났다. 최근에는 스테로이드 연고의 안전성과 효능을 극대화시키고 부작용이 적은 제품이 개발되었다. 스테로이드의 경피 흡수는 각질층을 경유해야 한다. 각질층은 약제 투과를 억제하지만 창고 역할을 담당한다. 약품의 기제, 용량, 농도, 도포 면적·부위, 밀폐 유무, 각질층의 상태에 따라 영향을 받는다. 도포 횟수·기간에 따라 차이가 있으나, 강력~중간 정도의 제제는 3~7일 후에 나타난다. 각질층이 손상되거나, 염증성 피부질환, 눈꺼풀·얼굴·음낭·액와 부위는 타 부위에 비하여 많은 양이 흡수된다. 신생아, 유·소아는 체중에 대한 체표 면적의 비율이 높으므로 주의해야 한다. 도포제를 장기간 사용하거나 강력한 역가의 약제, 밀폐 요법 등에 의해 피부 및 다양한 장기에 전신적인 부작용이 발생한다.

스테로이드 제제를 장기간 도포하면 표피 두께가 감소한다. 각질형성세포 증식을 억제하고, 각질형성세포 성숙이 조기에 이루어지기 때문이다. TEWL 증가 및 지질 합성(세라마이드, 콜레스테롤, 자유 지방산), 층판소체 숫자·생성이 억제된다. 필라그린 감소에 의한 수분 함유 능력 저하, pH 상승에 의한 serine protease 활성은 각질교소체 기능을 억제하므로 피부 장벽이 손상된다.

표 9-25. 부작용(전신·국소)

전신 부작용	국소 부작용	
쿠싱 증후군	피부 위축	소양증
고혈당	여드름양 발진	눈 합병증(녹내장)
당뇨병	접촉 피부염	반동, 중독 현상
부신 기능 억제	혈관 확장증	자반, 반상 출혈
	모낭염, 절종, 옹종	위축 선조
	이차 세균 감염	잠행성 진균증
	다모증	피부 건조증
	구주위 피부염	작열감
	주사	저색소 침착
	안면 홍조	농피증

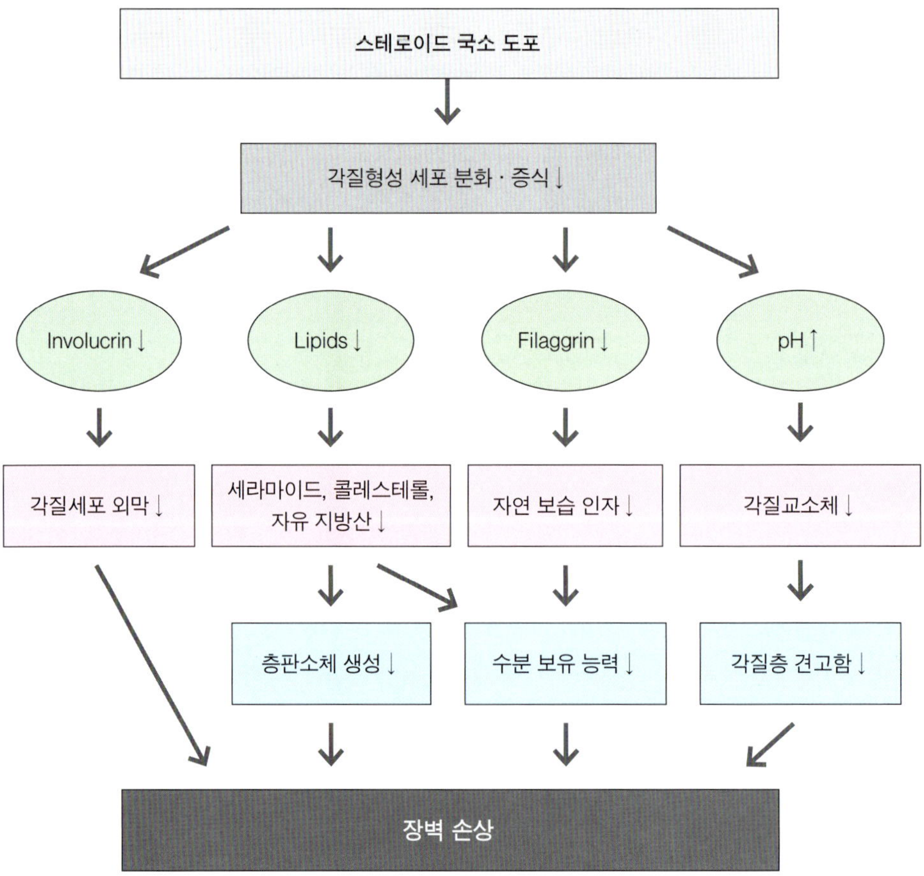

그림 9-47. 스테로이드 도포에 의한 장벽 손상

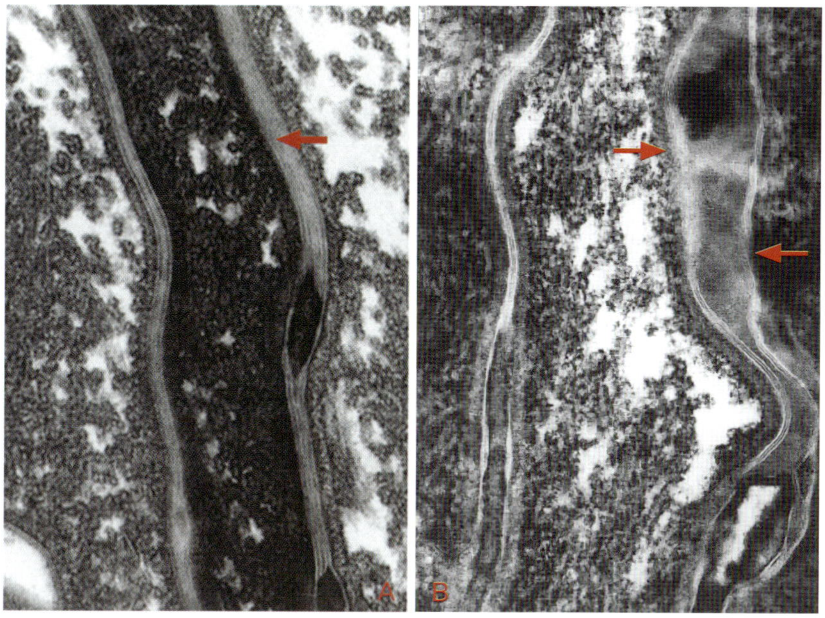

그림 9-48. 스테로이드 도포에 의한 각질세포간 지질 구조의 변화(a: 정상, b: 도포에 의한 손상)

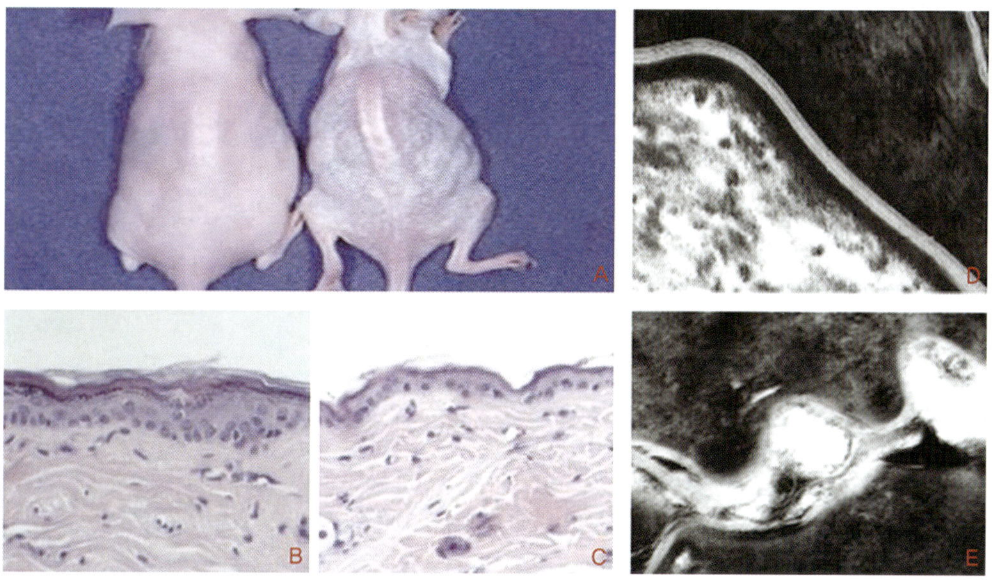

그림 9-49. 장기간 스테로이드의 복강내 주사에 의한 피부 건조증(A: 우측), 표피 두께 감소(B: 정상, C: 주사), 지질 손상(D: 정상, E: 주사)

19)호르몬(hormone)

호르몬은 신체의 균형을 유지하기 위해 다양한 정보를 전달하고 자극하는 화학 물질이다. 호르몬은 기관의 특수한 기능을 조절하거나, 신경 전달 물질 및 사이토카인 등과 밀접한 정보 전달, 항상성을 유지하는데 필수적인 매개체 역할을 담당한다.

약 80여종의 호르몬이 인체에 존재한다고 알려져 있으며, 뇌(시상하부, 뇌하수체), 부신, 갑상선, 부갑상선, 췌장, 태반, 성선(고환, 난소), 소화관 등의 내분비 기관이라고 통칭하는 다양한 장기에서 분비된다. 호르몬은 신경계의 신경 전달 물질 및 면역계의 사이토카인과 밀접한 정보 전달을 통하여 항상성을 유지하고 있다. 호르몬 부족 또는 과분비에 의해 피부의 비정상적 변화가 초래된다

① 성호르몬(estrogen, testosterone)

성호르몬(에스트로겐, 테스토스테론)은 피부 장벽에 영향을 끼친다. 각질형성세포에 안드로겐 수용체가 존재하며, 5-α reductase에 의해 테스토스테론을 dihydrotestosterone으로 전환시킨다. 안드로겐은 표피 성장·분화·유사분열, 표피의 과증식을 유도하며, 모피지 기능에 영향을 끼친다. 성호르몬은 자궁 및 성장호르몬이 없는 배지에서 장벽 발달의 최종 시기에 매우 중요한 역할을 담당한다. 실험관 내에서 외부적으로 에스트로겐을 투여하면 장벽 형성과 발달을 촉진하지만, 안드로겐은 억제한다. 고환을 적출하거나 내과적인 방법으로 안드로겐을 소실시키거나 감소시키면 장벽 회복이 촉진된다. 수컷 생쥐 태자는 암컷 생쥐 태자보다 장벽 형성이 늦지만, 테스토스테론 수용체에 대한 길항제 flutamide를 도포하거나 주사하면 정상화된다. 그러나 생쥐는 출생 후에 테스토스테론을 투여하면 장벽 기능에 영향이 없다. 노화가 진행됨에 따라 에스트로겐, 테스토스테론, 디하이드로에피안드로스테론, 성장 호르몬 등의 분비가 감소된다. 폐경기가 되면 난포 자극 호르몬, 황체 형성 호르몬 수치가 증가한다. 난소에서 에스트라디올이 에스트론으로 방출되므로 교원질 감소, 탄력 섬유 변성에 의해 건조 피부, 주름 증가, 안면 홍조, 다한증, 여성형 탈모증 및 상처 치유가 지연된다. 에스트로겐, 갑상선 호르몬은 피부 장벽 회복을 촉진시키지만 테스토스테론은 지연시킨다. 고환을 적출(참고: 내시는 나이에 비해 젊으며, 얼굴에 주름이 덜 나타남. 조선 시대 내시의 평균 수명은 70세이지만 양반은 51~56세)하거나 내과적인 방법으

로 안드로겐을 소실 또는 감소시키면 피부 장벽 손상 후에 회복이 촉진된다. 폐경기 여성에게 에스트로겐을 도포하면 각질층의 수분 보유 능력이 증가한다. 또한 피부 두께·탄력 증가, 주름 소실, 상처 치유, 피부 장벽 회복이 촉진된다.

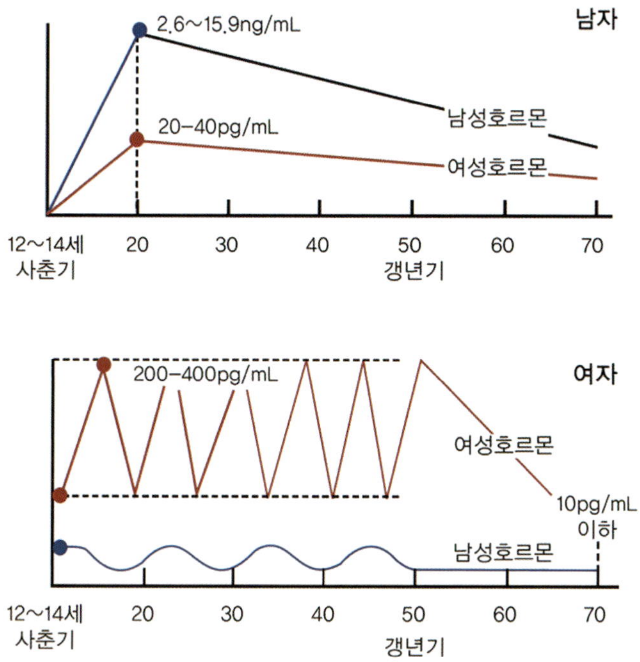

그림 9-50. 갱년기 여성의 여성 호르몬은 급격하게 감소하지만, 남성은 여성에 비하여 서서히 감소한다.

참고: 난소에서 분비되는 성 호르몬은 에스트로겐(난포 호르몬), 프로게스테론(황체 호르몬)으로 구분한다. 에스트로겐 수용체는 생식 기관(자궁·난소), 뇌, 혈관, 췌장, 심장, 뼈, 유방 등의 전신 조직에 분포한다. 피부 조직 (모낭·피지샘·땀샘·멜라닌 세포·진피 섬유모세포)의 교원질(아교질) 합성, 히알루론산 생성(진피 수분 유지), 피부 장벽 및 상처 치유에 관여한다. 감소하면 모발 성장(모낭의 생장기 연장)·피지 분비 억제, 멜라닌 합성 증가(기미) 및 손, 발의 부종(염분·수분 저류)을 일으킨다.

참고: 남성 호르몬(androgen)

테스토스테론, 프로게스테론, dihydroepiandrosterone(DHEA), DHEA sulfate는 안드로겐에 해당하는 호르몬이다. 남자는 고환·부신, 여자는 난소·부신에서 생성된다. 피지세포 증식과 분비를 증가시키며, 모낭의 진피 유두세포에 작용하므로 모발 성장에 관여한다. 그 외에 상처 치유, 피부 장벽 유지에 영향을 끼친다. 안드로겐 수용체는 안면, 가슴, 등, 두피에 분포한다. 테스토스테론은 피부에서 dihydrotestosterone으로 전환된다. 과다 분비(다낭성 난소 증후군, 난소·부신 기능 이상 또는 종양)에 의해 지루, 여드름이 유발된다. 여드름 환자에서 DHEA sulfate가 증가된다. 특정 부위(얼굴, 가슴, 등, 음부)에 다모증이 유발된다. 두피 모낭의 소형화 및 생장기가 감소하므로 남성형 탈모가 나타난다. 진피 유두 세포의 반응은 부위에 따라 차이가 있기 때문이다.

② 갑상선 호르몬(thyroid hormone)

갑상선 호르몬 수용체는 피부의 각질형성세포, 섬유모세포, 기모근, 피지세포, 평활근, 혈관 내피 세포, 슈반 세포 등에 존재한다. 갑상선 호르몬은 표피 분화, 지질 합성에 관여하며, 섬유모세포를 자극하여 프로테오글리칸 합성을 조절한다. 그 외에 피지 생성 및 모발 성장에 영향을 끼치므로 갑상선 기능이 손상되면 다양한 피부 변화가 유발된다.

표 9-26. 피부 장벽 vs 호르몬

	회복	억제
Estrogen	V	
Androgen		V
Thyroid hormone	V	
Glucocorticoid	V	V
Growth hormone	V(?)	
Vitamin D	V	

정상적인 rat은 19일(정상 임신 기간=22일)에 불완전한 장벽 형성을 나타내지만, 21일에는 완전한 형태를 나타낸다. 21일 이전에 당질코티코이드, 갑상선 호르몬을 투여하면 장벽 형성을 촉진시킨다. 그러나 EGF, TGF-α 및 β1, IL-lα, TNF-α와 같은 insulin-like growth factor는 영향력이 없다.

갑상선 자극호르몬 수용체에 장애[갑상선 기능저하증(Hyt/Hyt mice)]가 있는 동물은 출생 전까지 미성숙된 각질층 형태를 나타내지만, 출생 후에는 정상화된다. 이러한 생쥐에 당질코티코이드를 투여하여도 각질층의 성장을 촉진시키지 못한다. 그러나 Balb/c control mice에서 당질코티코이드 및 갑상선 호르몬(thyroid hormone)은 촉진시킨다. Euthyroid 상태 또는 T4에서 T3로 전환되는 과정에서 당질코티코이드가 관여한다.

③ 당질코티코이드(glucocorticoid)

부신 피질(cortisol)에서 생성되며, 뇌하수체 종양(corticotropin), 스테로이드 과용에 의해 glucocorticoid가 증가된다.

당질코티코이드는 간에서 지방산과 콜레스테롤 합성을 자극하여 혈중 중성 지방 및 콜레스테롤 수치를 증가시킨다. 그러나 간을 제외한 조직에서 지질 생성을 억제한다. 피하지방 조직에서 지방산 생성을 억제하므로 스테로이드 주사에 의해 지방 위축을 유발한다. 장기간의 스테로이드 주사, 도포는 피부 장벽을 형성하는 표피 지질 합성이 감소하므로 피부 장벽 회복이 지연된다. 정신적인 스트레스를 장기간 받으면 혈중 당질코티코이드 분비가 증가하며, 11β-hydroxysteroid 발현에 의해 피부 장벽이 손상된다. 웃으면 복이와요!

스테로이드는 교원질, 점액 다당질 합성에 관여하므로 피부 위축 외에 상처 치유가 저해되며, 궤양 및 이차 세균 감염이 발생한다. 혈관이 약해지므로 점상·반상 출혈이 유발된다. 그 외에 팽창 선조, 모세혈관 확장증, 안면 홍조, 다모증, 여드름양 발진이 동반된다.

폐의 인지질(계면 활성제)에 관한 연구는 피부 장벽 연구의 계기가 되었다. 폐의 계면 활성제와 각질세포간 지질은 구성 성분(폐 계면 활성제: 인지질, dipalmitoylphosphatidylcholine/각질세포간 지질:세라마이드, 콜레스테롤, 자유 지방산)의 차이가 있다. 그러나 동일한 시기(태생 후반기)에 생성되는 점, 분비계(층판소체)를 통해 외부로 분비되는 점, 폐와 피부는 공기에 노출되는 기관이라는 점에서 유사하다. 피부 장벽에 영향을 주는 호르몬 중에서 당질코티코이드는 미숙아에서 폐 성숙을 촉진시키는 것과 마찬가지로 피부 장벽 발생을 촉진한다. 미숙아에게 폐의 계면 활성제를 투여하면 폐의 미성숙은 성별에 차이없이 호전되지만, 남아는 여아에 비해 피부 성숙도가 늦다.

④ 성장호르몬(growth hormone)

191개의 아미노산으로 구성된 단백질이며, somatotropin이다. 성장 호르몬 분비는 20세 이후에 10년마다 약 14% 감소하며, 60세가 되면 20세의 50% 이하로 분비된다. 인슐린양 성장 인자(IGF-1)도 50% 감소한다. 결핍에 의해 지방 분해가 감소하므로 복부 내장의 지방이 증가하며, 단백질 대사 저하에 의해 근육이 감소한다. 면역 반응, 폐 기능, 성 기능 감소, 동맥경화증, 골감소증, 골다공증이 유발된다.

피부 두께·탄력 감소, 피부 건조증 주름이 증가한다. 성장호르몬을 투여하면 상기 증상이 호전된다는 증거는 불충분하다.

⑤ 뇌하수체 호르몬(pituitary hormone)

뇌하수체는 ACTH, gonadotropin, thyrotropin(TSH) 등을 자극한다. 또한 somatotropin(growth hormone), melanocyte stimulating hormone, lipotropin prolactin과 작용하여 다양한 호르몬을 분비한다. 선단비대증(acromegaly)은 성장 호르몬의 과분비에 의하며, 성장판이 닫힌 성인에게 발생한다. 뇌하수체 선종에 의해 유발된다. 얼굴, 사지의 피부가 두꺼워지며, 얼굴의 주름이 깊어진다(이마, 비구순). 두피의 주름이 현저하다(cutis verticis gyrata).

10. 급성 피부 장벽 손상에 의한 변화

물리·화학적 손상에 의해 피부 장벽이 파괴되면 항상성을 유지하기 위하여 4단계의 회복 과정을 거친다. 인체 및 무모 생쥐는 다소 차이가 있으나, 유사한 경과를 나타낸다.

1) 회복 과정

피부 장벽 손상과 회복은 인간과 생쥐에서 다소 차이가 있다. 무모 생쥐는 초기 6시간 이내에 50~60%가 회복되며, 손상 48시간이 경과하면 대부분 회복된다. 무모 생쥐의 회복 과정은? 초기 반응은 30분 이내에 과립층에서 기존의 층판소체가 분비된다. 이후에 30분~6시간이 경과하면 새로운 층판소체 생성, 콜레스테롤·자유 지방산 합성이 증가한다. 후기 반응은 세라마이드, DNA, 당화세라마이드 합성이 증가한다. 그러므로 각질세포간 지질은 리모델링 된다!

물리·화학적 급성 손상에 의한 피부 장벽은 4가지 과정을 경유하여 회복된다.

- 첫째, 기존에 생성된 층판소체가 수분 이내에 분비된다.
- 둘째, 층판소체 분비·숫자 증가 및 콜레스테롤, 자유 지방산 합성이 활발해진다. 손상 후 수시간 이내에 나타난다.
- 셋째, 세라마이드 및 glucosylceramide 합성이 진행된다.
- 넷째, DNA 합성이 수일에 걸쳐 증가되며, 장벽 기능이 회복된다.

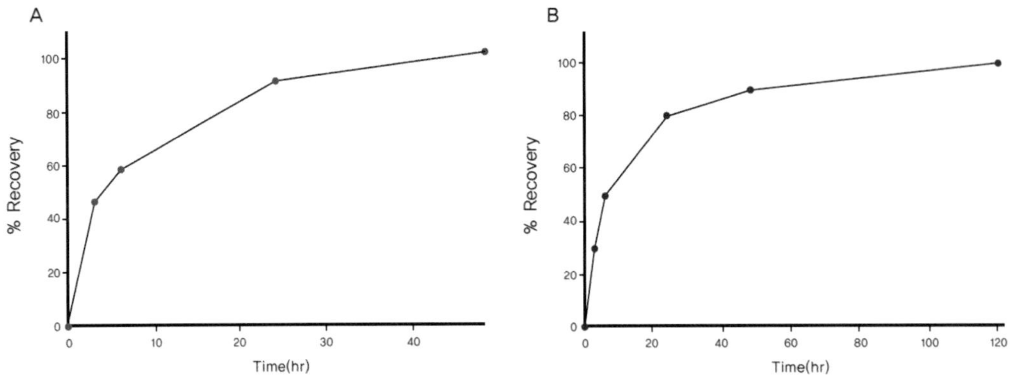

그림 10-1. 피부 장벽 손상 후의 회복 양상[무모 생쥐(A), 인간(B)]

2) 조절 인자

① 사이토카인

급성 피부 장벽 손상 1시간 내에 기존에 형성된 IL-1α가 각질형성세포에서 분비되며, 이후에 새로운 IL-1α 및 TNF-α, IL-6, IL-1β, GM-CSF 등이 생성·분비된다. 이들은 진피에 염증 세포를 이동시킨다. 반복되는 표피 손상은 표피 증식에 의해 피부가 비후된다.

참고: 진피의 염증 반응

• GM-CSF는 랑게르한스 세포 성숙, 대식세포 활성화에 관여하여 염증 반응을 유도한다.

• 대식세포는 내피세포, 섬유모세포를 활성화시키므로, 모세혈관 증식 및 교원질·glycosaminoglycan 합성이 증가하므로 상처 조직을 형성한다.

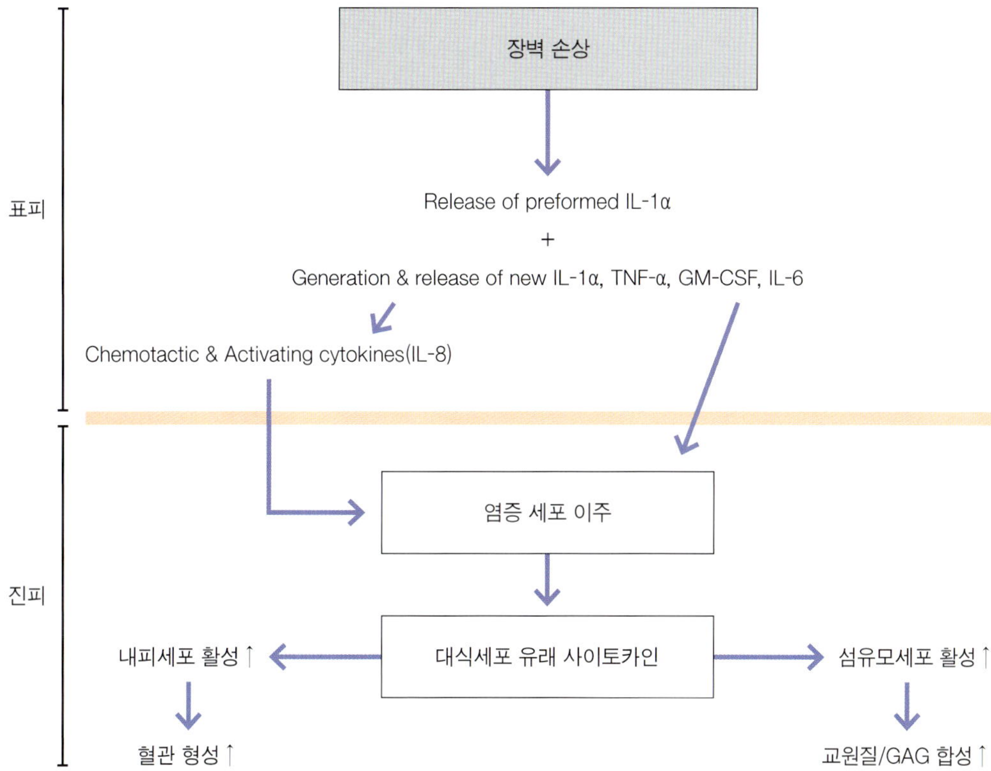

그림 10-2. 피부 장벽 손상에 의한 표피·진피 변화

② 칼슘 기울기

표피에서 칼슘 이온 농도는 기저층과 유극층에서 낮고 상층으로 갈수록 증가되어 과립층에서 가장 높다. 저농도 칼슘 이온은 기저층에서 세포 증식, 고농도 칼슘 이온은 과립층의 세포 분화와 연관된다. 피부 장벽이 손상되면 표피를 통한 수분 손실이 증가하며, 수동적으로 칼슘 이온 감소에 의해 칼슘 기울기(epidermal calcium gradient)가 소실된다. 이후에 피부 장벽이 회복되면서 표피 칼슘 기울기는 회복된다. 또한 피부 장벽을 손상시킨 후에 고농도 칼슘 이온 용액을 손상된 피부에 접촉하여 칼슘 농도를 증가시키면 피부 장벽 회복이 지연된다. 칼슘 채널 억제제(verapamil, nifedipine)를 용액에 첨가하면 피부 장벽은 정상화된다.

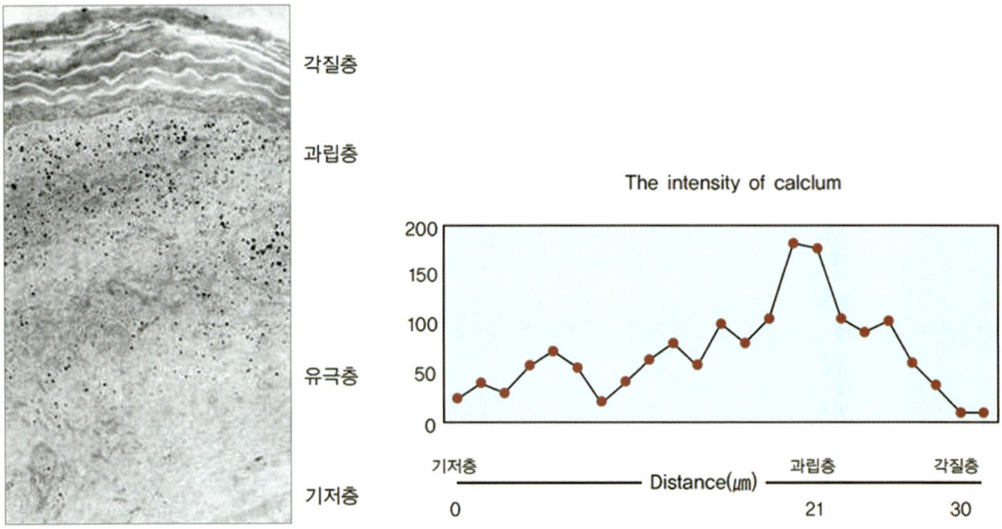

그림 10-3. 정상 표피의 칼슘 이온 분포

3) 피부 장벽을 손상시키는 방법

첫째, 셀로판 테이프를 이용하여 물리적으로 지질과 각질세포를 제거하는 방법. 둘째, 유기용매(아세톤), 계면 활성제로 지질을 제거하는 방법. 셋째, 장벽에 관여하는 지질 합성 억제 또는 필수 지방산을 결핍시키는 방법이다.

참고: 피부 장벽 손상을 유발하지 않으면서 표피에서 칼슘 이온의 분포를 변화시키는 초음파 영동(sonophoresis), 이온 영동(iontophoresis)은 상부 표피층의 칼슘 이온 감소를 유발하며, 칼슘 기울기 소실과 함께 층판소체 분비가 일어난다. 초음파 및 이온 영동에 의한 칼슘 기울기 소실은 층판소체 분비를 증가시키므로, 칼슘 이온은 층판소체 분비·피부 장벽 회복의 중요한 조절 인자이다.

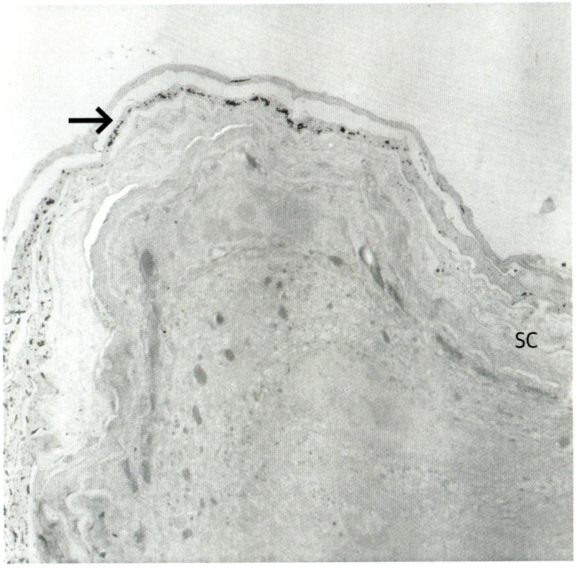

그림 10-4. 이온 영동에 의한 칼슘(←) 이동(-극)/각질층(SC)

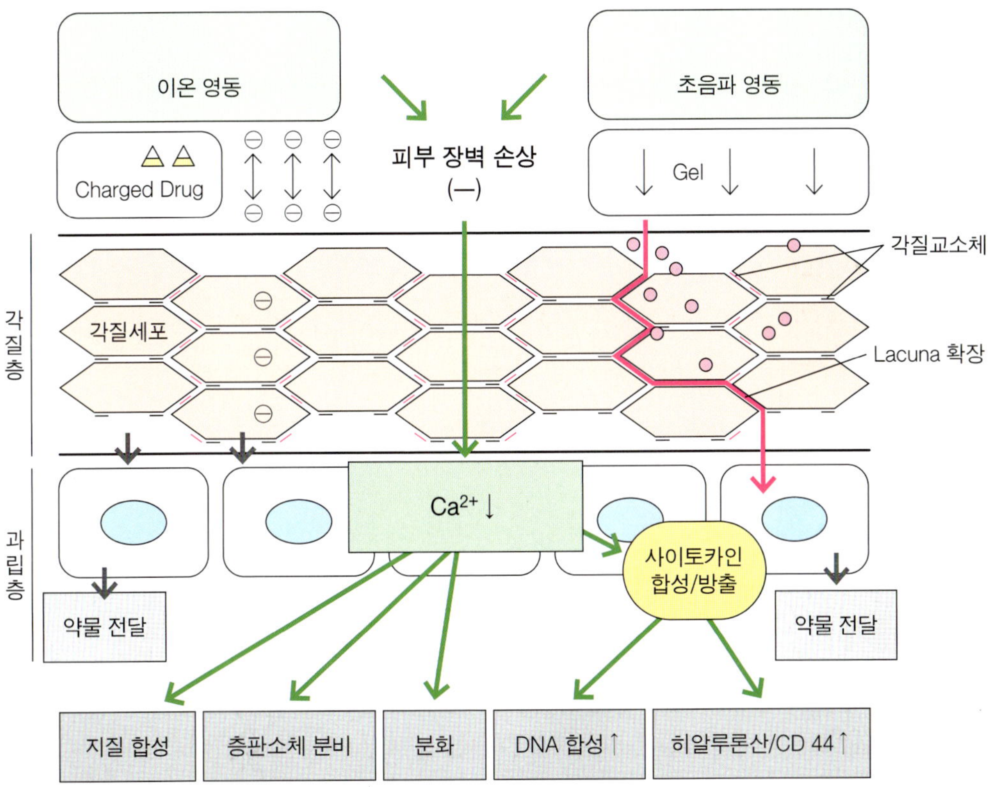

그림 10-5. 이온 영동·초음파 영동 vs 피부 장벽

참고: 이온 영동(iontophoresis)

1) 원리

이동하는 용질의 총량은 전기 이동, 전기 삼투 및 수동 확산(passive diffusion)에 의하며, 용질의 분자 구조와 물리화학적 성질에 따라 차이가 있다. 나트륨, 염소와 같은 저분자 이온은 전기 이동 및 비이온 분자는 전기 삼투와 수동 확산에 의해 이동한다.

피부에서 이온 이동 경로는 땀샘이 주된 이동 통로이며, 모낭과 피지샘이 부분적인 통로이다. 3종류의 기전을 소개한다.

- 전기 이동(electromigration)

동일한 전하는 밀어내며, 반대 전하는 끌어당기는 전기 원리에 따라 이온화된 약물이 전기 에너지에 의해 이동한다. 전자(electron) 흐름은 전극 반응을 통해 이온 흐름으로 전환되고, 전기적 중성(electroneutrality)을 유지하기 위해 이온 이동이 나타난다.

- 수동 확산(passive diffussion)

피부에 전류가 흐르면 피부 저항이 감소하면서 투과성이 증가한다.

- 전기 삼투(electroosmosis)

전류에 의해 만들어진 용매에 녹아있는 용질이 이동한다. 전류가 흐를 때 전극과 접촉하고 있는 약물 저장소(reservoir)에서 물의 흐름이 형성된다. 그러므로 물에 녹아 있는 약물이 물 흐름을 따라 피부로 이동한다. 비이온 물질 및 고분자 양이온 물질의 이동에 유용하다.

2) 영향을 끼치는 매개 변수

약물의 물리화학적 성질, 전극과 접촉하는 약물 저장소 조성, 전기 매개 변수(parameter), 생물학적 인자 등에 의해 영향을 받는다.

3) 장·단점

장점은 사용의 간편함, 저비용 뿐만 아니라 경구 투여에 의한 불규칙한 흡수, 간에서 일차 대사(frist metabolism), 위장관에서 약물 분해, 위장관 부작용 등을 피할 수 있다. 주사에 의한 통증과 불편함이 없고, 감염·염증·섬유화 등의 위험을 낮출 수 있다. 시행이 간편하고 순응도를 높인다. 수동 경피 전달에 비하여 전달되는 약물은 적용 부위의 피부 상태에 영향을 덜 받고, 전류 강도, 전류 적용 시간, 약물 농도 등의 변수

조정을 통해 약물의 용량 조절이 용이하다. 피부 장벽 손상 및 피부 자극이 적다. 반감기가 짧은 약물을 목표 조직에 신속하게 전달하며, 필요하면 즉시 중단할 수 있다.

단점은 전극에 접촉된 피부 pH가 변하여 홍반이 나타나며, 드물게 화상이 유발된다. 또한 단백질과 같은 큰 분자의 전달에 제한이 있다.

참고: 초음파 영동(sonophoresis)

1) 원리

초음파 에너지를 이용하여 피부에 약물을 주입시키는 방법이다. 경진피 약물 전달(transdermal drug delivery)에 이용된다. 피부 장벽을 효과적으로 통과하여 약물을 전달하는 저주파 초음파는 고주파 초음파에 비해 효율적이다.

구분

- Low-frequency(20~200kHz) : 경진피 약물 전달(TDD)
- Intermediate-frequency(0.7~3MHz) : 치료용 기기
- High-frequency(1~20MHz) : 진단용 기기

- 기계 효과

기계 효과에 의한 공동 기포(cavitation bubble, 10~100㎛)는 1~15nm의 수용성 통로로 물질이 투과된다. 초음파 에너지가 조직에 전달되면 혈액이나 조직액 등에서 일시적으로 가스를 함유한 ㎛ 크기의 작은 기포 또는 공동(cavity)이 형성된다.

안정 공동(stable cavity)은 세포막의 투과성을 가역적으로 증가시키며, 세포막을 통해 확산시켜 세포 활성을 촉진한다. 관성 공동(inertial cavity)는 기포(bubble)가 터져 조직 손상을 유발하여 투과성이 증가된다. 1MHz 이상의 고주파 초음파는 각질층(stratum corneum)의 각질세포(corneocyte) 근처에 형성되는 기포가 피부 투과도 증가의 주요 기전이다. 기포는 진동하며 안정 공동을 형성하고, 각질층의 지질 이중층(lipid bilayer) 구조에 변화를 주어 피부 투과도가 증가한다. 저주파 초음파에 의한 기포의 투과 증가 방법은 고주파 초음파와 차이가 있다. 기포의 직경과 주파수가 반비례

하기 때문이다. 고주파 초음파에서 형성되는 기포는 피부 내부에서 형성 및 작용할 수 있을 정도로 작다. 그러나 저주파 초음파에서 형성되는 기포는 기포 형성이 시작되는 피부 내부 조직의 공간보다 크기 때문에 피부 외부 조직에서 이루어 진다. 저주파 초음파는 피부 표면에서 기포가 형성되고 급격히 크기가 커지므로 비대칭으로 붕괴된다. 미세소용돌이(microjet)를 형성하므로 일련의 흐름이 만들어지고 피부 투과도가 증가한다.

- 열 효과

열 효과에 의해서 지질 이중막의 온도가 상승하며, 측면 운동이 증가하여 세포막 투과성이 증진되므로 물질 흡수에 도움을 준다. 고주파에 비해 저주파 초음파 영동은 효과가 낮다.

2) 장·단점

소화기·간의 대사 흡수 장애를 극복할 수 있다. 이온 영동(iontophoresis)은 1종류의 이온이 조직에 침투되고, 침투 깊이가 0.1㎝이하이다. 그러나 초음파 영동법은 5~6㎝(고주파)이다. 또한 이온화되지 않은 물질 침투도 가능한 장점이 있다.

단점은 자극, 저림, 화끈함 발생 및 작동 시간이 오래 걸리며, 분자량이 큰 물질은 투과가 어렵다.

더마비쥬얼스

dermaviduals®

손상된 피부 장벽을 보호해 주는
더마비쥬얼스 베리어 앰플/크림

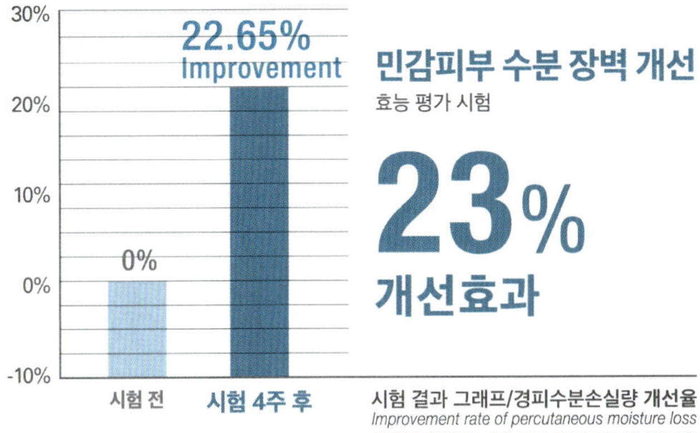

민감피부 수분 장벽 개선
효능 평가 시험

23%
개선효과

시험 결과 그래프/경피수분손실량 개선율
Improvement rate of percutaneous moisture loss
대한피부과학연구소 민감피부수분장벽개선 효능평가시험

1. 포스파티딜세린 나노파티클스 20ml
손상된 피부 장벽을 보호해 주는 베리어 앰플

장벽 케어 / 보습 / 진정

주요 구성성분 및 효능 6 Effect

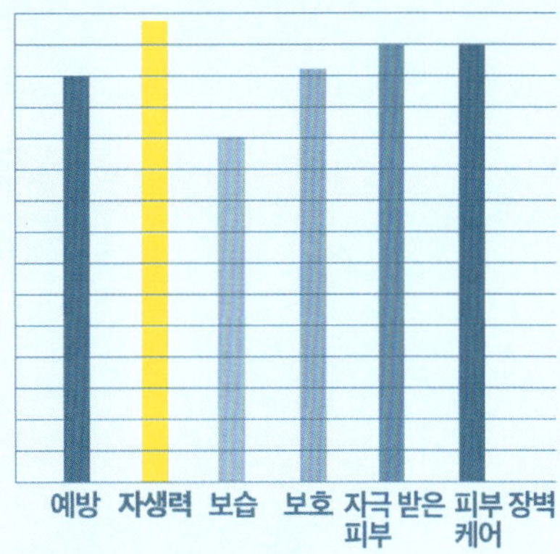

2. 올레오젤 S 15ml
천연 인지질과 포스파티딜세린이 고농축 함유되어 건조한 피부에 수분을 보충해주고 손상된 피부장벽을 보호해주는 베리어 크림

피부 장벽 보호 / 피부 보습

DMS INTERNATIONAL

(주)디엠에스인터내셔날 080.533.6006 www.dmsc.co.kr

11. 경피 흡수 / 경표피 투과 경로

1) 경피 흡수

피부 장벽이 존재하므로 다양한 외부 물질이 쉽게 통과할 수 없다. 그러나 장벽 기능이 약화되거나 물질의 특성(제형, 농도, 수용성·지용성, pH, 나노 공법 입자 등), 접촉 시간, 사용량, 횟수에 따라 피부를 통과한다. 피부 장벽을 손상시키는 4가지 방법이 있다.

첫째, 물리적 방법이다. 이온 영동은 낮은 전압(0.5V/cm^2)의 전류를 피부에 전달하여 전하를 띤 약물을 투과시킨다. 리도카인을 이용한 국소 마취, 소염진통제 등을 이용한 관절 치료 및 미백 치료용으로 비타민 C를 사용한다. 초음파 영동은 고~저주파 초음파를 이용하여 저분자 물질, 인슐린과 같은 단백질 흡수를 증가시킨다. 그 외에 실험용으로 사용하는 테이프 스트리핑 방법은 각질층을 물리적으로 제거하는 방법이다. 표피에 칼슘 기울기가 존재한다. 기저층·유극층은 칼슘 분포가 낮으나, 과립층에 가장 높게 분포한다(세포 증식: 낮은 농도 / 세포 분화: 높은 농도). 이온 영동·초음파 영동은 피부 장벽 손상없이 칼슘 기울기를 변화시켜 층판소체 분비를 조절한다.

둘째, 화학적 방법이다. 다양한 화합물을 약물과 함께 침투시킨다. 에탄올, 프로필렌 글리콜, 지방산, sulfactant 계통의 화합물, 알코올, 필수 지방산, 요소, 살리실산이 흔히 사용된다. 각질층의 피부 장벽(특히 지질)을 손상시키면 경피 흡수가 증가한다.

셋째, 생화학적 방법이다. 전구 약물을 투여하거나 피부의 대사 저해제를 동시에 사용한다. 전구 약물은 흡수가 잘 안되므로 화학적 구조를 변형시킨 후에 체내에 투입하면 원래의 약물로 전환된다.

넷째, 피부과에서 흔히 쓰는 밀폐 요법이다. 피부가 두꺼워진 만성 습진에서 비투과성 비닐을 이용하면 각질층의 수분량을 3~4배 증가시키며, 약물(스테로이드) 효능을 강화시킨다.

표 11-1. 피부 투과도를 증진시키는 물리적 방법

방법	정의	기전	종류(약제)
Iontophoresis	The electrical driving of charged molecules into tissue by passing a small direct current through a drug-containing electrode in contact with skin	• Electrical repulsion from the driving electrode drives charged molecules. • The flow of electric current enhances skin permeability • Electroosmosis affects uncharged and large polar molecules	Calcitonin, transnail delivery of salicylic acid; transdermal delivery of peptides, proteins, and oligonucleotides
Electroporation	A method of reversibly permeabilizing lipid bilayers by the application of an electric pulse	Application of short (microsecond to millisecond) electrical pulses of 100-100 V/cm^2 creates transient aqueous pores in the lipid bilayers	Methotrexate, timolol, fentanyl, tetracaine, nalbuphine, cyclosporine A
Sonoporation	Ultrasound-mediated delivery of therapeutic agents into biological cells	• Low-energy frequency: disturbs the lipid packing in SC by cavitation. • Shock waves: increase free volume space in bimolecular leaflets thus enhancing permeation	Insulin, cutaneous vaccination, transdermal heparin delivery, transdermal glucose monitoring, delivery of acetyl cholinesterase inhibitors for the treatment of Alzheimer's disease, treatment of bone diseases and Peyronie's disease, dermal exposure assessment
Microneedle-enhanced delivery systems	A method using arrays of microscopic needles to open pores in SC, thus facilitating drug permeation	Bypasses the SC and delivers drugs directly to the skin capillaries. Also has the advantage of being too short to stimulate the pain fibers.	Oligonucleotide, insulin, protein vaccine, DNA vaccine, methyl nicotinate

Note: SC, stratum corneum.

2) 경표피 투과 경로

현재까지 3가지 경로가 규명되었다. 피부 부속기를 경유하는 방법, 각질세포를 통과하는 방법 및 각질형성세포 사이를 경유한다.

피부 표면의 0.1% 미만을 차지하는 피부 부속기(모공, 땀샘, 조갑)를 경유한다. 화분(pollen), 금속성 미립자, 고체 성분은 피부 부속기를 통하여 침투한다. 각질층을 이용한 경로는 transcellular(각질세포 경유) 및 intercellular(각질세포 사이의 비극성 지질층 경유)가 규명되었다. 대부분의 경우는 후자의 경로에 의해 이루어진다. 물질의 확산 경로는 300-900㎛이며, 피부에 대한 분배 계수(partition coefficient)에 따라 극성 수용성 물질은 세포 내부, 지용성 물질은 각질세포간 지질층을 따라 흡수된다. 각질세포 내부의 케라틴 성분은 극성이므로 transcellular route를 'polar route'라고 명명한다.

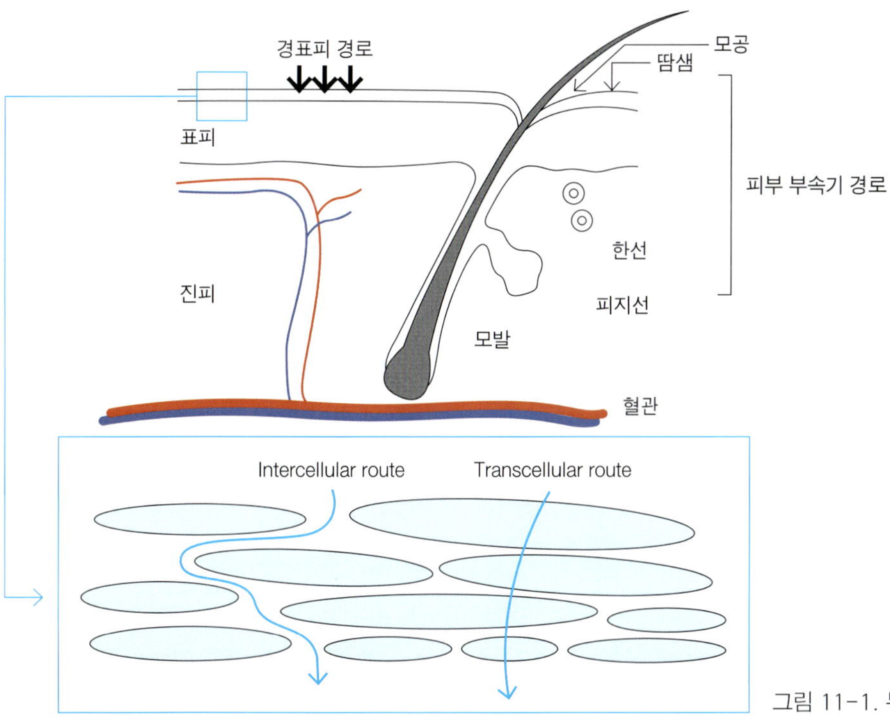

그림 11-1. 투과 경로

12. 피부 장벽 기능 평가

장벽 기능 평가 및 보습제 효능 평가는 밀접한 관계가 있다. 객관적인 보습제 평가는 인체를 대상으로 임상 시험을 시행해야 하는 현실적인 문제 때문에 간략한 방식을 택하고 있다. 두 가지 평가 영역을 고려해야 한다. 피부 수분 유지 능력 및 피부 질환 개선에 의한 임상 효능이다.

전자공학 및 의용공학 분야의 발전에 의해 비침습적인 피부 장벽 평가가 가능해졌다. 보습제를 포함한 화장품 기능 평가에 현저한 발전을 이룩하였다. 그러나 각질형성세포와 다양한 지질, 단백질이 유기적으로 관여하는 피부 장벽 상태를 완전하게 평가할수 없기 때문에 정확한 장벽 기능 평가는 추가적인 조직학적 검사 및 분자생물학적 접근이 필요하다.

자연 보습 인자(pyrroridone carboxylic acid, urea, lactate, urocanic acid)·표피 분화 표지자(filaggrin, involucrin, loricrin, transglutaminase) 발현, 각질층 지질 분석, 지질 생합성 효소 활성 및 정량 시험, 각질층의 전자현미경 관찰, *in vitro* 세포 실험·무모 생쥐 등을 이용한 *in vivo* 동물 실험을 실시해야 한다. 그러나 침습적인 방법은 피부 검체 획득이 필요하며, 분석에 비용과 시간이 많이 소요되고, 숙련된 실험 기술이 필요하기 때문에 피부 생물학을 연구하는 대학이나 연구소에서 가능하다.

1) 경표피 수분 손실(TEWL, transepidermal water loss)

각질층 내부의 수분 함량과 밀접한 연관성이 없지만, 각질층의 투과 장벽 기능 및 보습력과 밀접한 관련이 있기 때문에 중요한 지표이다. 표피를 통과하여 증발되는 수분 기울기(water vapor gradient)를 산출하며, 각질층의 장벽 기능을 평가하는 지표로서 흔히 활용된다. Fick의 제 1법칙(정상적인 조건 하에서 단위 면적당 확산되는 물질의 유속은 농도 기울기에 비례)에 따라 확산하는 현상에 근거한다. 피부 표면에 밀착한 탐침자(probe) 내부의 센서를 통해 측정되는 증기압을 계산한다.

> 참고
>
> Fick's law
>
> 피부 수분 손실은 수분 증발, 땀이 관여한다. 수분은 피부 내부에서 외부로 수동적으로 확산한다. 1855년, Adolf Fick가 제시한 확산 법칙이다.
>
> $$J=Km\ D\ dc/Dx$$
>
> 물의 흐름(J)은 시간당 물의 농도(c) 및 각질층을 통과한 거리(x), 분배 계수(Km), 확산 계수 (D)와 연관된다. dc/Dx는 물의 농도 기울기이다.

Tape stripping 방법과 함께 사용하면 손상된 피부 장벽의 회복 능력을 측정할수 있다. 수분 손실량이 많으면 측정 값이 상승하므로 수치가 높을수록 기능은 약화된 것으로 판단한다.

측정값은 신체 부위, 개인 및 인종, 땀 분비 정도, 측정 환경(온도·습도·환기 정도 등)에 의해 상당한 차이가 있으므로 비교 조건을 동일하게 유지해야 한다. 기본적으로 항온·항습 상태가 유지된 공간에서 피험자를 20~30분 가량 안정시킨 후에 측정하며, 계절적/시기적으로 동일한 조건 하에서 평가해야 한다. 경표피 수분 손실은 땀샘을 통하여 발산하는 수분 양과 각질층을 통하여 발산하는 수분 양이 합쳐져서 나타나기 때문에 땀 분비의 영향을 고려해야 한다. 또한 화장품을 도포한 부위는 에멀젼 형태에서 발산되는 수분 양을 고려해야 한다. 일반적으로 $10g/h/m^2$ 정도의 수치는 견고한 장벽 상태를 의미한다. 2017년 대한 화장품 산업 연구원에서 발간한 피부 측정 결과 보고서에 의하면 한국인 얼굴은 10~14 $g/h/m^2$, 전박 부위는 6~7 $g/h/m^2$ 수치를 나타내었다. 얼굴 부위와 남성에서 수치가 다소 높다. 얼굴에서 15 이상, 팔에서 10 이상의 수치는 장벽 기능의 손상이 있다고 간주한다.

장비는 증발되는 수분을 측정하는 chamber의 밀폐 유무에 따라 open chamber 및 closed chamber 방식으로 구분한다. Open chamber 방식이 광범위하게 사용되고 있다. 그러나 측정 시간이 길고, 수직으로 probe가 놓여야 하며, 발한·외부 공기 순환에 영향을 받기 쉽다는 단점이 있다. 이를 보완한 closed chamber 제품이 개발되었다. 그러나 두 기구의 유효성, 특성 차이 및 우월성에 관하여 논란이 있다. Closed chamber(condenser/unventilated)는 내부 chamber의 포화 상태가 도달할때 까지 시간이 open chamber 방식보다 오래 걸리며, 과습한 상태에서 수증기에 의해 영향을 받는다.

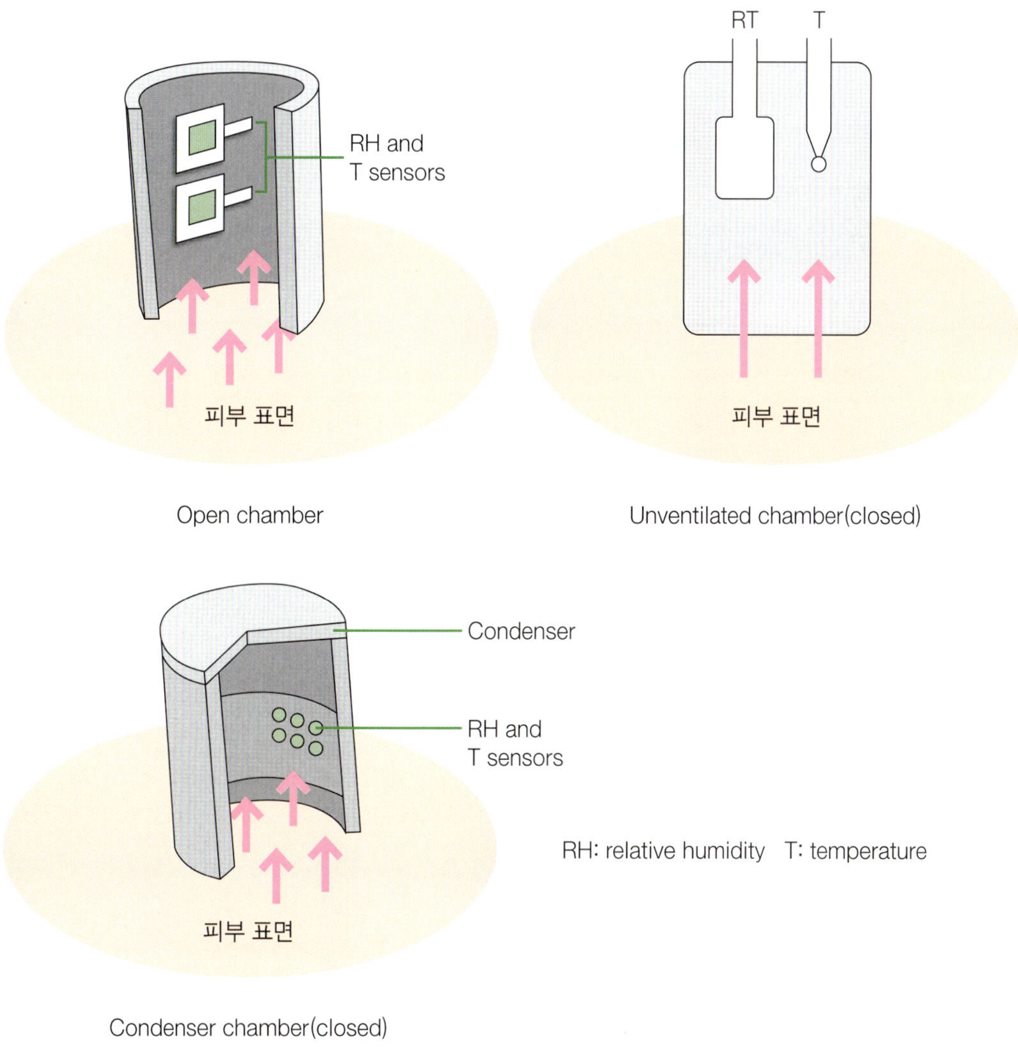

그림 12-1. open vs closed chamber

표 12-1. TEWL 측정시 고려 사항

- 항온·항습 조건이 갖춰진 차광된 방에서 측정한다. 일반적인 조건은 온도 20~25℃, 상대 습도 60% 이하에서 시행한다. 피검자를 20~30분간 동일한 조건에 적응하게 하며, 측정 10분전에 피검 부위를 노출시킨다.
- 검사 부위의 피부 온도를 측정하고, probe의 온도를 유사하게 만든다.
- 시험 물질을 테스트 할 경우에 대조군을 설정하며, 왼팔과 오른팔을 각각 사용한다. 동일한 부위에서 측정해야만 의미가 있다.
- 공기 순환이 제한되는 방에서 이루어져야 하며, 공기의 흐름에 따라 측정값이 변하므로 주의한다.
- 가급적 동일한 계절에 측정을 해야 하며, 더운 여름이나 추운 겨울은 피한다.
- 측정 부위의 피부는 세정한 후에 20~30분 노출시키며, 동일한 물 또는 세정제를 사용한다.
- 측정은 교정·작동·환기의 순서로 실시한다. Vapometer(폐쇄형)은 자동 조절된다. Tewameter(개방형)은 탐침에 cap을 덮고 고정 unit에 장착한 이후에 온도·습도 센서가 정상 수치에 도달한 후에 측정한다.
- 측정 probe에 손을 닿지 않도록 하며, 손에 장갑을 끼고 시행한다.
- open chamber 방식을 사용할 경우에 피검 부위는 반드시 지면에 대하여 probe가 수평을 유지(일정한 압력)하여 측정한다. 앉은 자세에 비해 눕힌 상태에서 측정한다. 접촉 부위에 틈이 없어야 한다.
- 측정 부위의 피부 표면은 측정 전에 미리 닦는다.
- 반복 측정은 가급적 동일한 시간대에 시행한다. 피부 세정 후에 동일한 시간이 경과한 이후에 측정한다.
- 피검자의 숫자는 12~15명 이상이 되어야 한다.
- 털이 많은 부위는 피해야 한다.
- 측정 횟수는 근접한 곳으로 위치를 이동하여 3회(5~10회) 측정한다.
- 폐쇄에 의한 수화를 피하기 위하여 간격(5~10초)을 두고 시행한다. 기기의 실린더 내부 습도가 주변 습도와 동일해야 하므로 환기가 필요하다.
- 측정값은 안정화 시점(Vapometer 10~20초, Tewameter 30초)의 수치를 선택한다.

표 12-2. TEWL 수치(20~25℃,40~60% air humidity)

TEWL($g/m^2/h$)	0~9	10~14	15~24	25~29	≥30
Interpretation	Very healthy condition	Healthy condition	Normal condition	Stained condition	Critical condition

표 12-3. TEWL 측정 기기

기기	유형
Aquaflux (Biox Systems Ltd)	Condenser closed-chamber type
AS-CT1 (Asahi Biomed Company Ltd)	Unventilated closed-chamber type
DermaLab (Cortex Technology)	Open-chamber type
Evaporimeter EP1 and EP2 (ServoMed)	Open-chamber type
Tewameter TM210 and TM300 (Courage & Khazaka)	Open-chamber type
VapoMeter SWL3 (Delfin Technologies)	Unventilated closed-chamber type

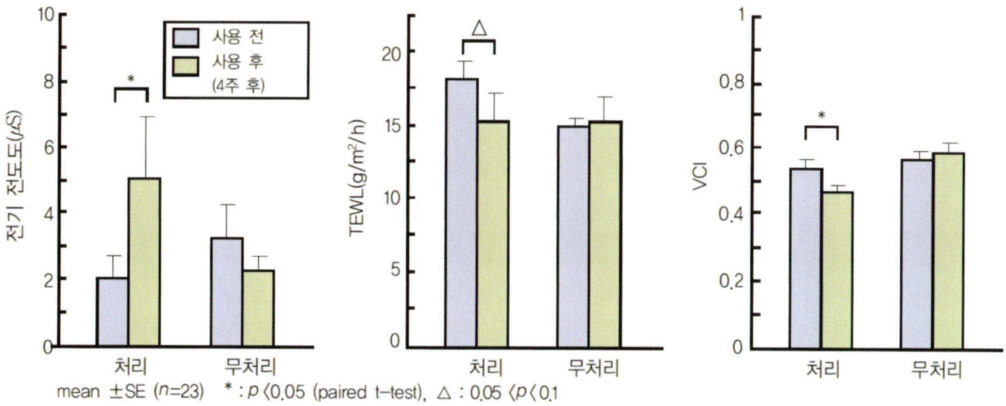

그림 12-2. 피부 건조증 환자에서 보습제 사용 (4주) 후에 장벽 기능이 회복되었다.

표 12-4. Open vs Closed

기준	Open chamber	Closed chamber	
		Unventilated	Condenser
Skin acclimatization	Essential	Essential	Essential
Prior-to-use instrument stabilization	Yes	Yes	Yes
Recommended for use in nonclinical settings	No	Yes	Yes
Immune to ambient air movements	No	Yes	Yes
Immune to probe heating	No	No	Yes
Immune to contact pressure	No	Yes	Yes
All surface orientations	No	Yes	Yes
Postmeasurement recovery delay	Yes	Yes	No

표 12-5. TEWL 측정에 영향을 끼치는 요인

인자	TEWL 영향
생물학적 인자	
Thermal and emotional sweating	Yes
Age, sex, ethnicity	Conflicting evidence
Skin physiology(thickness, hydration, appendages, constituents)	Yes
Skin type according to Fitzpatrick classification	Yes
Anatomical location of sample site	Yes
Skin temperature	Yes
Skin health	Yes
Circadian rhythm	Yes
Hormonal influences	Yes
외부 인자	
Life style(e.g., smoking, alcohol consumption, caffeine, diet, occupation)	Yes
Skin cleansing	Yes
Chemical exposure	Yes
Occlusion	Yes

표 12-6. 측정 기구(명칭/구분/제조사)

Instrument	Method	Manufacturer
AquaFlux	Condenser chamber(closed)	Biox Systems Ltd, England
DermaLab	Open chamber	Cortex Technology ApS, Denmark
Evaporimeter	Open chamber	Servo Med AB, Sweden
H4300	Unventilated chamber(closed)	Nikkiso-YSI Company Ltd, Japan
RG1	Open chamber	cyberDERM, Inc., USA
Tewameter	Open chamber	Courage & Khazaka GmbH, Germany
VapoMeter	Unventilated chamber(closed)	Delfin Technologies Ltd, Finland
AS-CT1	Unventilated chamber(closed)	Asahi Biomed Company Ltd, Japan

그림 12-3. PM Elias 교수가 기증한 전자현미경(연세원주의대)

2) 각질층 수분 함량(stratum corneum water content)

각질층의 수분 함유 정도에 따라 피부 표면의 외관이 결정된다. 수분이 부족하면 건조하고 거칠어진 인설 등이 유발된다. 적절한 수분 함량이 유지되면 부드럽고 매끈한 피부 상태가 된다. 따라서 각질층의 수분 함량은 피부 상태를 결정하는 중요한 요소이며, 제품의 효능·개발에 결정적인 단서를 제공한다. 수분 함량은 피부의 전기적 성질, 기계적 성질, 열역학적 특성, 광학적 특성을 측정함으로써 간접적으로 파악한다.

각질층 수분 함량(water content in SC) 측정 방법은 고주파 전류를 이용하여 피부 전기 전도도 또는 전기 용량을 측정하는 방법, 적외선 spectrum 방법, 빛과 음향에 의한 측정법, 자기 공명 단층법 등이 있다.

전기적 성질을 이용한 방법은 피부를 부도체로 간주하며, 수분을 많이 함유할수록 전기가 잘 통하는 성질을 응용한다. 물 분자가 각질층에서 나타내는 전기적 특성[전기 용량(capacitance), 전기 전도도(conductivity), 전기 저항(impedance)]을 피부 생물공학적 기법을 통해 상대적인 수분량을 산출하는 방법이 일반적으로 사용되지만 간접적인 지표이다. 각질층 수분 함량 측정 기기는 capacitance을 이용한 Corneometer® (Courage+Khazaka Electronic Gmbh, Cologne, Germany), conductivity를 이용한 Skicon®-200(I.B.S. Co., Hamamatsu, Japan), impedance를 이용한 Nova Dermal Phase Meter®(Nova Technology, Gloucester, MA, USA)이 있다. 상기의 기기는 상대적인 수분량을 측정하는 장비이며, 수분 함량에 관한 상관성은 유의하다. 수분 함량이 높을 때는 conductivity, impedance를 응용한 장비를 사용한다. 수분 함량이 낮은 건조 피부는 capacitance를 측정하는 기기가 효율적이다.

정전 부하 용량을 이용한 방법은 피부 표면에 접촉하는 전극 간격을 통해 전도되는 미미한 전류의 정전 부하 용량(capacitance)을 계측한다, 정전 부하 용량은 표면 각질층으로부터 30~40㎛ 깊이에 존재하는 수분 함량에 비례한다는 원리에 의하며, 각질층의 수분을 나타내는 지표이다. 피부 보습도가 높을수록 수치가 높아지고, 기기별 임의 단위(arbitrary unit)로 표시되며, 기기 간의 수치는 비례하지만 그 값을 동일하게 적용할수 없다. 대표적인 기기는 Corneometer®(C+K electronic GmBH, Cologne, Gemany)가 있다. Probe는 사방 7mm의 크기이며, 전극(전극 폭 50㎛, 간격 75㎛)이 배치되어 있다. Probe를 피부에 접촉하면 평균 1MHz의 주파수로 정전 용량을 구하여 표피층의 수분을 측정한다. 전극 표면은 두께 20㎛의 glass로 피복되어 있고, 피부와 전극의 직접적인 ion 전도는 없다. 측정 수치는 임의 단위로 표시되며, 0~150의 범위로 측정한다. 측정 심도는 약 100 ㎛ 이다.

Skicon®은 3.5MHz의 고주파 전류를 외경 2mm의 원판과 외경 6mm의 overpass ring으로 구성된 전극을 통하여 피부의 전기 전도도(conductivity)를 측정한다. 약 20 ㎛ 정도 깊이의 수분을 측정한다. 각질층의 수분 보유 능력 평가법이며, Tagami 등은 각질층 수부하 시험법(*in vivo* water sorption- desorption test)을 개발했다. 측정 부위의 전기 전도도를 측정한다. 물 방울을 피부 표피 위에 떨어뜨린 후 10초 정도 이후에 제거하며, 직후부터 2분까지 30초마다 측정한다. 전기 전도도는 닦아낸 직후에 높은 값을 나타내고, 서서히 감소하며 최초의 상태로 되돌아간다. 각질층의 흡습성(hygroscopicity), 수분 함유 능력(water holding capacity)을 측정한다.

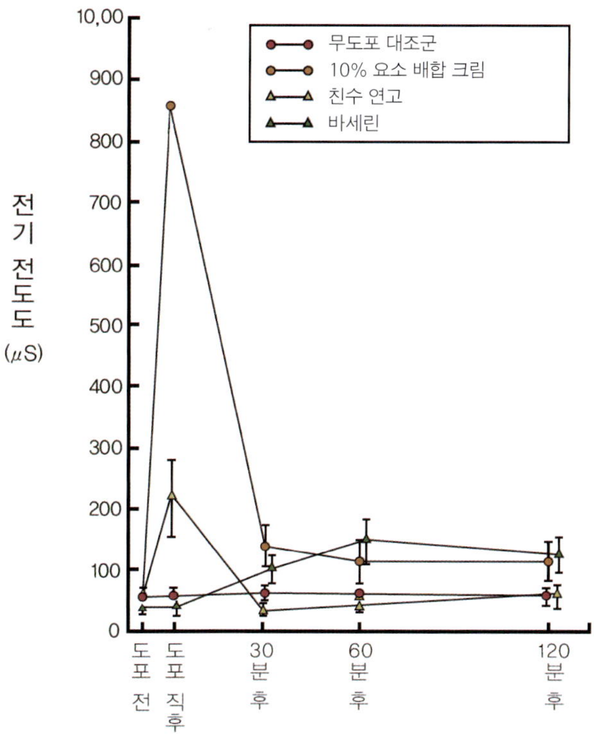

그림 12-4. 전기 전도도
바세린 도포 직후에 전기 전도도는 낮아진다. 30분 후, 60분 후에 점차 상승하고, 이후에 완만하게 감소한다.
연화제 및 물 성분이 많은 보습제는 도포 직후의 전기 전도도가 상당히 높으나 이후에 급격하게 저하된다.

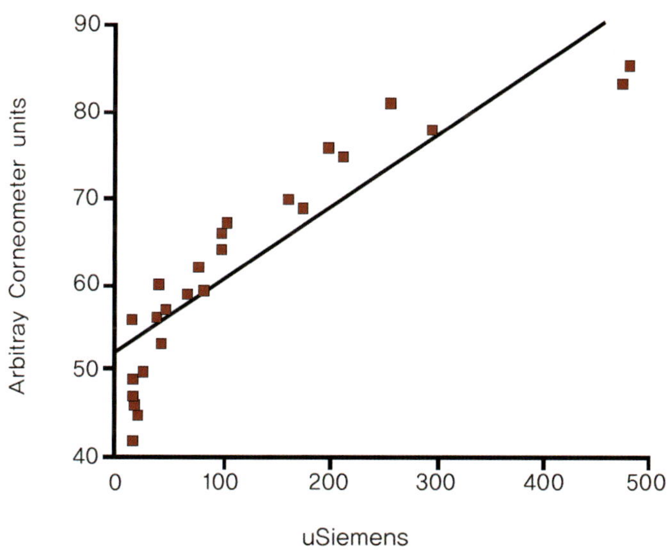

그림12-5. 전기 전도도(Corneometer®) 및 전기 용량(Skicon®) 비교 실험

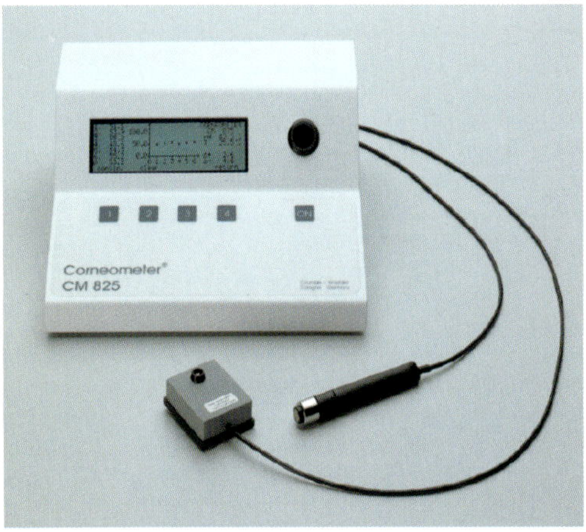

그림 12-6. 피부 장벽 측정 기기
(Corneometer®)

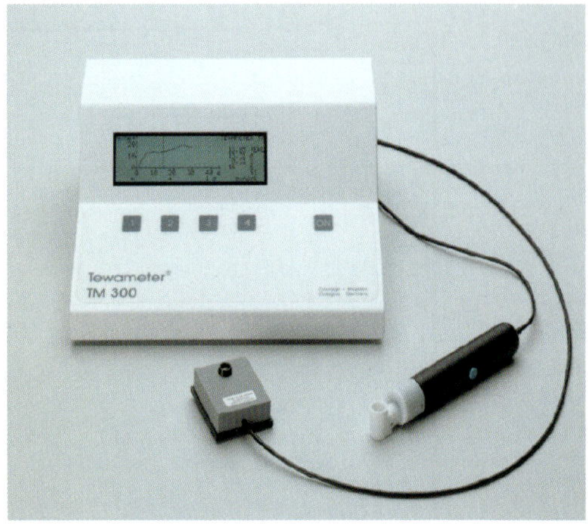

그림 12-7. 피부 장벽 기능 측정 기기
(Tewameter®)

건조한 피부에서 두 가지 인자가 낮은 값으로 나타난다. 외용제를 도포한 후에 각질층을 측정하면 제제에 의한 각질층의 흡습성을 높이는 기능 및 수분 함유 능력을 파악할수 있다. Corneometer®와 Skicon®의 기기 측정값을 비교하였을 때 높은 상관성을 보였으며(r=0.89), 필요한 상황에 따라 적절히 활용하면 된다. Corneometer®는 수분량이 높은 곳에서, Skicon®은 수분량이 낮은 곳에서 감도가 낮다는 단점이 있다. 정확한 해석 기준은 없으며, 해부학적 위치에 따라 차이가 있다. 2017년 대한 화장품 산업연구원에서 발간한 피부 측정 결과 보고서에 의하면 한국인 얼굴은 50~60 AU(arbitary unit) 이상, 전박(forearm)은 30~40 AU 이상이면 정상적인 피부 수분 상태이다. 이를 토대로 평가 기준을 설정하면 얼굴은 50 AU 이하는 건성이며, 30 AU 이하는 심한 건성 피부에 해당한다. 전박은 30 AU 이하는 건성, 20 이하는 심한 건성이라고 추정한다.

그외에 Attenuated Total Reflectance-Fourier Transform Infrared Technique(ATR-FTI), Time Domain Reflectometry(TDR), Opto-Thermal Transient Emission Radiometry(OTTER) 등의 측정 기기가 있지만, 연구실 수준에서 활용하고 있다.

표 12-7. Corneometer로 측정한 기준(20~25℃ 및 40~60% air humidity, unit: AU)

Type / Area	Face, neck, trunk	Arms, Legs, Hands
Very dry	< 30	< 20
Dry	30-49	20-29
Moisturized	50-59	30-39
Sufficiently moisturized	≥ 60	≥ 40

3) 피부 표면 형태(skin surface morphology)

건조 피부의 피부 표면 구조는 불선명하다. 피부 구조의 방향성은 이방성이 강해진다. 피부 표면의 상태를 정량적으로 측정하여 간접적으로 각질층의 보습 상태를 파악한다. 피부 표면 구조를 관찰하기 위해서 silicon rubber 등을 이용하여 피부 표면 replica를 채취하며, 요철 상태를 laser에 의한 3차원 계측 및 2차원 화상 해석으로 분석한다. Replica를 사이에 세우지 않고 피부 표면을 직접 관찰하는 방법은 video microscope, direct skin analysis 등이 있다.

4) 인설(scale)

인설은 건조 피부의 정도에 따라 차이가 있다. 각질층 수분과 인설은 상관 관계가 있다. 그러므로 외용제의 보습 효능 평가에 적용한다. Video microscope 방법과 D-squame® 방법이 있다. Video microscope는 빛을 피부 표면에 조사한 이후에 확대 촬영하여 평가한다. 인설 부분은 주위보다 휘도가 높기 때문에 이진화(binarization)에 의해서 그 부분을 추출하여 일정 면적 중의 화소수로 인설량을 정량한다. D-squame®은 원판상의 접착제가 부착된 테이프를 이용한다. 피부에 압력을 가하여 stripping하며, background에 CCD camera로 촬영하며, 일정한 면적을 화상 분석하여 인설 정도를 평가한다.

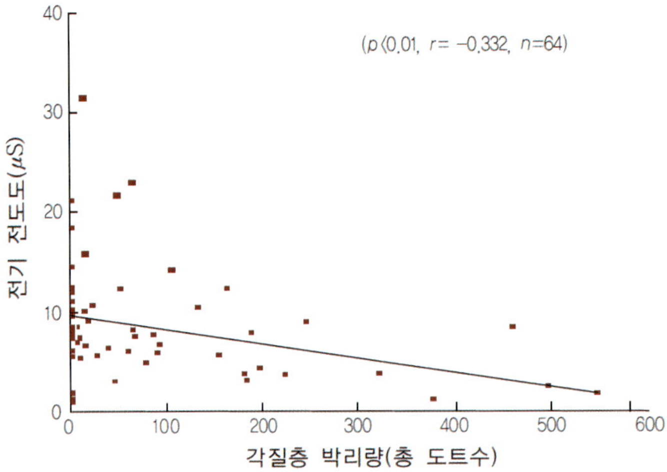

그림 12-8. 건조증의 각질층 수분과 인설의 연관성

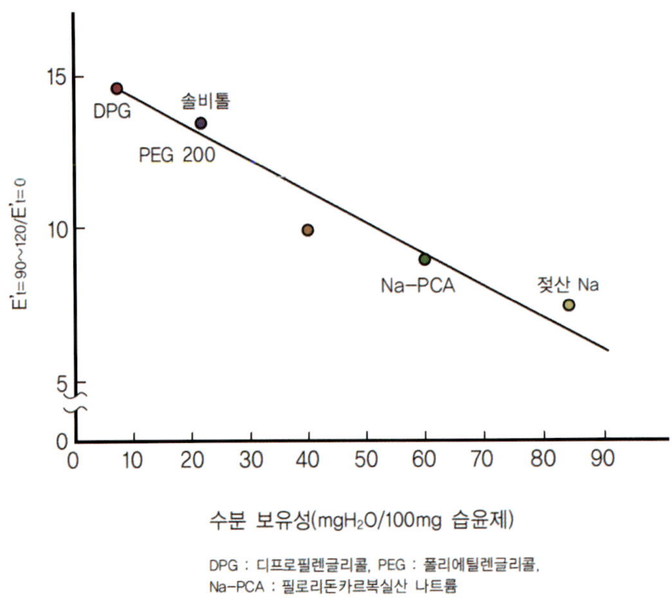

그림 12-9. 다양한 습윤제 수용액(10%)을 박리시킨 인체 피부에 도포한 이후의 점탄성 비교

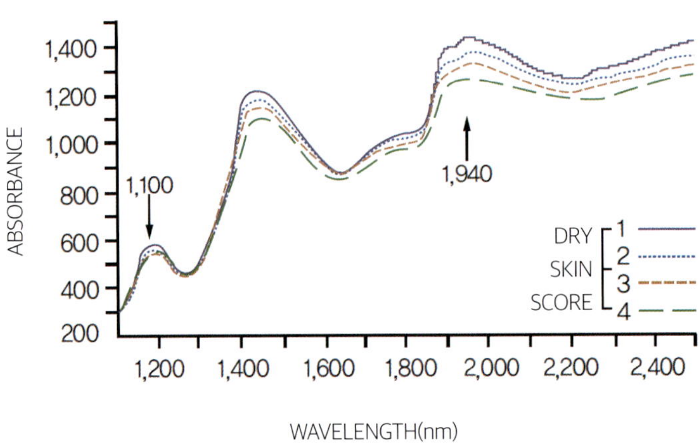

그림 12-10. 근적외선 분광법을 이용하여 건조증을 측정함

5) 신장(장력)성(tensile strength)

각질층의 역학적 성질은 수분량에 의존하며, 수분이 많아지면 유연하게 된다. 이러한 성질을 이용한 피부 신장성 평가는 보습력을 간접적으로 평가한다. 피부를 일정 방향으로 늘어나게 하는 장력성 정도를 평가하는 Extensometer® 및 2중 disc를 피부에 접착한 후에 일정한 힘으로 회전시켜 변화량을 조사하는 Twistometer®, 피부에 부착용 센서 내부를 감압하여 피부 융기 높이로부터 피부의 신장성, 탄력성을 조사하는 Cutometer® 등이 있다. 그러나 피부의 물리적 성질을 측정하는 방법이므로 각질층에 국한하여 측정할수 없다. 평가 기기는 간접적인 보습 효과를 측정한다.

6) 피부 표면 산성도(skin surface acidity, pH)

산성도는 피부 장벽의 견고성(integrity), 응집력(cohesion), 정상균 무리의 유지력을 반영하는 지표이다. 기기는 완충액이 채워진 원통형 유리 초자봉에 연결된 전극으로 구성되며, 초자봉을 피부에 접촉시켜 실시간으로 측정한다.

피부 표면은 소수성을 띄며, 순수한 액상의 물을 포함하지 않고, 지질이 포함된 다양한 혼합물이 표면을 감싸고 있다. 전극이 피부 수분과 작용하면 각질층의 양친매성 자유 지방산에서 H^+ 이온이 유리된다. pH=-log[H^+] 공식에 의해 수치가 결정된다. 그러나 세포 내 수분의 H^+ 이온 뿐 아니라 다양한 지질, 수성 물질의 영향을 배제할수 없다. 측정 전극을 증류수에 살짝 담그고 소량(20㎕) 남아있게 한 상태에서 피부 표면에 접촉하여 측정한다. 정상 각질층의 산성도는 문헌에 따라 다소 차이가 있지만, pH는 4.5~5.5 정도이다.

TEWL, 수분 등의 다양한 인자에 의해 측정 수치가 영향을 받으므로 주의가 필요하다. 물로만 씻은 경우는 2~3시간, 합성 세정제로 씻은 경우는 5시간, 알칼리성 비누로 씻은 경우는 10시간이 경과한 이후에 측정해야 한다. pH meter 1140(Mettler-Toledo, Greifensee, Switzerland), Skin pH meter 900 or 905(Courage & Khazaka, Electronic Gmbh, Cologne, Germany), Russell pH Ltd(Auchtermuchty, Fife, Scotland), pH meter®(Radiometer, Copenhagen, Denmark)이 있다.

7) 근적외선 분광법(near infrared spectroscopy: NIR)

근적외선 확산 반사 spectrum을 이용하여 각질층 수분량을 추정하는 방법(*in vivo*)이 Rigal 등에 의해 보고되었다. 근적외선에서 물 분자는 2개의 흡수 파장 영역(1450nm 및 1940nm)이 존재한다. 피부에 흡수가 가장 작은 1100nm 및 물 분자에 의한 1940nm의 peak 차이를 Skicon®으로 측정한다. 임상 평가에서 건조 피부와 연관성이 있다. 근적외선 분광법은 각질층의 보다 깊은 부위까지 측정하므로 건조 피부, 보습 평가에 장점이 있다.

8) 자기공명 단층 촬영법(magnetic resonance imaging: MRI)

Salter 등은 측정 심도 60㎛ 분해능의 MRI를 이용하여 각질층의 수화-탈수 상태를 처음으로 영상화하였다. 피부 표면에 바세린을 도포하여 각질층을 수화시켰다. 수화 정도에 따라서 각질층에서 휘도가 다른 2개의 층이 관찰되었고, 탈수 과정과 함께 소실되었다. 분해능이 낮으므로 각질층이 두꺼운 손끝에서 시행하였다. Querleus 등은 발 뒤꿈치를 15분간, 30℃의 물에 침수되었을 때의 변화를 N(H) [MRI에서 측정되는 자유수]로부터 조사하였다. 각질층의 수화 상태를 정량적으로 확인하였다. 각질층의 수화 정도를 정량적으로 측정하였으나, 각질층이 두꺼운 부위의 결과이므로 극복해야 할 문제점이다.

Index

-영문-

A

ABCA12(ATP-binding cassette transporter protein 12) 125, 166

Acetyl-CoA carboxylase 57, 66

Acidic sphingomyelinase 50, 54, 61, 83, 129, 153, 169, 171, 193

Acid mantle 26, 47, 129

ACTH 186, 202

Acylceramide 40, 60, 87, 166

Acylglucosylceramide 60, 166

Advanced glycation end product(AGE) 183

Amphiregulin 32, 127

Antimicrobial barrier 19

Aspartic protease 41, 43, 45

ATP-binding cassette transporter A1(ABCA1) 57, 83, 166

B

Beta-glucocerebrosidase 153

Brick and Mortar model 22

C

C.acnes 78, 176

Calcidiol 164, 166

Calcitriol 165, 166

Calcitriol acid 165

Cathelicidin(LL-37) 21, 24, 27, 43, 131

Ceramide glucosyltransferase 60

Chemical barrier 19, 21

Cholesterol ester 74

Cholesterol sulfate 54, 57, 59, 65, 124, 169

Cholesterol sulfotransferase 64, 124

Cholesterol sulfotransferase type 2B isoform 1b 64

Chymotryptic enzyme 45

Cingulin 96

Cis-UCA 29, 106

Claudin 96, 97, 98, 101, 171, 184

Closed chamber 221

Corneocyte lipid envelope 40, 60

Corneodesmosin 42, 49, 85, 93, 94, 95

Corneometer® 226, 227, 228

Cornifin 40

Corynebacterium 31, 155

Cutibacterium 31, 33

Cutis verticis gyrata 202

Cutometer® 231

Cyclooxygenase 36

Cysteine protease 41, 43, 45, 46

D

Defensin 24

Dehydroepiandrosterone 73,176

Dehydroepiandrosterone sulfate(DHEAS) 73, 200

Dermcidin 24, 25, 27, 132

Desmocollin 42, 93

Desmoglein 42, 93

Desmoplakin 42, 93

Desmosomal cadherin 49, 91

Diacylglycerol 80

Dihydrotestosterone 198, 200

E

Elafin 42, 43, 47, 48, 49, 51

ELOVL4(elongation of very long chain fatty acid 4) 166

Envoplakin 42, 87, 127

Epithelial polarity program 100

Eumelanin 29

Extensometer® 231

F

Factor VIIa 119

Factor Xa 119

Fatty acid synthase 55

Fibroblast growth factor receptors(FGFRs) 73

Fick's law 220

Filaggrin 32, 40, 42, 43, 46, 104, 107, 108, 150, 168, 171-174, 193, 196

G

Glucocorticoid 200

Glucosylceramide 24, 57, 59, 60

Glycerin 77

Glycerol 79, 80, 120, 129

Glycosaminoglycan 110, 189

Glycosphingolipid 59, 80, 120

GM-CSF 206, 207

Golgi apparatus 14, 57, 120

Gonadotropin 202

Gore-Tex 137

H

Histidase 29, 149, 150

Histidine 26, 106, 129, 150, 152, 193

HMG-CoA reductase 55, 63, 65, 159

Human beta-defensin(hBD) 27, 130, 131

Human beta defensins 130

Human genome project 30

Human microbiome project 30

Hyaluronidase 113

Hydration 29, 104, 140, 182, 193, 224

I

Immersion 140

Immunologic barrier 20, 21

Involucrin 40, 87, 127, 196

Isotretinoin 73

J

Junctional adhesion molecule 96

K

Kallikrein 43, 47, 120, 154, 177

Keratin 13, 14, 19, 20, 21, 42, 93, 94, 104, 107, 108, 110, 113, 145, 156

Keratinocyte 19, 20, 21, 145

L

LEKTI 1(lympho-epithelial Kazal-type related inhibitor 1) 43, 45, 47-51, 83, 96, 106, 121, 169, 170, 173, 175

Linoleic acid 55, 68

Lipidome 79

Lipid raft 120

Lipoxygenase 36, 76

LL-37 24, 25, 27, 44, 48, 50, 51, 78, 123, 130, 131, 132, 166, 177

Loricrin 40, 42, 87, 126, 127

LXR(liver x receptor) 124

M

Malassezia 33

Marvel domain protein 96

Matrix metalloproteinase 66, 189

Membrane trafficking system 49, 96

Microbiome 20

Microbiome barrier 20

N

Na^+/H^+ antiporter(NHE-1) 129

Neonatal ichthyosis sclerosing cholangitis 97

Netherton syndrome 50, 95, 121

NHE-1 25, 26, 129, 149, 150, 152, 153, 191

O

Occludin 96, 184

Oleic acid 68

Open chamber 221, 223, 224

Outside-inside-outside model 121

Oxyradical 66

Ozone layer 163

P

PAR-1 119, 120

PAR-2 9, 43, 48, 50, 51, 67, 78, 79, 119-124, 129, 169, 171, 173, 177

Periplakin 87, 127

Peroxisome proliferator-activated receptors(PPARs) 64, 73, 124

Petrolatum 137

Pheomelanin 29

PH meter® 231

Phospholipid 24, 26, 54, 55, 57, 59, 80, 129, 150, 193

Photoprotective barrier 20

Physical barrier 19, 21

Plakoglobin 42, 93

Plakophilin 42

Potential of hydrogen ions 146

Power of hydrogen ions 146

PPAR 33, 57, 64, 65, 73, 124, 125, 126

Propionibacterium(Cutibact-erium) acnes 33

Protease 24, 29, 43-47, 79, 85, 119, 172, 176

Protease activated receptor-2 119, 153

Protein kinase 29, 120, 127

Provitamin D3(7-dehydrocholesterol) 164, 165

Psoriasin 131

R

RNase7 27, 130, 132, 175

S

Samll rich protein 126

SCCE 45, 51, 95

SCTE 45, 51, 131, 154

Secretory leukocyte protease inhibitor 47

Secretory phospholipase A2 26, 129, 152, 154

Serine palmitoyl transferase(SPT) 57, 60

Serine protease 45, 50, 78, 119, 123, 150, 153, 154, 168, 174

Skicon® 226, 227, 228, 232

Skin buffer capacity 148

Skin surface lipid film (SSLF) 71

Small proline rich protein 40

Sodium-hydrogen exchanger type 1(NHE1) 191

Sodium-proton antiporter 1 152

Sodium-proton exchanger I(NHE1) 149
Somatotropin 202
Sphingolipid 60, 61, 79, 80, 124
Sphingomyelin 24, 54, 57, 59, 60, 61, 80, 83, 120
SPINK5(serine protease inhibitor Kazal type 5) 45, 50, 51, 121, 168, 170, 171, 173
Squalene 55, 74, 75, 169
Staphylococcus aureus 28, 31, 33, 147, 174
Staphylococcus epidermidis 20, 31, 148, 155
Steroid sulfatase 59, 65
Sterol regulatory element-binding proteins(SREBPs) 64
Stratum corneum 24
Stratum corneum lipid mixture 41
Substance P 73, 176, 178

T

Thrombin 119, 120
Thymic stromal lymphopoietin 121, 173
Thyrotropin 202
Tight junction 19, 20, 98, 174, 188
Toll-like receptor 31, 34, 61, 110, 177
Transepidermal water loss 168
Transglutaminase 40, 126, 127
Transglutaminase 1 40
Trans-Golgi network 83
Trans-urocanic acid 25, 29, 106, 149
Triglyceride 26, 74, 75, 79, 129, 169
Trypsin 47, 50, 79, 119-122, 124
Tryptase 47
Tryptic enzyme 45, 131
Twistometer® 231
Two compartment model 22

U

UGCG 166
Urocanic acid 26, 129, 152

W

Wax ester 74, 75, 169

Z

Zonula occludens 96

Others

α-linolenic acid 68
α-tocopherol 20, 29, 76
β-defensin 21, 25, 27, 34, 83, 110, 114, 159
β-glucocerebrosidase 50, 54, 59, 61, 83, 125, 129, 154, 169, 171, 193
ω-hydroxyceramide 84, 126
3-hydroxy-3-methylglutaryl coenzyme A (HMG CoA) reductase 57
5-α reductase 198
7-dehydrocholesterol 164, 188
11 beta-hydroxysteroid dehydrogenase type 1 192
11β-hydroxysteroid 187, 201

-국문-

ㄱ

각질교소체 8, 15, 22, 23, 26, 28, 39, 47-50, 58, 84, 85, 87, 91-96, 104, 129, 141, 152, 153, 159, 169, 171, 192, 195, 196, 209

각질세포 8, 11, 14, 15, 16, 22, 23, 26, 39, 40, 41, 43, 45, 47, 49, 50, 53, 54, 57-61, 63, 65, 67, 69, 70, 71, 83, 84, 85, 88, 91, 94, 95, 103, 106, 121, 122, 125, 126, 129, 137, 140, 141, 142, 145, 152, 153, 159, 166, 167, 169, 181, 184, 188, 191, 192, 194, 196, 197, 202, 205, 208, 209, 211, 217

각질세포간 지질 8, 14, 15, 22, 26, 39, 43, 45, 50, 53, 54, 57-61, 63, 69, 70, 71, 125, 129, 140, 141, 142, 153, 159, 167, 191, 192, 197, 202, 205, 217

각질세포 외막 15, 22, 23, 39, 40, 41, 84, 85, 88, 137, 141, 166, 196

각질세포 외피 39

각질세포 주머니 39, 40

각질세포 지질외막 40, 41, 84

각질세포 지질외피 40

각질세포 지질주머니 40

각질세포 탈락 47, 65, 84, 95, 188

각질유리질과립 14, 88

각질층 9, 11, 12, 14, 15, 16, 19, 21-30, 39, 40, 41, 43, 44, 45, 47-50, 53, 54, 56-61, 65, 66, 67, 69, 70, 71, 76, 79, 83-88, 91, 94-98, 101, 103, 104, 106, 108, 110, 112, 115, 116, 120, 122, 126, 129, 131, 132, 138-143, 145-150, 152, 153, 157, 159, 161, 162, 167, 169, 174, 176, 177, 181, 182, 183, 187-191, 195, 196, 199, 201, 209, 211, 215, 217, 219, 220, 225, 226, 228-232

각질층 수분 함량 9, 103

각질 탈락 43, 44, 45, 47, 48, 49, 77, 85, 94, 95, 96, 154, 192

각질형성세포 11, 14, 15, 16, 22, 23, 27, 29, 31, 33, 35, 39, 54, 57, 58, 60, 64, 65, 67, 70, 71, 76, 83, 91, 92, 94, 96, 97, 99, 100, 106, 110, 112-115, 119-122, 126, 127, 130, 131, 142, 143, 147, 153, 159, 162, 165, 166, 184, 188, 194, 195, 198, 200, 206, 217, 219

각질화 88

각화 16, 54, 64, 65, 76, 103, 176, 188

갑상선 호르몬 135, 198, 200, 201

건선 9, 30, 34, 50, 69, 73, 99, 115, 120, 121, 122, 131, 132, 138, 167, 168, 184, 185

건조 피부 9, 63, 95, 106, 137, 167, 168, 198, 226, 229, 232

경진피 약물 전달 211

경표피 수분 손실 9, 31, 97, 138, 156, 177, 178, 182, 183, 191

경표피 투과 경로 9, 215, 217

경피 흡수 9, 11, 189, 195, 215

계면 활성제 202, 208

골지소체 29, 57, 60

골지체 14

공동 기포 211

과립층 12, 14, 21-26, 40, 47-50, 53, 54, 56, 58, 59, 60, 65, 83, 85, 88, 91, 92, 94-98, 100, 101, 103, 106, 108, 112, 115, 116, 120, 121, 129, 142, 145, 152, 153, 159, 184, 188, 191, 205, 207, 209, 215

관성 공동 211

광노화 30, 66, 158, 159, 162, 187, 188, 190

광보호 장벽 8, 29

교소체 8, 14, 15, 22, 23, 26, 28, 39, 43, 45, 47-50, 58, 84, 85, 87, 91-96, 100, 104, 129,

139, 141, 142, 152, 153, 159, 167, 169, 171, 187, 192, 195, 196, 209
극성 지질 54, 59, 83, 84, 86, 217
근적외선 분광법 9, 230
글리세롤 59, 67, 76, 79, 80, 86, 115, 116, 129, 149, 191
글리세린 77, 115
급성 손상 65, 132, 205
기계 효과 211
기저층 12, 14, 16, 21, 22, 23, 36, 50, 51, 56, 57, 60, 64, 65, 91, 92, 94, 95, 98, 110, 115, 116, 121, 127, 142, 188, 191, 207, 215

ㄴ

나트륨 143, 210
남성 호르몬 200
내인성 노화 187-190
노화 피부 9, 16, 30, 33, 63, 69, 147, 148, 153, 162, 182, 187-191, 193
뇌하수체 호르몬 186, 202

ㄷ

단백분해효소 43, 45, 46, 50, 67, 119, 121, 122, 123, 130
단백질 분해효소 43, 44, 45, 84, 96, 106, 192
당김세사 88
당뇨병 9, 30, 151, 167, 168, 182, 183, 191, 195, 196
당질코티코이드 187, 201, 202
당화 혈색소 183
대기권 162
대류권 162, 163
대식세포 34, 206, 207
도코사헥사인산 68

ㄹ

랑게르한스 세포 11, 21, 34, 98, 171, 188, 190, 206
리놀레산 68
리놀레익산 77

ㅁ

마그네슘 143
마이크로바이옴 불균형 31
마이크로바이옴 장벽 8, 30, 32
멜라노코르틴 73
멜라닌세포 11, 14, 29, 30, 122, 188, 199
멜라닌 소체 29, 122
면역글로불린 A 76
면역 장벽 8, 34, 35, 36, 98
물리적 장벽 8, 19, 21, 106
민감성 피부 177-181
밀착 연접 8, 23, 92, 96-101

ㅂ

반성 어린선 95
방취제 148
부신 피질 201
불포화 지방산 36, 67, 68
비타민 D 9, 11, 159, 162, 164, 165, 166, 188, 189
비타민 D3 159, 164, 165, 166
비타민 E 76, 77

ㅅ

사이토카인 11, 25, 33, 36, 50, 61, 73, 76, 97, 111-114, 123, 132, 142, 143, 153, 159, 171, 175, 176, 177, 181, 198, 206, 207, 209
상대 습도 103, 138, 139, 140, 167, 222
생리적 지질 혼합물 69, 70, 192
선단비대증 202

선천 면역계 25, 34
선천성 면역 48, 175, 177
성장호르몬 198, 202
성층권 162, 163
성호르몬 198, 200
세라마이드 23, 24, 25, 27, 41, 53, 54, 57-62, 64, 67-70, 79, 80, 84, 129, 153, 156, 159, 169, 178, 191, 192, 195, 196, 202, 205
세포 결합 91, 94, 99, 100, 114
세포 고사 60
세포 극성 98, 100, 101
세포외 기질 분해효소 66
세포외 변환 14, 25, 54, 57, 142
세포외 유출 84, 142, 143
세포 포식 122
소포 83, 88, 101
소포 수송 101
속도 제한 효소 57, 66
수동 확산 210
수소 이온 농도 146
수화 9, 28, 67, 74, 76, 103, 104, 111, 115, 122, 129, 131, 135, 140, 141, 142, 177, 182, 222, 232
스테로이드 9, 63, 66, 95, 135, 195, 196, 197, 201, 215
스테아릭산 68
스트레스 9, 36, 61, 73, 76, 135, 149, 176, 179, 185, 186, 187, 201
습도 9, 11, 30, 91, 103, 106, 135, 137-140, 149, 167, 220, 222, 226
신장(장력)성 9, 231

ㅇ

아교질 188, 199
아라키돈산 68
아쿠아포린 8, 103, 114, 115, 116, 167, 170, 191
아토피 피부염 9, 25, 30, 31, 34, 45, 46, 50, 61, 69, 73, 95, 98, 99, 103, 106, 120, 121, 132, 138, 147, 148, 149, 159, 167, 168, 170-173, 175, 185
안드로겐 73, 198, 199, 200
안정 공동 211
에스트로겐 135, 198, 199
에이코사펜타엔산 68
여드름 9, 33, 69, 73, 74, 76, 77, 78, 123, 147, 167, 176, 185, 196, 200, 201
열공 28, 104, 105, 142, 143
열권 162, 164
열 효과 212
염화물 143
오들랜드 바디 83
오존층 157, 163, 164
온도 9, 11, 36, 91, 135, 136, 137, 140, 149, 151, 167, 177, 189, 212, 220, 222
올레인산 68
유극층 12, 14, 21, 22, 23, 40, 53, 54, 98, 110, 116, 142, 143, 188, 207, 215
이온 영동 19, 142, 208, 209, 210, 212, 215
인설 9, 68, 91, 95, 122, 138, 167, 184, 225, 229, 230
인종 9, 25, 146, 151, 156, 220
인지질 25, 27, 41, 54, 57, 59, 60, 67, 68, 86, 129, 148, 149, 152, 192, 202
임의 단위 226

ㅈ

자가포식 194
자기공명 단층 촬영법 9
자연 보습 인자 8, 15, 25, 28, 29, 44, 95, 103, 104, 106, 109, 167, 169, 196, 219

자외선 9, 11, 29, 30, 36, 61, 66, 73, 106, 108, 113, 115, 122, 126, 130, 135, 149, 157-166, 178, 187, 188, 191, 194
자외선 A 66, 157, 158, 159, 163
자외선 B 106, 108, 157-166
자외선 C 157, 158, 163
자유 지방산 23, 24, 25, 27, 41, 54, 57, 58, 59, 64, 66, 67, 69, 74, 79, 84, 86, 129, 130, 146, 147, 148, 152, 159, 169, 195, 196, 202, 205, 231
적응 면역계 34
전기 삼투 210
전기 용량 225
전기 이동 210
전기 저항 225
전기 전도도 225, 226, 227
전해질 9, 12, 142, 167
절대 습도 138, 139
접착 결합 91, 92, 99, 100
접촉 피부염 9, 141, 147, 185
주사 9, 51, 132, 177, 178, 196, 197, 198, 201, 210
줄기 세포 14, 91, 100
중간권 162, 164
중간 미세섬유 23
중성 지질 54, 59, 86, 178, 181
지방 소적 71, 72
진피 11, 12, 14, 21, 22, 35, 96, 112, 114, 120, 122, 157, 158, 167, 176, 183, 187, 188, 190, 191, 199, 200, 206, 207, 211, 217

ㅊ

초음파 영동 113, 142, 208, 209, 211, 212, 215
최소 홍반량 157, 159, 165
층상 구조 14, 22, 58, 142
층판소체 8, 12, 14, 22, 24, 25, 40, 46-50, 53, 54, 57-60, 65, 67, 83, 84-87, 94, 96, 97, 101, 113, 120, 121, 125, 126, 129, 131, 137, 138, 139, 142, 143, 148, 149, 152, 153, 159, 166, 169, 171, 183, 186, 195, 196, 202, 205, 208, 209, 215
층판소체 지질 58, 59, 86
치밀 이음 23, 96
침수 9, 86, 135, 140, 141, 232

ㅋ

칼륨 143
칼리크레인 50
칼슘 13, 63, 76, 97, 106, 113, 120, 126, 131, 137, 142-145, 165, 166, 191, 207, 208, 209, 215
칼슘 기울기 76, 97, 137, 142, 143, 191, 207, 208, 215
칼슘 채널 억제제 207
케라토히알린 과립 8, 83, 88, 101, 103
케라티노좀 83
케라틴 11, 14, 15, 16, 22, 23, 39, 40, 88, 103, 106, 126, 141, 217
콜레스테롤 23, 41, 43, 45, 53, 54, 57-60, 63-66, 69, 74, 79, 84, 86, 95, 110, 111, 113, 120, 153, 159, 169, 170, 182, 191, 195, 196, 201, 202, 205

ㅌ

탄력섬유 188, 190
탈락 15, 16, 28, 43, 44, 45, 47, 48, 49, 65, 67, 77, 84, 85, 91, 94, 95, 96, 100, 122, 141, 147, 154, 188, 192
테스토스테론 135, 198, 200
트란스글루타미나제 126

ㅍ

팔미틱산 68

포화 지방산 36, 67, 68

표피 8, 9, 11-16, 21, 23, 25, 27, 30, 31, 35, 36, 40, 43, 47, 49, 50, 51, 57, 58, 60, 64-69, 73, 74, 76, 83, 88, 91, 92, 96-101, 106, 110-115, 120-130, 137-145, 147, 148, 153, 154, 156-159, 165, 166, 167, 169, 171, 174, 175, 177, 178, 182-191, 194, 195, 197, 198, 200, 201, 206, 207, 208, 215, 217, 219, 220, 226

표피 분화 표지자 159, 219

표피 성장 인자 9, 111, 113, 127, 128

표피 인지질 27, 129

표피 층판소체 83

표피 칼슘 기울기 76, 191, 207

프로게스테론 199, 200

프로필라그린 8, 103, 104, 106, 191

피부 마름증 167

피부 표면 산성도 9, 231

피부 표면 형태 9

피지 8, 11, 25, 26, 27, 29, 30, 33, 71-78, 112, 120, 126, 129, 130, 131, 137, 146, 147, 148, 150, 151, 152, 166, 167, 169, 170, 176, 177, 189, 191, 198, 199, 200, 210, 217

피지세포 71, 72, 73, 76, 78, 126, 176, 200

피지 지질 71, 74, 75, 78

피하 지방층 11, 80

필라그린 8, 25, 44, 88, 95, 103, 104, 106-109, 149, 167, 191, 192, 195

ㅎ

한랭 137

항균 펩티드 9, 25, 27, 28, 34, 50, 130, 131, 132, 166, 175, 187, 191

항균/화학 장벽 8, 24

항단백질 분해효소 43, 44, 45

항산화 물질 76

항산화 장벽 36

해면화 111, 114

핵 수용체 73, 124, 125

호르몬 9, 29, 73, 79, 97, 124, 135, 167, 176, 186, 198-202

활성 산소종 36, 194